Manso, Johann Kaspar Fr

Geschichte des Preussischen Staates

Vom Frieden zu Hubertsburg bis zur zweiten Pariser Abkunft

Manso, Johann Kaspar Friedrich

Geschichte des Preussischen Staates

Vom Frieden zu Hubertsburg bis zur zweiten Pariser Abkunft

Inktank publishing, 2018

www.inktank-publishing.com

ISBN/EAN: 9783747796061

All rights reserved

Geschichte

des

Preußischen Staates

vom Frieden zu Hubertsburg bis zur zweiten
Pariser Abkunft

von

J. C. F. Manso.

Dritte unveränderte Ausgabe.

Zweiter Band. — 1797 — 1807.

Leipzig,
bei C. F. Dörffling.

Frankfurt a. M.,
bei G. F. Kettembeil.

1839.

Vorrede.

Ich übergebe den Lesern diesen zweiten Band der Geschichte des Preußischen Staates seit dem Frieden zu Hubertsburg, nicht ohne die gerechte Besorgniß, vielen zu mißfallen und stärker, als durch den ersten zu beleidigen. Je näher der Geschichtschreiber den jetzt noch lebenden Geschlechtern und vorwaltenden Ansichten tritt, desto schwerer für ihn werden, wie der treffliche Müller *) sagt, die Zeiten, und je aufrichtiger er sie darzustellen wünscht, desto mehr findet sich, was er gern für falsch ausgeben möchte. Aber wie sehr auch dieß Gefühl drücke und beunruhige, nie soll er glauben, daß er zu Gunsten des Tags, der, wie gewöhnlich seine Plage, so auch seine Parteiungen hat, oder zu Gunsten des geliebten Vaterlands der Wahrheit etwas zu vergeben oder anders zu stellen befugt sei. Mit eben dem Rechte vielmehr, mit welchem das letztere Achtung in seiner Demüthigung und Bewunderung in seinen Siegen verlangt, darf auch der Feind, der es unterdrückte und wieder unterdrückt wurde, auf beides Ansprüche machen und jede Würdigung verwerfen, der ein anderer Maßstab unterliegt. Diesen

---

*) Sämmtliche Werke Th. V. S. 155.

Grundsatz auffassend, habe ich geprüft und geurtheilt. Möge mir darum immerhin die nicht kleine Zahl derer zürnen, die jede Anerkennung fremder Größe für Parteilichkeit halten und ihre vermeintliche Deutschheit durch nichts kräftiger zu bewähren wissen, als durch schnöde Herabsetzung des Auslandes Sie vergessen nicht nur, daß sie die Besiegten entehren, indem sie dem Sieger sein Verdienst absprechen; sie übersehen zugleich, zu welcher scharfen Rüge der Handlungsweise unserer eigenen Fürsten sie durch die unerbittliche Strenge, die sie gegen andere üben, auffordern und berechtigen. In keinem Falle mögen sie die Ueberzeugung entkräften, daß man außer der Gegenwart leben müsse, wenn man über sie richten wolle.

Uebersicht des zweiten Bandes.

bei Canth geschlagen S. 334. und, nach der feindlichen Besitznahme von Neiße, in Glatz eingeschlossen. S. 335. Während der Zeit kommt der Friede von Tilsit zu Stande. S. 337. Nachtheilige Bedingungen, die Preußen einzugehen gezwungen wird. Daf. Schilderung des Eindrucks, den ihre Bekanntmachung erzeugt. S. 339.

Geschichte

des

Preußischen Staates

von

J. C. F. Manso.

Viertes Buch.

———◆———

Von Friedrich Wilhelms des dritten Thronbesteigung
bis zum Ausbruche des zweiten Französischen
Krieges.

1797 — 1806.

1

Des vierten Buches

erste Abtheilung.

———◆———

Friedrich Wilhelms des dritten erste Verwaltungs-Jahre.

Nihil aut certe parum intererat inter imperatorem
factum et brevi futurum.

PLINII PANEGYR. 20, 3.

---

1 *

Friedrich Wilhelm der dritte, geboren am 3. August 1770, bestieg den Thron seiner Ahnen in der Fülle der Kraft und Jugend und unter frohen Erwartungen der Gutgesinnten. Die eilfjährige Herrschaft seines Vaters hatte gelehrt, was ein Staat, wie Preußen, verlieren könne, wenn aus straffen Händen die Verwaltung übergehe in schlaffe, und der Anzeichen, die wegen der Zukunft beruhigten, waren viele. Der junge König galt für sparsam und eingezogen, was bei Fürsten seines Alters nicht leicht gefunden wird, und fühlte sich, welches noch seltner, im häuslichen Zirkel glücklich. An der schönen Gemahlin hing er mit solcher Herzlichkeit und sie so innig an ihm, daß keine Erkaltung, geschweige Untreue zu fürchten war. Als Grundzug seines Gemüths glaubte man Ernst und Beharrlichkeit zu bemerken, die dem Biedermann wohl thun und den Höfling in Schranken halten. Selbst das vorwaltende Mißtrauen in eigne Einsicht schien nicht gefährlich, weil es fremdem Rath den Weg bahnt. Daß Zeiten eintreten könnten, wo es kluger Vorhersehung, rascher Entschlossenheit und durchgreifender Maßregeln bedürfe, lag außer aller Berechnung.

Wie sehr er die Mängel des Staates kenne und ihnen abzuhelfen wünsche, bewies sogleich, nach Uebernahme der höchsten Gewalt, eine eigenhändige Ermahnung an die bürgerlichen Behörden a). Mit großem Nachdrucke gab der

---

a) Vom 23. Nov. 1797, bekannt gemacht den 16. Januar 1798. Constit. Pr. Brand. Nr. 2.

König denen, die an der Spitze der Verwaltung standen,
zu erkennen, daß er die eingerissene Erschlaffung in Amts-
geschäften kenne und hasse, und einen bessern Geist hervor-
rufen wolle. „Die Obern sollten dahin sehn, daß pflichtver-
gessene Mitglieder ausgestoßen, nicht fähige in geringere Stellen befördert, oder mit mäßigem Gehalt entlassen würden.
Das Ganze dürfe nicht leiden um des Einzelnen willen; der
Staat selbst sei nicht reich genug, untüchtige oder nachlässige
Arbeiter zu ernähren." Man sah, der Prinz hatte im Stillen beobachtet und sich belehrt, und vernahm nicht ungern,
daß nun der Herrscher öffentlich dem Hauptgebrechen, woran
seine Diener krankten, der Schwäche, den Krieg erkläre.
Schon das ausgesprochene Wort weckte Vertrauen; ein ähnliches war seit Jahren nicht gehört worden.

Noch mehr erfreute die Aufhebung des väterlichen Be-
schlusses, welchem gemäß, nach früherer Erwähnung, der Al-
leinhandel mit Tabak an den Staat zurückkehren sollte. In
einer Verordnung vom 25. December 1797 b) erklärte der
König, er entlasse die bereits angestellten Beamten und verweise sie an die allgemeine Behörde für Gewerbe und Zoll-
gefälle, und in einer etwas spätern setzte er fest, daß von
dem ersten Februar an der Verkauf des Tabaks wiederum
frei gegeben sei, bestimmte die Abgaben, die künftig von dem
Tabak entrichtet werden sollten, und erhöhte die bisherige
Uebertragsabgabe um ein geringes c).

Auch die sehnlich erwartete Veränderung in geistlichen
Angelegenheiten zögerte nicht. Die Prüfung der Prediger
und zum Predigtamte Berufenen ward durch ein Schreiben

---

b) Const. P. Br. von 1798, Nr. I, vergl. das Schreiben an den
Minister von Bugenhagen in Kosmanns und Heinsius Denkwürdigkeiten der Mark Brandenburg V. 252.

c) Man zahlte nämlich von einem Thaler, statt 1 Groschen 4
Pfennige, jetzt 1 Groschen 8 Pfennige, und auch dann nur, wenn die
zu entrichtenden Gefälle über 12 Groschen und mehr betrugen.

vom 27. December 1797 d), den Unwürdigen, die sie unter
Wöllners Vorsiß und Schuß an sich gerissen und behauptet
hatten, entzogen und kehrte zu der ehemaligen würdigen Be=
hörde zurück. Bald als Wöllner, den königlichen Befehl vom
23. November mißdeutend, die Vorsteher der Geistlichkeit auf=
forderte, über ihre Untergebenen nicht nur alles Ernstes zu
wachen, sondern auch vorzüglich dahin zu sehn, daß nach
der ausgegangenen Glaubensordnung gelehrt werde, bezeigte
ihm der König sein Mißfallen ob der unerhörten Verdrehung
des klaren Sinnes, und sparte selbst nicht bittre Verweise,
die wohl zur Abdankung bewegen mochten e). Aber der Zu=
rechtgewiesene war unverschämt genug, sich die erhaltenen
Winke nicht anzueignen, und so geschah es, daß er unterm
11. März 1798 seinen Abschied erhielt und aus dem Glanze
des Hofes in die Einsamkeit seiner Güter zurückeilte, wo er
im Jahr 1800 am 11. September starb f), — ein neuer
Beweis, daß Scheinverdienst in der Zeit nicht besteht. An
seine Stelle trat Eberhard Julius von Massow, bisher Ober=
haupt der Pommerschen Regierung, kraft seiner Ernennung
vom 2. April 1798, und leitete die geistlichen Geschäfte g)
von nun an nach den Gesetzen der Billigkeit und Vernunft.
Zugleich mit Wöllners Herrschaft endeten seine Diener und
Treuen, Hermes und Hillmer, die ihrige und eilten, durch
mäßige Gnadengehalte abgefunden, der alten Dunkelheit wie=
der zu, aus der man sie nie hätte ziehen sollen. Die für
Aufklärung und Denkfreiheit gefürchtet hatten, beruhigten sich
seitdem, und aus den ergehenden Verordnungen sprachen ge=
mäßigte Grundsätze h).

---

d) Kosmanns Denkwürdigkeiten V. 250, 261 u. f.

e) Das Schreiben steht in Schlichtegrolls Necrolog für das neun=
zehnte Jahrhundert I. 139, vergl. Gallus Geschichte der Mark Bran=
denburg VI, 2, S. 348.

f) Klaproths und Cosmars Preußischer Staatsrath. 500.

g) Constit. Pr. Brand. Nr. 28, vergl. Klaproths Staatsrath. 540.

h) So erlaubte z. B. die vom 20. Sept. (Constit. P. Br. Nr. 72)

Zu den Verfügungen, welche den Regierungsantritt des
Königs bezeichneten, gehörte, außer den genannten, auch die
Verhaftung der Gräfin von Lichtenau. Wenige Stunden nach
dem Tode Friedrich Wilhelms des zweiten eingezogen, wurde
sie einem gerichtlichen Verhör unterworfen i), und so groß
war die Vorstellung von ihrer Schuld, daß das Volk darob
laut frohlockte, und kaum Worte genug fand, die Gerechtig=
keitsliebe des neuen Königs zu preisen. Schmähschriften
folgten auf Schmähschriften, und verbreiteten Geschichten, die
nicht bloß ihr schimpflich waren. Die Tages= und Monats=
Blätter wetteiferten ihr wehe zu thun, und selbst Verständige
ließen sie vorläufig auf dem Richtplatze sterben. Nur wenige
Bedächtige urtheilten anders. Sie erwogen die zarten Ver=
hältnisse des Sohnes zum Vater, und wie der Tod des letz=
tern nicht eben schnell und überraschend gekommen sei, und
daß die Gefangene sich retten konnte, wenn sie Schlimmes
gefürchtet hätte. Von der geführten Verhandlung ist nichts
bekannt geworden, aber der Ausgang der Rechtssache hat
bewiesen, daß entweder wirkliche Verbrechen auf der Gräfin
nicht hafteten *), oder die königlichen Befehle und Briefe sie
vor richterlicher Verurtheilung schützten. Am 16. März ward
sie nach der Festung Glogau gebracht k), doch ohne Beschrän=

---

das seit 1792 eingeführte Lehrbuch: „Die christliche Lehre im Zusammen=
hang", wo es nicht gebilliget war, wieder abzuschaffen und das alte an
dessen Stelle zu setzen.

i) Geleitet vom Minister von der Reck, dem Präsidenten Kirch=
eisen und dem Cabinets-Rath Beyme. Apologie 1. 135 und 234, vergl.
Dampmartins Traits de la vie privée de Frédéric Guillaume II.
361 u. f.

*) Eines, wovon man in jenen Tagen laut und allgemein sprach,
Verrath am Staate, war ihr gewiß fremd, ob man gleich, ihrem eige=
nen Geständnisse (Apologie I. 84) zufolge, den Baseler Frieden durch sie
zu hintertreiben suchte und wahrscheinlich auch ihr Liebhaber (sie sagt I.
35. ihr Verlobter), der Engländer Templetown, hierbei thätig war.

k) Apologie I. 236.

kung auf Haus und Zimmer, und späterhin ganz in Freiheit
gesetzt. Von ihren eingezogenen Gütern und Häusern erhielt
sie jährlich vier tausend Thaler und das Berliner Kranken=
haus (die Charité) den Rest l). Sie selbst gab bei der völ=
ligen Entlassung ihr Wort, von dem Verhöre nichts zur öf=
fentlichen Kunde zu bringen m), und lebte seitdem meist in
Breslau, anfangs begafft und besprochen, später vergessen
und kaum bemerkt. Ihre Briefschaften hatte sie früher be=
reits, bis auf wenige, zurückempfangen.

Den ersten Verordnungen des Königs, die hauptsächlich
den Bedürfnissen der Zeit und den Umständen galten, folg=
ten bald wesentlichere und mehr auf das Ganze berechnete.
Die Sorge für die Gesundheit der Menschen war im Preußi=
schen Staate zwar niemals vernachlässigt, sondern früher
schon durch Prüfung angehender Aerzte n), ohne Rücksicht
auf die erlangte academische Würde, dargethan worden: aber
das Geschehene schien dem Zwecke nicht ganz zu entsprechen.
Dieß bewog den König durch einen Befehl vom 1. Februar o)
in seinen Landen, mit Ausschluß von Süd= und Neu=Ost=
Preußen eine eigene Prüfungsbehörde für Aerzte, Wundärzte
und Apotheker zu Berlin anzuordnen und an die mündliche
Prüfung zugleich einen vierfachen Lehrgang p), meist aus=
übender Art, zu knüpfen. Zum Vorsteher erhielt die Behörde
den berühmten Arzt Selle und neben ihm noch vier andre
Mitglieder. Ihre Thätigkeit begann mit dem 1. März.

Eine andere Anstalt aus älterer Zeit war die allgemeine
Rechenkammer. König Friedrich Wilhelm der erste hatte sie

---

l) S. die Cabinets=Ordre vom 18. April bei Kosmann V. 761,
vergl. 642.

m) Apologie I. 134.

n) Zuletzt durch ein Examen=Reglement vom 4. Februar 1791.

o) Einen Auszug liefert Kosmann V. 408.

p) Einen anatomischen, clinischen, chirurgischen und pharmaceu=
tischen.

unterm 16. Januar 1717 gestiftet und einem seiner obersten
Staatsdiener anvertraut, daß durch sie eine leichte Uebersicht
der ganzen Staatsverwaltung gewonnen, das Verhältniß der
Ausgabe zur Einnahme richtig beurtheilt und die Abweichun=
gen von den bestehenden Verordnungen bald entdeckt werden
möchten.   Diese Richtung behielt sie im Ganzen auch unter
Friedrich dem zweiten, welcher sie neu gründete q), obwohl
ihr Wirkungskreis sich damals bereits erweiterte. Mehr noch
war jedoch das letztere jetzt der Fall.   Durch einen Befehl
vom 19. Februar gab ihr der König größere Selbstständig=
keit und setzte ihr den Grafen von der Schulenburg vor, mit
der Befugniß, sich seine Räthe aus den sämmtlichen Kam=
mern der Provinzen selber zu wählen. Alle Rechnungen der
königlichen Cassen gelangten seitdem an die Ober=Rechenkam=
mer, deren Prüfung sich nicht mehr, wie bisher, auf die
Form beschränkte, sondern die Verwaltung beurtheilte.   Wo
Ersparnisse möglich schienen, vermerkte sie es.   Die Anwen=
dung der Verbesserungsgelder, die von den Ueberschüssen aus=
flossen, mußten ihr nachgewiesen und die Anschläge der Pacht=
ämter vorgelegt werden.   Ueber Lieferungen, welche man
Unternehmern in Friedens= und Kriegs=Zeiten verdungen
hatte, war sie ebenfalls zu wachen gehalten.   Die Räthe der
Behörde, um ihre Unabhängigkeit zu sichern, durften keine
Nebenstellen, die mit Rechnungssachen zusammenhingen, be=
kleiden r).

Wie hier der König trennte, so verleibte er anderwärts
ein.   Die Forstgeschäfte waren bisher einem eignen Minister
dem Ober=Jägermeister, Grafen von Arnim, untergeben ge=
wesen, aus welcher Einrichtung der Nachtheil entstand, daß
die Finanzbehörden mancher Kenntnisse in einem Theile der
Verwaltung, für den sie einstehen sollten, entbehrten und

---

q) Siehe Band 1. S. 16.
  r) Man sehe die königliche Instruction in Kosmanns Denkwür=
digkeiten V. 516.

vielen Uebeln nicht zu begegnen vermochten. Diesen Mangel
suchte der König zu heben, indem er den von Arnim entließ
und die Besorgung der Forstangelegenheiten mit der obersten
allgemeinen Verwaltungs-Behörde (dem General-Directorium)
in der Art vereinigte, daß er dem ältesten Geheimen Finanzrath von Bärensprung, der jetzt Ober-Land-Forstmeister hieß,
die besondere Leitung des Ganzen übertrug. Zugleich wurden unmittelbare Forst- und Bau-Ausschüsse für die Kammern
aller Provinzen, doch mit Ausnahme Schlesiens, Süd- und
Neu-Ost-Preußens und der Fränkischen Fürstenthümer, geordnet. Die Untersuchung des Forst- und Forstbau-Bestands
nach den Anschlägen und die Beförderung des Stein- und
Lehm-Baues bei allen Gebäuden, zu denen Holz aus den
königlichen Forsten gereicht wurde, sollte ihre Sorge, überhaupt die Beschränkung unnützer Holzvergeudung ihr stetes
Augenmerk sein s).

Für Süd- und Neu-Ost-Preußen erschienen zwei Verordnungen. Die eine vom 30. December 1797 t) bestimmte,
daß von allen Erbschaften und Vermächtnissen, die aus beiden Provinzen ins Ausland gingen, ein Abschoß zu zehn vom
Hundert zu zahlen sei. Die zweite vom 12. März 1798 v)
betraf die Reisen und den Aufenthalt fremder Juden. Sie
durften nicht ohne ein Zeugniß ihrer Ortsobrigkeiten einwan-
dern, mußten, um nicht zurückgewiesen zu werden, eine bestimmte Summe an baarem Geld oder an Waaren aufzeigen,
wo sie Geschäfte betrieben und deren muthmaßliche Dauer
angeben, endlich nur über eines der Gränzämter, und auf
einen Geleitsschein, nach Erlegung des festgesetzten Zolls x),
einziehn.

s) Die hieher gehörigen zwei Befehle sind vom 15. September.
Constit. P. Br. Nr. 69, 70, vergl. Kosmanns Denkwürdigkeiten VII,
79, 220, 223.

t) Nachtrag zu den Constit. P. Br. vom Jahr 1797, Nr. 45.

v) Constit. Nr. 15.

x) Der Mann zahlte auf vier Wochen 3 Thaler 4 Groschen, die

Eben diesen Ländern, wenigstens ihnen vorzugsweise, galt ein Befehl vom 22. August y), die Sammlung der besondern Landesgesetze betreffend. Es war den Ständen eine Mitwirkung bei diesem Geschäfte vergönnt worden; aber sie hatten ihre Befugniß überschritten und die Beendigung des Ganzen aufgehalten, da sie jede Abweichung vom allgemeinen Landrecht verzeichneten und alle ihre Gerechtsame und Einrichtungen zu behaupten strebten. Der König erklärte, wie nur solche Gesetze, deren nöthige Beibehaltung sich aus den eigenthümlichen Verhältnissen des Landes erweisen lasse, der Auszeichnung werth wären, und gebot den Ständen, sie möchten Männer von anerkannter Kenntniß wählen, die sich mit den Landesgerichten berathschlagten und sich ohne weitere Einsprüche vereinigten.

Eine Aufmerksamkeit anderer Art verlangte die Landwirthschaft in Neu-Ost-Preußen. Theils waren dort die adeligen Güter mancher Bezirke in so kleine Besitzungen aufgelöst worden, daß sie ihre Inhaber nicht mehr ernährten, theils lagen eine Menge Stellen verlassen und öde. Der König, die Vereinzelung der Güter nach billigen Grundsätzen regelnd, setzte der Willkühr durch die eintretende Aufsicht der Kammern Schranken und bestimmte zugleich eine fünfjährige Frist zur Besetzung des wüsten Ackers z).

Für den Kriegerstand erfolgten, außer einer allgemeinen Verzeihung für die Ausgetretenen a), wie gewöhnlich bei jeder Thronbesteigung ausgeht, zwei merkwürdige Verordnungen. Die eine b) nahm alles bewegliche Eigenthum der

---

Frau und der Knecht 2 Thaler 4 Groschen, ein Knabe von vierzehn Jahren 1 Thaler 4 Groschen. Einige Vergünstigungen wurden in gewissen Fällen dem Verkehr zu gut gestattet.

y) Constit. Nr. 56.

z) Edict vom 29. Juni Nr. 42.

a) Vom 24. Dec. 1797. Constit. Nr. 97.

b) Vom 29. Mai 1798. Constit. Nr. 36.

Kriegsbefehlshaber, im eintretenden Schuldenfall, von der
Beschlaglegung der Gläubiger aus und gebot keinem Unter=
Befehlshaber zu erlauben, daß er Geld aufnehme, wenn nicht
die Möglichkeit der Wiederbezahlung hinlänglich erwiesen sei.
Die zweite c) bezog sich auf die Heirathen der Befehlshaber.
Sie sollten keine Verbindung eingehn, ohne nachzuweisen, daß
ihre jährliche Einnahme sich, ungerechnet die Löhnung, auf
sechs hundert Thaler belaufe, überhaupt keine Frau von nie=
driger Geburt und schlechter Erziehung ehlichen, auch alle
außer der Ehe erzeugten Kinder nicht auf den Vater, sondern
auf die Mutter getauft werden. Zugleich empfahl der König
den Hauptleuten und Obern, genauer über das sittliche Be=
tragen ihrer Untergebenen zu wachen, damit nicht Geburt
und Stand durch Gemeinheit und verwerflichen Umgang ent=
ehrt werde.

Welche Richtung er den Arbeiten der Academie der Wis=
senschaften zu Berlin wünsche, gab er ihr unterm 11. April
zu erkennen d). „Ihre Bemühungen, schrieb er, wären im=
mer mehr auf die Schule, als auf das Leben berechnet. Ihm
dünke es, als ob ihr vorzüglich obliege, den Volksfleiß durch
glückliche Versuche zu unterstützen und zu befördern, die sitt=
liche und gelehrte Erziehung von unbestimmten Grundsätzen
zu reinigen, zur Ausrottung schädlicher Vorurtheile zu wir=
ken, und dem gefährlichen Einflusse einer falschen Philosophie
zu begegnen. Solche Anwendung von Kraft werde ihr zum
Ruhme gereichen und zugleich Dank verdienen. Die festge=
setzte Einrichtung von 1746, fügte er hinzu, bekräftige er im
Ganzen; den Ausschuß hingegen, der die wirthschaftlichen
Angelegenheiten zu besorgen pflege, hebe er auf und über=
trage solche einer besondern Behörde, die aus dem nächstens

---

c) Vom 1. Sept. 1798. Constit. Nr. 61.

d) Das Schreiben steht ausführlich in Kosmanns Denkwürdigkeiten V. 762, abgekürzt in Schlichtegrolls Necrolog für das neunzehnte
Jahrhundert I. 141, vergl. Constit. P. B. vom 7. Mai, Nr. 31.

zu ernennenden Oberhaupte der Gesellschaft, den vier Vor=
stehern ihrer vier Classen und zwei Geschäftsmännern zu
errichten sei. Zu letztern schlage er den Gerichtsrath Suarez
und den Finanzrath Borgstede vor, die demnach in die Aca=
demie einträten. Die Zahl der ordentlichen Mitglieder solle
sich in der Regel auf vier und zwanzig beschränken, die Vor=
steher ungerechnet, und jene, diesen gleichmäßig, in die vier
Classen vertheilt werden. Die königliche Büchersammlung
und den Vorrath von Naturerzeugnissen verbinde er von nun
an mit der Academie, woraus denn von selbst folge, daß
der Aufseher der erstern jedesmal zu ihren Mitgliedern
gehöre."

Auf einige andre Befehle führte die überhand genom=
mene Unordnung im öffentlichen Leben. Der eine galt den
Zöglingen auf hohen Schulen. Die Verhaftung der Ruhestö=
rer wurde von den academischen Gerichten auf die Polizei, und
die Untersuchung auf den Rath oder das Stadtgericht über=
getragen, und die Verhandlungen an die obern Behörden,
unter welchen die academische stand, gesendet, die Strafen
selbst auf eine Weise geschärft, die von wenigen für zulässig
und zweckmäßig erkannt ward e). Eine zweite Verordnung
bezog sich auf die geheimen Gesellschaften, die, während des
Vaters Herrschaft, so vielfach um sich gegriffen und so schäd=
lich gewirkt hatten. Der Sohn untersagte jede Verbindung,
welche Einfluß auf die bestehende Staatsverfassung bezwecke,
eidlich angelobten Gehorsam an bekannte und unbekannte
Obern fordere, zur Bewahrung von Geheimnissen verpflichte
und geheime Absichten hege. Von den Freimaurer=Orden
sollten nur drei Vereine geduldet werden, der Mutterverein
zu den drei Weltkugeln, der große Landesverein und der Ver=
ein Royal York, nebst den von ihnen ausgehenden Töchter=
vereinen. Aber auch diese waren sämmtlich gehalten, ein

---

e) Edict vom 23. Juli, Constit. Nr. 46, vergl. Necrolog des
neunzehnten Jahrhunderts I. 133.

jährliches Verzeichniß ihrer Mitglieder einzureichen und Niemanden vor dem fünf und zwanzigsten Jahre aufzunehmen. Alle Stifter, Beförderer und Hehler verbotener Gesellschaften liefen Gefahr, schwer bestraft, bürgerliche und Kriegs-Beamten, die dem königlichen Willen entgegenhandelten, ihrer Stellen entsetzt zu werden f). Noch verderblicher wirkte die Presse. Namenlose Lästerschriften keimten seit der neuen Thronveränderung unablässig hervor und erschreckten Gute und Schlechte. Hier ergoß sich gerechter, dort ungerechter Unwille, und da oft alle, meistens bestimmte Thatsachen fehlten, so trieb die Lüge überall ihr heilloses Spiel und bereitete der Schadenfreude einen Genuß, ohne allen Gewinn und Nutzen: denn auch das Wahre brandmarkt den Schändlichen nicht mehr, wenn es nicht rein gegeben ist. Um solchem Unfug zu wehren, erinnerte der König ernstlich an die alten Verbote und empfahl den öffentlichen Anklägern strenge Wachsamkeit auf Verleger und Austheiler g).

In allen dem unterstützte ihn die reife Einsicht und der reine Wille Anastasius Ludwig Menkens. Dieser, ein Sprößling aus der berühmten Familie des Namens, war durch Hertzberg zuerst (1776) in die geheime Canzlei befördert und nachher am Stockholmer Hofe in Gesandtschafts-Angelegenheiten gebraucht worden. Das Verlangen Friedrichs des zweiten nach einem Manne, der ihm in auswärtigen Geschäften zur Hand sei, veranlaßte Zurückberufung, und die Briefe, die er von König Gustav dem dritten und der Königin Mutter überreichte h), bereiteten freundliche Aufnahme. In den Feldzügen am Rhein begleitete er Friedrich Wilhelm den zweiten, aber ohne sich in dessen Gunst zu behaupten. Ueberzeugungen, die wenige mit ihm theilten, und Aeußerungen,

---

f) Edict vom 20. Oct. Constit. Nr. 80.

g, Edict vom 26. März. Constit. Nr. 24.

h) Menken hatte die Entzweiten versöhnt, oder doch zur Versöhnung mitgewirkt.

die den Höflingen mißfielen, bewirkten, daß er nach Pots=
dam zurückgeschickt und nur selten zu Arbeiten gebraucht wurde.
Da nutzte er die Muße für seine Bildung, wenig begierig
nach öffentlicher Thätigkeit und noch weniger auf neue An=
stellung hoffend, worin er sich dennoch irrte. Als Friedrich
Wilhelm der dritte den Thron bestieg, wünschte er einen off=
nen redlichen Rathgeber, rief den Vergessenen zu sich und
fand an ihm, was er suchte. Menken, obwohl lange schon
kränkelnd und häufig krank, verfolgte die begonnene Laufbahn
mit Lust und Liebe. Von ihm sind die ersten königlichen
Befehle, in denen freimüthiger Ernst und herzliches Wohlwol=
len sich gleich sehr aussprachen. Seine volle Wirksamkeit
dauerte jedoch kaum ein Jahr. Nachher erlaubten ihm zu=
nehmende Entkräftung und stete Heiserkeit nur die Theilnahme
durch freundschaftliche Berathung, wo und wann sie gefordert
wurde i).

Sein zweites Regierungsjahr begann der König mit
einer Wohlthat für das Heer, die es bedurfte und ihm kein
Billiger mißgönnte. Die Preise der Lebensmittel standen
überall in keinem Verhältnisse mehr zu dem Solde der gemei=
nen Krieger und Unter=Befehlshaber. Selbst die außer der
Dienstzeit Handarbeiten verrichteten, konnten sich nur küm=
merlich nähren: so wenig war der Lohn dem Bedürfniß
gemäß gestiegen. Dieß erwägend, erklärte der König k),
daß er mit dem ersten Junius des laufenden Jahres den
gedrückten Theil seiner Krieger besser verpflegen und wie er
den nöthigen Zuschuß aufbringen wolle. „Jeder sei von nun
an gehalten, die auswärtigen Waaren, die in das Land ein=
gingen, zu versteuern, und jede Ausnahme, deren sich einzelne

---

i) Siehe sein Leben in Schlichtegroll's Necrolog des neunzehnten
Jahrhunderts I. 101, vergl. 331. Er starb den 5. August 1801.

k) In einem Edict vom 25. Januar. Constit. P. Br. Nr. 2,
vergl. wegen der Fränkischen Fürstenthümer das Edict vom 20. Mai,
Nr. 23.

Stände und Staatsbürger erfreut hätten, höre auf. Eben so
nöthig finde er, daß alle bis jetzt Befreiten, wenn sie Getreide
und andre Erzeugnisse zu Wasser ausführten, die übliche
Auflage davon entrichteten. Für die fremden Weine würden
die alten sowohl als neuen Länder sich künftig einen stärkern
Ansatz gefallen lassen. Die Uebertragsabgabe vermehre er
unter billiger Einschränkung." So lautete der Wille des
Königs. Seitdem erhielt jeder gemeine Krieger alle fünf
Tage, außer seiner Löhnung, noch sechs Pfund Brod l). Auch
die oft erneuten Befehle, dienstunfähige Krieger, vorzüglich
höhern Standes, in bürgerliche Aemter zu versorgen, wurden
wiederum und ernstlich geschärft m).

Die Unterrichtsanstalten seines Reiches mehrte Friedrich
Wilhelm n) durch die Gründung einer Bau-Academie zu Ber-
lin, die mit dem 1. October begann. In den Kreis ihrer
Lehrgegenstände zog sie nicht nur alle nöthigen Theile der
Größenlehre und alle Arten von Baukunst, den Strom- und
Hafen-Bau nicht ausgenommen, sondern auch noch manches
andere Wissenschaftliche, wie die Bildung des schriftlichen
Ausdrucks für Geschäfte, und die Geschichte der Baukunst.
Die verschiedenen Zweige der Anstalt wurden einer eigenen
gemeinsamen Aufsicht unterworfen und das Ganze mit der
königlichen Kunst-Academie in Verbindung gesetzt. Die An-
muthungen an die Aufzunehmenden waren, daß sie richtig
und leserlich schrieben, die ersten Grundsätze der Lateinischen
und Französischen Sprache besaßen und die Rechnungsarten
des gemeinen Lebens verstanden. Einer Prüfung sollten sie
jedes Jahr unterworfen sein und die erlangten Kenntnisse
der Geschicktern, durch Vermessungen in den Provinzen und
Theilnahme an königlichen Bauen, an bestimmten Gegenständen geübt werden.

---

l) Polit. J. von 1799, S. 167, vergl. 433.

m) Unterm 30. Juli. Constit. P. B. Nr. 46.

n) Bekanntmachung vom 6. Juli. Constit. P. B. Nr. 39.

II. Theil.   2

Auch noch andre Beweise gaben König und Staat von ihrer lebhaften Theilnahme an Bildung und Unterweisung. Die unter Friedrich Wilhelm dem zweiten die geistlichen Angelegenheiten in Obhut nahmen, hatten nur zu sehr den Gedanken begünstigt, als ob Rechtgläubigkeit mehr sei, denn Wissen, und vorstrebendes Forschen auf verderbliche Abwege führe. Es schien nöthig, die alten verlassenen Formen wieder aufzunehmen und die Antriebe zum Fleiß zu mehren. Dieß geschah durch eine Vorschrift der obersten geistlichen Behörde zur Prüfung der sich dem Predigtamt Widmenden o). Die, von der hohen Schule zurückkehrend, um die Erlaubniß zu predigen anhielten, wurden unterschieden von solchen, die eine kirchliche Pfründe erhielten, und beide von den Beamteten, denen die Aufsicht über einen Kirchsprengel anvertraut werden sollte. Jede der drei Ordnungen prüfte man nach dem Zwecke, den eine jede verfolgte, schriftlich und mündlich, in Kenntnissen und in der Anwendung des Gelernten. Die Forderungen waren streng, ohne unbillig, und das Verfahren ernst, ohne abschreckend zu sein. Ueber Sitten und Lebenswandel suchte man so viel zu erfahren, als durch Zeugnisse und aufmerksame Erkundigung möglich ist.

Nicht minder richtige Ansichten leuchteten aus der Verordnung hervor, die an die Schulen der Besatzungen ergingen. Mehrere Lehrer in ihnen fingen an, die zum Kriegsdienst bestimmten Knaben zu überbilden, und die Geschichte der Welt, die Verhältnisse der Staaten, und das Gleichgewicht des Handels in ihren Lehrkreis zu ziehen. Der König bemerkte mit Recht, wie der Zeitgeist an sich schon das unmäßige Streben der niedern Stände in die höhern befördere und wissenschaftliche Anregung dem gemeinen Krieger Beruf und Lage verleiden müsse. „Das Höchste, was einen solchen erwarte, sei die Stelle eines Feldwebels, wozu Lesen, Schreiben und Rechnen genüge. Warum man Kinder dieser Classe

---

o) Instruction vom 12. Febr. Constit. P. B. Nr. 7.

nicht vielmehr mit den verschiedenen Erwerbarten, die ihrer künftigen Lebensweise zusagten, bekannt mache? Das sei offenbar zweckmäßiger, als durch oberflächlich Angelerntes unzeitige Wünsche zu erregen und die Lust zur Handarbeit zur schwächen p)."

Auch an wesentlicher Unterstützung öffentlicher Anstalten ließ es der König nicht fehlen. Unter andern gedachte er des Hallischen Waisenhauses, das nun seit länger als einem Jahrhundert durch eigene Kraft bestand, und der mit ihm verbundenen Erziehungsanstalt für Söhne höherer Stände. Je mehr sich beider Nutzbarkeit durch die Zeit bewährt, aber auch zugleich ihre Lage verschlimmert hatte, um so würdiger schienen beide des Zutritts von oben. Der König wies ihnen vier tausend Thaler jährlicher Einkünfte aus den Staatsgel= dern an q).

An polizeilichen Verfügungen ergingen ebenfalls mehrere von Bedeutung. Den Bettlern und Landstreichern, die Vor= und Hinter=Pommern belästigten, wurde, mit Zuziehung der Landstände, durch Errichtung zweier Arbeitshäuser in Ucker= münde und Neu=Stettin gesteuert r). Den Feuersbrünsten, die in den enggebauten Dorfschaften Neu=Ost=Preußens unab= lässige Verheerungen anrichteten, begegnete man dadurch, daß die Abgebrannten ihre Häuser und Gehöfte nie ohne Zuzie= hung der Gerichtsobrigkeit aufführen durften und in die Ver= setzung beider, unter Entschädigung, wo sie nöthig war, wil= ligen mußten s). Um die Wittwengehalte zu mindern, die den Staat je länger je mehr erschöpften, verpflichtete ein Befehl die bürgerlichen Beamten, sobald sie sich verheirathe= ten, zur Wittwencasse zu treten, oder auf öffentliche Unter= stützung Verzicht zu leisten t). Der Besuch ausländischer

---

p) Rescript vom 31. August. Constit. P. B. Nr. 50.
q) Polit. J. S. 872.
r) Edict vom 6. April. Constit. P. B. Nr. 13.
s) Edict vom 6. Juni. Nr. 37.
t) Edict vom 5. August, Nr. 45, vergl. die Constit. von 1800, Nr. 80.

2*

Gesundbrunnen und Bäder, durch Krankheit beschönigt und durch Hang zum Vergnügen veranlaßt, sollte in Zukunft nur auf ausdrückliche Bescheinigung des Arztes gestattet sein v). Ueber die Anfertigung der Bevölkerungs=Listen erschien eine Verordnung, die das Brauchbare der ältern vereinigte und das Zusammenfassen der einzelnen Angaben durch eine entworfene Uebersicht erleichterte x).

Dem Canale, der die Seen bei Ruppin, Bütz und Cremmen mit der Havel bei Oranienburg verband, — einem Werke, zu dem Friedrich Wilhelm der zweite im Jahr 1788 die Summe von hundert und dreißig tausend Thalern aussetzte, legte der König in diesem Jahre den Namen des Ruppiner Canals bei und bestimmte y) die Gefälle für die ihn Beschiffenden. Der Canal erleichterte den innern Vertrieb, für den die Preußischen Könige von jeher Sorge trugen, ungemein und beförderte vorzüglich den Absatz der Torfgräbereien am Rhin. Nicht nur Ruppin und Berlin kamen dadurch in nähere Berührung; auch zwischen dem Rhin und dem Oderstrom eröffnete er über Lübenwalde, vermittelst des Finow=Canals, eine Gemeinschaft.

Dieselbe Regsamkeit im Innern zeichnete das nächste Jahr (1800) aus. Wie im vorigen Pommern, so erhielt in diesem die Neu=Mark ein Landarmenhaus zu Landsberg, dessen Errichtung der König bestätigte z). Die veraltete und unzulängliche Verfügung zum Behuf der Brandversicherungs= Gesellschaft der vereinigten Städte der Kur= und Neu=Mark wurde neu durchgesehn und zweckmäßig verbessert a) und den Städten Strausberg und Oranienburg eine Feuer=Ordnung gegeben b). Die Versorgungs=Anstalten für die Wittwen und

---

v) Edict vom 12. Dec. Nr. 71, vergl. das Edict vom 9. Febr. 1800.

x) Edict vom 18. Sept. Nr. 55.

y) Durch ein Edict vom 28. April. Constit. P. B. Nr. 19.

z) Constit. P. B. Edict vom 12. Mai, Nr. 28.

a) Edict vom 30. Mai, Nr. 34.

b) Edict vom 20. August, Nr. 50, und vom 17. Sept. Nr. 56.

Waisen der Prediger vom Calvinischen Lehrbegriff in der
Kur-Mark, die seit ihrer Gründung im Jahr 1716 vielfache
Erweiterungen und Veränderungen erfahren hatten, empfingen eine Verfassung, wie die Zeit und die allmählige Umge-
staltung des Innern forderte c). Ein Volksauflauf in Berlin bei der Hinrichtung einer Verbrecherin veranlaßte den
Befehl, daß die Verurtheilten von Niemanden, außer dem
Prediger und den nächsten Verwandten, im Gefängnisse besucht,
ihr Bildniß so wenig, als ihre Lebensbeschreibung, verkauft
und die richterlichen Aussprüche schnell und einfach vollstreckt
werden sollten d). Die Unsittlichkeit und geringe Brauchbarkeit dienstunfähiger Krieger, die sich bürgerlicher Aemter
bemächtigt hatten, erregte allgemeine Klage und führte auf
die Beschränkung der frühern Verfügungen e).

Wichtiger noch war die Anweisung für die ärztlichen
und Gesundheits-Behörden in den einzelnen Provinzen des
Staats zur Ergänzung älterer Vorschriften. Der König setzte
fest, aus wie viel Personen eine solche Behörde bestehen solle,
und bestimmte ihre Gesetze und Pflichten. Der Umfang ihres
Wirkungskreises fiel mit jeder provinzlichen Regierung und
Kammer in eins. Ihrer Aufsicht unterworfen wurden alle
Aerzte und Wundärzte, in Hinsicht auf Prüfung, Dienstfüh-
rung und amtliche Angelegenheiten, wie nicht minder die Unterrichtsanstalten für die Hebammen und ähnliche. Als Ge-
richtsstand griffen sie ein, um die angestellten Aerzte in der
Ausübung ihrer Kunst zu schützen, ihnen zu gerechten Forderungen zu verhelfen und Vergehungen ärztlicher Art zu
strafen f).

In den Fränkischen Fürstenthümern erhielt jetzt die löbliche Ordnung der ältern Provinzen, in Betreff des liegenden

---

c) Edict vom 14. Nov. Nr. 72.
d) Edict vom 16. Sept. Nr. 55.
e) Edict vom 29. Dec. Nr. 85.
f) Edict vom 21. April, Nr. 22.

Eigenthums, Gesetzkraft. Die Gerichte wurden beauftragt,
Bücher anzulegen und in ihnen die Lasten und Schuldfor-
derungen, die auf den unbeweglichen Grundstücken hafteten,
gewissenhaft zu verzeichnen. Mit dem 1. Junius 1801 hörte
die bisherige Einrichtung auf g).

Die Besorgung der Staatsgeschäfte erfuhr eine Veränderung durch den Tod des Grafen Carl Wilhelm von Fincken-
stein. Ein munterer Greis von fünf und achtzig Jahren,
entschlief er am 3. Januar und nahm das Bewußtsein mit
sich, daß er drei Königen redlich gedient, alle drei seinen
Eifer thätig erkannt und Preußen unter ihm zum Theil
durch ihn zu Ruhm und Größe gelangt war. Den Grund
zu seinem Emporkommen verdankte er der Jugendfreundschaft,
die zwischen ihm und Friedrich dem zweiten obwaltete, das
andere alles so ganz seinem Verstande und seinem Herzen,
daß es zweifelhaft geblieben ist, ob das Glück seine Tugend
mehr belohnt, oder diese das Glück mehr verherrlicht habe h).
Nach seinem Hintritt ging die Wahrnehmung der Hoheits-
Rechte, die Aufsicht über die Landes-Archive und was sonst noch
zu den innern Staats = Angelegenheiten gehört, an den Grafen von Alvensleben, die Besorgung der äußern Staats- und
Reichs-Angelegenheiten an den Grafen von Haugwitz über i).
Wir fassen die letztern, lange vernachlässigten, da sie eben
jetzt zu einem glücklichen Ausgang für Preußen gediehen,
wieder auf, um sie in ihrem Zusammenhange darzustellen.

Nachdem Friedrich Wilhelm der zweite durch den Basler Frieden im April 1795 aus der Verbindung gegen Frankreich geschieden war, das nördliche Deutschland sich bald
darauf, seine Gränzen bewahrend, von dem südlichen abson-
derte und die Versuche Preußens und Dänemarks zur Her-

---

g) Edict vom 19. Mai, Nr. 32.

h) Klaproths und Cosmars Staatsrath 425, vergl. das Polit.
Journ. 144.

i) Polit. Z. 100, und Klaproths Staatsrath 520.

stellung allgemeiner Versöhnung fehlschlugen k), schloß sich
Oestreich enger an England und Rußland l), mahnte wie=
derholt die Reichsstände, der gemeinen Sache treu zu blei=
ben, und führte das Jahr über den Krieg unter Clairfait
und Wurmser mit unerwartetem Glück. Schon begannen
viele, von Wohlwollen getäuscht, für das Vaterland viel zu
hoffen, und sich der Einheit in den Maßregeln, die nun ein=
treten werde, zu freuen. In der Zukunft lag ein andrer Er=
folg beschlossen. Eines der entscheidendsten Jahre für Oest=
reichs alte Macht war schon im Nahen, und der Mann, der
sie brechen sollte, gefunden.

Napoleon Bonaparte *), von nun an öfters und, in
Beziehung auf Deutschland, nie ohne schmerzliche Erinnerun=
gen zu nennen, stammte aus Ajaccio in Corsica, wo er am
15. August 1769 m) von mäßig begüterten und nicht unan=

k) Man findet die deshalb, während der Monate Julius und
August, gepflogenen Unterhandlungen in Posselts Europäischen Annalen
von 1795, III. 326 u. f. und IV. 302 u. f.

l) Man sehe die hieher gehörigen Verträge der beiden ersten Mächte
vom 4. und 20. Mai 1795 bei Martens VI. 509 und 522 und den
Abschluß Englands mit Rußland unterm 18. Februar zu Petersburg
S. 460, vergl. die Europäischen Annalen IV. 305 u. f. Ein vierter
Vertrag, den alle drei genannte Mächte am 28. Sept. zeichneten, und
durch den sich Rußland verpflichtete, entweder 30,000 Mann zu stellen,
oder bestimmte Hülfsgelder an Oestreich zu zahlen, ist nicht bekannt
geworden, an seinem Bestehen aber nicht zu zweifeln. Man vergleiche
Schölls Histoire u. s. w. IV. 314 und das Polit. Journal von 1796
S. 270.

*) Eigentlich Buonaparte. Während seiner ersten Campagne fing
er an sich Bonaparte, ohne u, zu schreiben. Mémoires de Mr. Bou=
rienne sur Napoléon. l. 18.

m) In der ersten Auflage ist der 5. Februar des Jahres 1768 als
Geburtstag Napoleons angegeben und in der Anmerkung wird behaup=
tet, er habe vorgegeben, am 15. August 1769 geboren zu sein, um in
Frankreich nicht für einen Ausländer, sondern für einen französischen
Bürger zu gelten, indem Corsika erst im Juni 1769 von Frankreich in
Besitz genommen worden sei. Den 15. August aber habe er zu seinem

gefehenen Aeltern geboren ward. Im eilften Jahre kam der
Knabe nach Frankreich und erhielt in der Kriegsschule zu
Brienne den ersten Unterricht in der Geschichte und Größenlehre. Schon hier offenbarte sich sein beharrlicher, fester, in
sich gekehrter Sinn. Ohne Umgang mit andern, fast einsied-
lerisch, lebte er einzig der Wissenschaft und überholte bald
seine Mitschüler. Von hier ging er fünf Jahr darauf zu
weiterer Ausbildung in die große Kriegsschule nach Paris
und lernte daselbst mehrere seiner nachmaligen Waffengefährten kennen. Die Zeiten der Französischen Staatsumwälzung
blieben auf seinen feurigen rastlosen Geist nicht ohne Wirkung.
Von Ruhmsucht gespornt und seines thatdürstigen Geistes
wegen unfähig, den Ruhestand, in den er versetzt worden
war *), zu ertragen, hatte er eben beschlossen, von Marseille
aus nach Constantinopel zu schiffen, um bei der Pforte Anstellung zu suchen und die Artillerie dieser treuen Verbündeten Frankreichs besser zu gestalten **), als er durch Barras
im October 1795 den Unterbefehl über die Völker des Con-
vents, die so genannte heilige, in der That scheußliche Pha-
lanx, empfing und den Aufstand der königlich gesinnten Pariser

---

Geburtstag gewählt, damit derselbe mit dem Festtage der Jungfrau
Maria, unter deren Schutz Ludwig XIII. Frankreich gestellt hatte, zu-
sammenfalle. Bourienne aber hat durch einen Auszug aus dem Register,
welches über den Austritt der Zöglinge der Kriegsschule zu Brienne
geführt wurde, dargethan, daß der 15. August des Jahres 1769 wirklich
sein Geburtstag gewesen sei. Bourienne I. 19.

*) Er wurde bekanntlich, nach der Erstürmung des unglücklichen
Toulons, wo er, ganz im Geiste jener verruchten Zeit, kämpfte, siegte
und mordete, als Brigade-General der Artillerie zum italienischen Heere
nach Nizza gesandt, aber nach dem Sturze Robespierre's — doch nicht
seiner Verbindung mit demselben wegen, noch überhaupt als Terrorist,
sondern aus unbekannten Ursachen — am 6. August entsetzt und verhaftet, aber schon am 20. auf eine ehrenvolle Weise von der Schuld
frei gesprochen, indeß doch seine Freiheit auf das Bleiben im Hauptquartier eingeschränkt. Bour. I. 55 — 67.

**) Bour. l. c.

in einem blutigen Gefechte dämpfte *). Sechs Monate später trat er, ein Jüngling von sechs und zwanzig Jahren, als
Ober-Befehlshaber in Italien gegen Oestreichs versuchte
Helden auf, um sein und des Vaterlands Uebergewicht zu
beurkunden.

Es sind wenige Feldherrn, die gleich in ihrem ersten
Feldzuge so viele und so mannigfaltige Eigenschaften des
Kriegers und in ihnen zugleich ihre Denk- und Handlungs-
Weise so ganz entfaltet haben, wie Napoleon Bonaparte.
Dem Französischen Heere, ein und dreißig tausend Mann
stark, auf der Westseite von Genua gegenüber standen, als er
es im Frühlinge des 1796sten Jahres übernahm, dreißig tausend Piemonteser in dem Thale der Stura, des Tanaro und
der Bormida, und von da hinauf bis Novi an funfzig tausend Oestreicher unter Beaulieu **). Kaum acht Tage beim
Heere, beginnt der ruhmbegierige Jüngling den blutigen
Kampf, der ihn, durch eine Reihe ausgezeichneter Schlachten,
bis in das Herz der Oestreichischen Staaten bringt. Die
Siege bei Montenotte und Millesimo (den 12. und 13. April)
und ihre Folge, der Piemonteser Trennung von den Oestreichern, sind der Preis der List und Behendigkeit. Genua
rechts schien gemeint, und links von Savona aus ward der
Angriff geleitet. Den Uebergang über die Adda bei Lodi
(den 10. Mai), der den Feind zur Deckung Mantua's zwang,
erkämpft der eiserne Wille, der alles daran setzt, wenn es
gilt n). Die Niederlagen bei Arcole (vom 15. bis 17. Nov.)

---

*) Bour. I. 89 f.

**) Mémoires pour servir à l'histoire de France sous Napoléon,
écrits à St. Hélène etc. Notes et mélanges écrits par le général
comte de Montholon. Francf. s. l. M. 1823. I. 2.

n) „So viele heiße Gefechte wir auch seit dem Anfange dieses
Feldzuges bestanden haben, schrieb Bonaparte dem Directorium, so ist
doch keins dem schrecklichen Uebergang über die Brücke bei Lodi zu vergleichen." Polit. J. 569.

und Rivoli an der Etsch (den 14. Jan. 1797), welche Mantua's Einschließung sichern und den Weg nach Tirol öffnen,
bezeugen, was persönlicher Muth vermag, und wie ein kluger Feldherr erworbenes Zutrauen benutzen kann o).´ Eins
zu bewähren fehlte noch, — Fassung im gefährlichen Augenblick. Auch mit diesem Verdienste schmückt sich der ungestüme
Sieger. Das verführerische Waffenglück hat ihn tief hinein
nach Steyermark, bis etwa zwanzig Meilen von Wien gelockt.
Durch eine Strecke rauher Gebirge von dem eroberten Mantua, der letzten Französischen Festung, geschieden, vor sich
die wohl befestigte Kaiserstadt und einen sich erhebenden Land-
sturm, hinter sich das wild empörte Venedig, in der linken
Seite einen feindlichen Heerhaufen unter London, der (am 4.
April) Botzen, in der rechten einen andern, der (am 14.)
Triest wieder gewonnen hat, vom Rhein her keine Unterstützung, auf die er rechne, und höchstens noch auf zehn Tage
Brod, schien er nur darum im Siegessturm vorgedrungen,
daß er in verderblicher Flucht umlenke p). Aber wie wenn
überall nichts zu fürchten und der Vortheil einzig für ihn
sei, bietet er ein Geschenk der Großmuth, den Frieden. Am
18. April auf dem Schlosse Eckenwalde unfern der Stadt
Leoben werden die vorläufigen Bedingungen zur Beilegung
des erschöpfenden Krieges, offene und geheime, verabredet.
Nach dem Rhein fliegen Eilboten, die vorschreitenden Heere
zu zügeln. Bonaparte selbst vernichtet, rückkehrend, Venedigs uralte Verfassung und verbietet eine neue zu gründen bis
zum gänzlichen Abschluß mit Oestreich.

---

o) Beide Male sammelte Bonaparte seine weichenden und zerstreuten Krieger, belebte sie durch Wort und Beispiel und führte sie
wieder vorwärts. Polit. Journal von 1796, S. 1294 und von 1797,
S. 163.

p) Wie man auch über Bonapartes damalige Lage urtheilen mag.
-- daß er sie selbst für nichts weniger als gefahrlos hielt, sagt der Antrag, den er am 2. April dem Erzherzog Carl machte (s. die Europäischen Annalen von 1797, 11. 223), deutlich genug.

Während dieses in Welschland vorging und zugleich am
Rhein, vorzüglich in Schwaben, die verheerende Kriegs=
flamme tobte, ordneten die Nord=Deutschen Fürsten ihre Ver=
hältnisse vollends unter sich und zu Frankreich. Die Erfah=
rung hatte zeitig gelehrt, daß die Abmarkungs=Linie, die
Preußen am 17. Mai 1795 mit dem Französischen Staate
verabredete, sich zu weit ausdehne, zumal südwärts, um nicht
von den kämpfenden Heeren verletzt zu werden. Auch schien
ihr Umfang zu groß für die Mittel, die man zu ihrer Be=
hauptung anwenden wollte. Das Einleuchtende dieser Gründe
führte auf eine neue Verhandlung und die Verhandlung auf
einen neuen Vertrag, den der Graf von Haugwitz und Cail=
lard, seit dem 19. October 1795 anerkannter Gesandter Frank=
reichs in Berlin, festsetzten. Ausgehend von einer Verengung
der alten Abmarkungs=Linie q), ohne zu viel vom ursprüng=
lichen Zweck aufzuopfern, einigten sie sich zuletzt also :

Die neue Linie läuft von der Holsteinischen Gränze an
längs der Nordsee=Küste und den Mündungen der Elbe, We=
ser und Ems. Dann geht sie die Holländisch=Westphälische
Gränze hinab bis Anholt und wendet sich dort links über
Heerenberg und Bär an der Yssel und weiter diesen Fluß
und den Nieder=Rhein aufwärts durch das Clevische bis nach
Ruhrort. Von da folgt sie der Ruhr bis zur Quelle, nimmt,
Medenbach an der Eder links lassend, ihre Richtung hinüber
zur Fulda, und endet, den letzten Fluß ablang aufsteigend,
in seinen Ursprung. Alle Länder hinter dieser Linie werden
als parteilose behandelt, wenn die Beherrscher binnen drei
Monaten ihre Völker vom Deutschen Heere abrufen und keine
Kriegsbeiträge liefern. Außerdem ist als in der Linie einge=
schlossen zu achten, was von der Grafschaft Mark am linken
Rhein=Ufer liegt r), nicht minder die Fränkischen Fürsten=

---

q) Küsters Beiträge zur Preußischen Staatskunde. I. 85.

r) Doch so, daß den Völkern der kriegführenden Mächte freier
Durchzug durch diesen Theil verstattet wird.

thümer Preußens und die Grafschaft Sayn-Altenkirchen, nebst dem kleinen Bezirke Bendorf unterhalb Coblenz. Solcher Vertrag ward am 5. August 1796 zu Berlin unterzeichnet s).

Wie wenig indeß dieser Vertrag bedeute, wenn ihn keine gewaffnete Macht unterstütze, lag am Tage und wurde nicht jetzt erst erkannt. Noch vor dem Abschlusse der Verhandlungen hatte Preußen darauf gedrungen, daß ein Heer zur Beobachtung der Abmarkungs-Linie gesammelt und von den geschützten Ständen verpflegt werde; und es gelang der Thätigkeit seiner Geschäftsträger, die Schwierigkeiten zu berwinden, die gewöhnlich der Einigung vieler entgegenstehn. Zwei und vierzig tausend Mann, zu denen Preußen fünf und zwanzig, Hannover funfzehn, und Braunschweig zwei tausend stellte, zogen sich bereits im Anfange des Junius an der Weser zusammen. Den Oberbefehl übernahm der Herzog von Braunschweig. Als Hauptlager ward Minden betrachtet, doch stand ein Vortrab unter Blücher bei Münster. Das Geschäft der Unterhaltung ordnete hauptsächlich der Preußische Bevollmächtigte von Dohm zu Hildesheim t) nach der Kreistagsform und den Verhältnissen der Geldbeiträge, welche jedes der theilnehmenden Länder kraft des Reichsanschlags zu leisten hatte. Die Kosten selbst trugen Preußen, alle Stände des Nieder-Sächsischen Kreises, die meisten des Westphälischen und einige Kur- und Ober-Rheinische v). Hessen-Cassel war gesichert durch einen zu Basel verabredeten Frieden mit Frankreich (vom 28. August 1795), und Kur-Sachsen wurde es

---

s) Zu finden in Martens Recueil VI. 650 und in (des H. von Haller) Geheimer Geschichte der Rastadter Friedens-Unterhandlungen. II. 211.

t) Mit dem 21. Junius 1797 hörte die Versammlung zu Hildesheim auf, aber die Sache selbst, einmal eingeleitet, ging ihren ruhigen Gang fort. Küster am a. O. 98. vergl. Dohms Leben von Gronau. 299—316.

v) Küster nennt sie 90.

durch einen zu Erlangen gezeichneten Vertrag (vom 13. August), dem zufolge es, unter Preußens Gewährleistung, in die Abmarkungslinie aufgenommen wurde und sie mit zwanzig tausend Mann zu vertheidigen versprach x).

Aber neben den öffentlichen Unterhandlungen, die in Berlin zu des Vaterlands Bestem gepflogen wurden, betrieb man zugleich geheime und ihm verderbliche. Derselbe fünfte August, der in den deutschen Jahrbüchern als ein schöner Tag ob der Verabredung mit Frankreich glänzte, gab einer andern, zur Auflösung hinarbeitenden, Dasein und Gültigkeit. Für die Aussicht auf reichen Ländererwerb in Westphalen verhieß Friedrich Wilhelm der zweite nicht nur, was späterhin kund geworden ist, seine eigenen Besitzungen jenseits des Rheins an Frankreich zu überlassen, sondern auch die Abtretung des gesammten linken Rheinufers zu unterstützen. Seinem Schwager, dem Prinzen von Oranien, einst Statthalter der Niederlande, bedingte er, nächst der Kurwürde, die Bisthümer Würzburg und Bamberg und beide sich selbst, wenn die Oranische Mannslinie auslösche. Noch ein andres verwandtes Haus, den Landgrafen von Hessen-Cassel, bedachte er mit der Kurwürde und ihn und des Hauses übrige Prinzen mit Entschädigungen für vermuthliche Einbußen. Das alles beredete in tiefer Stille Friedrich Wilhelm y) und vergewisserte so das Unglück Deutschlands, wie er es durch den Basler Frieden gegründet hatte. Aber er selbst schied aus dem Leben, ehe noch das Geheimniß zur Aufklärung reifte, und hinterließ in dem Vertrage seinem Nachfolger ein Geschenk, das zu verwerfen und anzunehmen gleich gefährlich

---

x) Man sehe die Urkunde vom ersten bei Martens VI. 548. Des zweiten wird oft erwähnt, z. B. in den Europäischen Annalen von 1796 III. 335. und in Schölls Histoire u. s. w. IV. 388; doch ist die Uebereinkunft selbst nicht öffentlich bekannt geworden.

y) Man sehe die Uebereinkunft bei Martens VI. 653, vergl. Hallers Geschichte der Rastatter Friedenserhandlungen I. 86.

schien. Wie das wohl versteckte Räthsel sich endlich nach
Jahren löste, und was die Lösung dem Vaterland kostete, soll
jetzt erzählt werden.

Der 17. October des Jahres 1797 hatte zu Campo
Formio den vorläufigen Frieden von Leoben zwischen Oest-
reich und Frankreich in einen förmlichen Abschluß verwandelt.
Kraft dessen trat der Kaiser zuvörderst Belgien mit allen
Rechten und ohne Vorbehalt ab. Eben er willigte ein, daß
Frankreich die Venetianische Insel Corfu und alle weiter
abwärts gelegenen Griechischen, nebst dem Länderstrich in
Albanien, der Venedig gehörte, sich zueigne. Ferner entsagte
er allen seinen Besitzungen in Welschland, zur Gründung eines
Cisalpinischen Freistaats, den er im voraus genehmigte. Endlich versprach er dem Herzog von Modena, dessen Länder
Cisalpinien mit sich verband, durch den Breisgau schadlos
zu halten. Er selbst empfing, zum Ersatz und zu besserer
Rundung seiner Staaten, das Venetianische Istrien und Dal-
matien, Venedigs Inseln im Adrischen Meere, die Mündungen von Cattaro, die Stadt Venedig nebst ihren Lagunen, und
was eine Linie, aus Tirol durch den Garda-See auf Lacise
und San Giacomo über die Etsch gezogen, und von da längs
deren linkem Ufer und dem linken des Canale bianco, dem
linken des Tartaro, und dem linken des Canale, la Polisella
genannt, bis zu dessen Mündung in den Po, und links dem
linken Ufer des großen Po, bis zu seinem Eintritt ins Meer,
fortlaufend, vom ehemaligen Venediger Gebiet abschnitt.
Zugleich ward festgesetzt, man wolle binnen Monatsfrist, von
Seiten des Reichs, eine Zusammenkunft zu Rastadt mit dem
Französischen Freistaate eröffnen, um die Angelegenheiten
Deutschlands zu ordnen *).

Dem gemäß erließ (unterm 1. November 1797) der
Kaiser eine Aufforderung an die Reichsstände z), ungesäumt

---

*) Martens VII. 208, Haller II. 88.

z) Hallers Geschichte der Rastadter Friedensverhandlungen II. 97.

nach Raſtadt zu eilen, und dort, in Gemeinſchaft mit ihm, einen Frieden zu gründen, dem zur Unterlage die Unverletz= barkeit des Reiches und ſeiner Verfaſſung dienen ſolle. Alle, die den freien Blick ſich bewahrt hatten, vermochten nicht zu begreifen, wie man von ſolchen Bedingungen ausgehen möge; viele nährten jetzt ſchon im Stillen einigen Verdacht gegen die Aufrichtigkeit des Kaiſerhofes; was wirklich verabredet war, ahneten wenige oder keiner. Aber bald entriſſen über= raſchende Thatſachen auch die Sicherſten ihrem Schlummer. Durch einen Schluß vom 4. November ward der Franzöſi= ſche Bürger Rudler beauftragt, alle beſetzten Länder zwiſchen der Maas und dem Rhein in Bezirke zu theilen und Fran= zöſiſche Verwaltungsart einzuführen a). Am 7. December erklärte der Oeſtreichiſche Geſandte, Graf von Lehrbach, wie der Kaiſer durch den Frieden von Campo Formio genöthiget werde, ſeine Völker von dem Schauplatze des Krieges ab und in die Erblande zu rufen, und in der Nacht auf den 10. (die feierliche Sitzung der Friedensverſammlung zu Raſtadt hatte Tags vorher ihren Anfang genommen) zog Oeſtreichs Kriegsmacht ſich aus Mainz und allenthalben zurück und Hatry, der Franzöſiſche Feldherr, ging vorwärts b). Am 10. war das verlaſſene Mainz bereits eingeſchloſſen und am vorletzten Tage des Jahres von dem ſchwachen Haufen der Reichsvölker, die es noch beſetzt hielten, übergeben c).

Schon dieſe Ereigniſſe ließen an einem heimlichen Ein= verſtändniſſe zwiſchen Frankreich und Oeſtreich nicht zwei= feln d). Aber noch mehr beſtätigten es die Verhandlungen

a) Daſelbſt S. 223.

b) Die Actenſtücke über die Beſitznehmung der Feſtung Mainz finden ſich am vollſtändigſten in dem angezogenen Werke II. 134—283.

c) Polit. J. von 1798, S. 68 und Haller I. 308.

d) Die beſondern Bedingungen des Friedens von Campo Formio und eine zu Raſtadt am 1. Dec. hinzugetretene Uebereinkunft waren damals ein Geheimniß, ſind es aber bekanntlich (man ſ. Martens VII. 215, 225 und Haller II. 214, 219) jetzt nicht mehr.

zu Rastadt, daß beide unter sich und Preußen für sich mit
Frankreich, jedes ohne auf etwas anderes, als wechselseitigen
Vortheil, zu achten, beschlossen habe.   Die Stimmen der
Deutschen Gesandten waren kraftlose Laute, die Niemand aufnahm.   Alle ihre Vorschläge zur Erhaltung mindestens eines
Theiles des Vaterlandes wurden kaltsinnig überhört, oder
spröde zurückgewiesen.   Zwischen dem, was der Kaiser sprach
und dem, was er that, herrschte fortgehend ein beleidigender
Widerspruch.   Preußen pries in öffentlichen Blättern seine
Großmuth und Kräftigkeit, gab sich das Ansehn, als bringe
es durch die Lossagung von den Ländern jenseit des Rheins
der Ruhe ein schmerzlich Opfer e), und ward nur dann laut,
wenn es um die Abtretung der Rhein-Insel Büderich), der
Schutzwehr von Wesel, ging f).   Frankreich allein handelte
unverstellt (es durfte sich weder fürchten noch heucheln) und
schaltete über Deutschland, wie, nach Corinths Zerstörung,
Rom über Gräcien.   Fest beharrend auf der Erlangung des
linken Rheinufers und auf der Entschädigung der Fürsten
durch Verweltlichung geistlicher Besitzthümer *), sprach es

---

e) Man lese die dem Congreß am 14. Febr. überreichte Erklärung bei Haller VI. 104.

f) Mehrere Preußische Noten, frühere und spätere, vorzüglich die
im October und November gewechselten (bei Haller VI. 248—255 und
145, 156, vergl. 1. 461, 476 und 528) betreffen einzig den Lauf und
Thalweg des Rheins.

*) Das Cabinet von Wien nahm den Schein an, als ob es zur
Verweltlichung der geistlichen Besitzthümer seine Einwilligung versage,
war aber darüber mit Frankreich und Preußen einverstanden, scheute
sich jedoch es öffentlich zu erklären.   Daher wurde Friedrich Wilhelm II.
durch den Gesandten Caillard im Auftrage des Directoriums zu Paris
vermocht, in einer Erklärung, die am 3. Juli 1797 zu Pyrmont ausge-
stellt wurde, zu wiederholen, was bereits in der geheimen Convention
vom 5. August 1796 ausgesprochen war.   Unumwunden wurde in derselben erklärt: der König halte jene Verweltlichung für das einzige
Mittel, die Leiden des Krieges zu endigen, unter welchen Deutschland
schon so lange seufzte, und sei bereit, alle seine Kräfte mit denen Frankreichs und Oestreichs zu vereinigen, um sie zur Ausführung zu bringen.

immer mit Nachdruck, oft mit Uebermuth, und ertrotzte endlich am 11. März und 4. April 1798 die Willigung der
Reichsstände in beides g).

Seitdem war das Größte gethan und nur noch das Geschäft der Ausgleichung, wenn verworrener, doch lösbarer,
übrig. Aber desto schlimmer stand es um die Verhältnisse
der beiden Hauptmächte. Weit gefehlt, den Frieden von
Campo Formio zu ehren und von weitern Eroberungen abzu-
lassen, schritt das übermächtige Frankreich unaufhaltsam vorwärts. Das freie Cisalpinien bekam (den 15. Februar 1798)
an Rom einen Schwesterstaat. Die Schweiz, ehrwürdig und
glücklich in der Verfassung grauer Zeiten, mußte sich (am
12. April) einer neuen Ordnung fügen und ein untheilbarer
Helvetischer Freistaat werden. In das Mittelmeer segelte
(am 19. Mai) aus Toulon eine der zahlreichsten Flotten,
mit Bonaparten und einem mächtigen Heere an Bord, und
erregte von allem Anfang an die Vermuthung, sie sei bestimmt, Egypten zu nehmen und zu einem Tochterlande von
Frankreich zu machen. Oestreich hoffte vergebens, seit sich
Frankreich im Besitz des linken Rheinufers sah, auf die Erfüllung des geheimen Vertrags, der ihm das Erzbisthum
Salzburg, sammt dem Bezirke zwischen diesem, den Flüssen
Inn und Salza und Tyrol, zusagte h). In Deutschland
selbst legten die Franzosen der Unterhandlung ein Hinderniß
nach dem andern durch Verweigerung auch des Billigsten und
Forderungen des Unbilligsten. Sie wußten, daß Ländergier
und schuldiges Gewissen den wenigen, die allein noch reden
und wirken konnten, Zunge und Arm lähme, und eine auf-

Correspondance inédite officielle et confidentielle de Napoléon
Bonaparte. A Paris 1819. III. 81—87.

g) Die hieher gehörigen Erklärungen liefert Haller IV. 34, 40.

h) Die Hoffnung, die das schlaue Frankreich auf eine Entschädigung
in Italien eröffnete, ging eben so wenig in Erfüllung und war sicher
nie ernstlich gemeint. Hallers Geschichte u. s. w. I. 332.

II. Theil. 3

richtige Annäherung unter ihnen, durch eingewurzelten Neid und neues Mißtrauen, auch ohne störende Dazwischenkunft, die doch nicht fehlte, unmöglich gemacht werde.

Während die Dinge solche Gestalt gewannen, traten England, seit 1793 in immer währendem Kriege mit Frank= reich verwickelt und mehr denn jemals für seinen Alleinhan= del besorgt, und das bis jetzt unthätige Rußland, nun gelenkt von Paul dem ersten, einem launischen, leicht beweglichen Fürsten, einander näher, beide im Vertrauen auf den Zutritt des Deutschen Kaisers und des Königs von Preußen. Wie viel an der Gewinnung des letztern gelegen war, zeigte die Sendung des Fürsten Repnin, desselben, der einst den Tesch= ner Frieden vermitteln half. Bereits im Mai traf dieser in Berlin ein i), und so groß war entweder die Erwartung von seinem Einfluß, oder die Besorgniß gereizter Empfindlichkeit, daß die Gewalthaber in Paris ihren bisherigen Bevollmäch= tigten, den biedern Caillard, vom Preußischen Hofe abriefen und den verschlagenen Sieyes sandten k). Es ist nicht zur Kunde der Mitwelt gekommen, was die Wirksamkeit der Eng= lisch=Russischen Anträge hinderte, ob die natürliche Friedens= liebe des Königs, oder ein gerechtes Mißtrauen gegen Bun= deskriege, oder die lockende Aussicht, ungeschwächt am Ende neben Geschwächten zu stehn, oder die schmeichelnden Ver= heißungen Frankreichs; nur so viel hat der Erfolg gelehrt, daß Friedrich Wilhelm seine friedliche Gesinnung bewahrte und Repnin sich unverrichteter Sache nach Wien wandte *).

---

i) Polit. J. 528.

k) Er kam den 20. Junius an und hatte den 5. Julius sein erstes Gehör. Neueste Weltkunde, oder Allgemeine Zeitung S. 730, 802.

*) Le cabinet de St. Pétersbourg —sagt Jomini N. A. XI.7 — sentit tout l'avantage de la possition et cédant à l'évidence des dangers qui menaçaient le système général de l'Europe, il envoya le prince Repnin, d'abord à Berlin, puis à Vienne, tant pour déci- der les deux cours à se désister à toute indemnité en Allemagne, que pour s'aviser au moyen de refouler l'ambition du directoire

Hier, wo er am 23. Auguſt eintraf 1), beburfte es fei=
ner. Kunſt. ber Ueberrebung. Deſtreich, wiewohl zum Scheine
immerfort in Raſtabt geſchäftig, war längſt entſchloſſen zum
Krieg. Die Waffenruhe eines vollen Jahres hatte ihm Er=
holung gegeben, unb was ihm an Kraft abging, verſprachen
Rußland unb England, jenes burch Volk, bieſes burch Golb,
zu ergänzen. Ueberbem war jetzt ben Deutſchen, was ſie

dans de justes limites. Le premier objet de sa mission fut assez
facile à remplir; car Frédéric-Guillaume trouvait dans les termes
mêmes du traité de Campo Formio les moyens de recouvrer la
Gueldre, si l'on rejetait le système des indemnités. Mais la Prusse
plus scrupuleuse sur le second article, persista à garder la neutralité. Le jeune roi, animé de l'amour du bien, s'exagérant les avantages de la paix, ne s'attachait qu'à reparer les bréches faites à
l'état par la dissipation de son père. Il demeura convaincu que
la politique ne lui imposait d'autres combinaisons que de faire
respecter sa frontière et son pavillon ; et de prospérer tandis que
ses rivaux s'appliquaient à se détruire. Des critiques sévères ont
blamé la gestion du comte de Haugwitz, son ministre; et malgré
l'éloquente défense publiée quelques années après, par le célèbre
Lombard, il n'est pas démontré en effet que le cabinet à Berlin ait
apprécié toute l'étendue de ses avantages. Sans doute, on ne sau-
rait nier que la position de la Prusse ne fût délicate, elle était
dans le cas de toutes les puissances du second rang, lorsqu'elles
se trouvent appellées à tenir l'équilibre entre deux masses supérieures prêtes à se heurter. De quelque côté que le cabinet de
Berlin se déclarât, la balance pouvait pencher de manière à rendre
ensuite tout contre-poids inutile, et il était néanmoins embarras-
sant de rester spectateur oisif du déchirement de l'Empire, de
l'assujettissement de la Suisse et de l'Italie. Une médiation armée
eût peut-être prévenu de grands malheurs, bien mieux, qu'une stricte
neutralité. Ces sortes d'interventions decidées à propos, et dans
un sens convenable, sont le signe d'une politique vaste et profonde:
aussi, toute la logique de Lombard n'a-t-elle point réussi à per-
suader que la Prusse ait fait des efforts proportionnés à ce qu'elle
pouvait, pour détourner la guerre qui allait éclater. En se pro-
nonçant avec fermeté, franchise et modération, elle eût obligé le
directoire à évacuer les territoires envahis depuis la paix, et le
cabinet de Vienne à modérer ses prétentions.

1) Allgemeine Zeitung S. 985, 998.

3*

leiden sollten, bekannt und der furchtbarste Feldherr Frank=
reichs durch das Mittelmeer vielleicht auf immer von Europa
geschieden.   An solchen Aussichten sich weidend, bot Franz
der zweite unbedenklich zu einem Einverständniß die Hand m),
und gegen den Ausgang des Novembers betraten die Heere
des kalten Nordens die Gränzen Galliziens, um in dem hei=
ßen Süden (sie waren nach Welschland bestimmt) Deutsch=
lands Erniedrigung abzuwenden.

Am 23. April des 1799sten Jahres, als bereits der
Kampf der feindlichen Schaaren begonnen hatte n), löste sich
die Versammlung zu Rastadt wenn nicht durch, doch mit
dem scheußlichen Ueberfall und Mord der abreisenden Fran=
zösischen Gesandten *) auf, achtzehn Monate nach ihrer Er=
öffnung, ohne Erfolg für das Vaterland, welches Glück und
Unglück abermals von den Waffen erwartete.   Unter allen
Feldzügen, die der Französische Staat, seit der großen Wie=
dergeburt, gegen das Ausland gewagt hatte, war für ihn
dieser achte bei weitem der unglücklichste.   Wenige Wochen
reichten hin, ihn aller errungenen Vortheile zu berauben.
Ganz Italien, die Feste Mantua nicht ausgeschlossen, ging

---

m) Sein Gesandter, der Graf Cobenzl, ging, gleichzeitig mit Rep=
nin, über Berlin, wo er mehrere, doch unwirksame Unterredungen mit
dem Könige pflog, nach Petersburg. Allgem. Zeit. 914, 958

n) Zu Anfang Decembers war der erste Russische Hülfshaufe in
Mähren bereits eingetroffen. Den 29. schloß Großbritannien (Martens
VII. 318) zu Petersburg einen Vertrag mit Rußland auf fünf und
vierzig tausend Mann gegen Frankreich unter vorausgesetzter Theilnahme
Preußens. Den 4. Januar 1799 erklärten die Französischen Gesandten
zu Rastadt, sie würden es als eine Feindseligkeit von Seiten des Deut=
schen Reichs ansehn, wenn man den Durchzug der fremden Völker
gestatte. Am 1. März setzte Vandamme und Jourdan über den Rhein
und am 4. der Erzherzog Carl über den Lech.

*) Die Geschichte des Mordes gehört nicht hierher. Erzählt und
von mehreren Seiten beleuchtet ist sie in des H. von Dohm Leben
S. 335 vergl. die Beilagen S. 597 u. f.

verloren. Ju der Schweiz reihte sich Niederlage an Nieder=
lage, und in Deutschland wichen die Französischen Heere über
den Rhein zurück. Die Gemüther der Menschen hofften wie=
der, und die Fürsten wünschten sich zur Aufhebung des Ra=
stadter Vereines Glück. Auch in Paris fühlten die Klügern,
man müsse entweder gutwillig auf alle Eroberung Verzicht
thun, oder den Einen zurückrufen, der allein, wie man wähnte,
das Verderben beschwören könne.

· Dieser Eine, Napoleon Bonaparte, der eben, nicht mit
Lorbeern geschmückt, aus den Einöden Syriens in Cairo ein=
getroffen war, und bald nachher mit den Türken (am 21.
Julius) um Abukir kämpfte, ahnete, in seiner gänzlichen Ab=
geschiedenheit von Europa, weder, daß der wohl eingeleitete
Friede gescheitert, noch, daß Frankreich in so kurzer Zeit um
alle Früchte eines blutigen Krieges gekommen sei, als ihm sein
Bruder Lucian über England berichtete, wie so plötzlich sich
alles verändert habe, und zu schleuniger Heimkehr auffor=
derte *). Sobald ihm die Botschaft geworden war, dachte
er nur darauf, ihr zu genügen, und ging, wie Cäsar einst,
dem guten Glücke vertrauend, mit mehrern seiner braven
Waffengefährten, unter der Leitung Gantheaume's auf zwei
Schnellschiffen an Bord. Am 23. August stieß er von der
Küste des Landes ab, wo er, ein Jahr und drei Monate hin=
durch, der Natur, dem Schicksal und erbitterten Feinden ge=
trotzt hatte, und am 9. October landete er bereits, den Wo=
gen und den Engländern entronnen, in Frejus, zwischen Tou=

---

*) Nicht so. Er bekam die erste Kunde von dem Unglücke der
Französischen Waffen durch die Französische Zeitung von Frankfurt.
Après la bataille d'Aboukir le 3 août 1799 le commodore anglais
envoya à Alexandrie des journaux anglais et la gazette française
de Francfort des mois d'Avril, Mai et Juin qui faisaient connaître
les désastres des armées du Rhin et d'Italie. On avait appris au
camp de St. Jean-d'-Acre le commencement de la guerre de la
seconde coalition. Mémoires etc. de Montholon II. S. 177. Vergl.
Mém. du Duc de Rovigo A Stuttgard 1828. I. S. 107 u. 136, auch
Correspondance inédite VI. 431, 454, 459.

lon und Nizza und empfing acht Tage darauf die Glückwün=
sche der begeisterten Pariser.   Dem Vaterlande schien ein
neuer Stern in ihm aufgegangen, und die Muthlosen hofften
wieder, und nicht umsonst.

Wie wenn das Glück selber mit den Tapfern im Bunde
stehe, waren, indeß er noch auf dem Meere fuhr, in dem
Russischen Kaiser Paul Unzufriedenheit und Kaltsinn gegen
seine Verbündeten, die er des Eigennutzes beschuldigte o),
und daraus vielfache Mißverständnisse entstanden, die sich
bald durch eintretende Unfälle zum völligen Bruch erweiterten.
Zu Anfang des Septembers verließ nämlich, den getroffenen
Verabredungen gemäß, Suwarow, der kühne Feldherr der
Russen und eigentliche Befreier Italiens, diesen Schauplatz
seines Ruhms und wandte sich nach der Schweiz, um dort,
in Verbindung mit Korsakow, dem Führer einer andern Ab=
theilung Russen, und dem Oestreicher Hotze, die feste Stel=
lung, längs der Linth, der Limmat und der Aar einzunehmen
und so weiter vorwärts zu wirken.   Aber ehe er anlangte,
hatte das beeilte Vordringen des Erzherzogs Carl nach
Schwaben die Linie geschwächt und die Französischen Befehls=
haber, Massena und Soult, jene beiden feindlichen Heerfüh=
rer (zwischen dem 25. und 27. September) überwältigt.   Die
herankommenden Russen unter Suwarow vermochten nichts

---

o) Paul ging unstreitig offen und rechtlich zu Werke.   Er wollte
die Wiederherstellung der alten Ordnung, die unverletzte Erhaltung
Deutschlands, und die Vernichtung der Französischen Uebermacht; aber
er fand nicht dieselben Gesinnungen bei denen, für die er kämpfte.
Oestreich hatte seine alten Besitzungen in Italien wieder erobert und
behielt gleichwohl nicht nur Venedig, sondern gab selbst das befreite
Toscana und Piemont dem rechtmäßigen Herrn nicht zurück.   England
nahm sich ebenfalls den Wünschen Pauls nicht gemäß, und noch weniger
Preußen und das Deutsche Reich, von denen jenes gar keinen und die=
ses nur einen schläfrigen Antheil an der gemeinen Sache nahm.   Man
vergleiche unter andern, in der letzten Rücksicht, des Kaisers Note vom
29. September an alle Gesandten zu Petersburg, in Reuß Staats=
Kanzlei VIII. 139.

weiter, als die Ehre ihrer Waffen, durch einen beschwerlichen
Rückzug über unwegsame Alpen, unter steten Kämpfen zu
krönen, und zogen, mit Korsakow am Bodensee vereinigt,
gegen Ausgang des Novembers, durch Mähren und das Oest=
reichische Schlesien ihrer Heimath zu.

Jetzt mit dem Eintritte des Jahres 1800 stand von
bedeutenden Landmächten keine mehr unter den Waffen, als
Oestreich: denn der kleinere Theil des Deutschen Reiches und
das kraftlose Neapel zählten nicht.   Desto thätiger rüstete
Frankreich, das sich nun aus seiner Gesetzlosigkeit emporgear=
beitet und Bonaparten p) als ersten Consul auf zehn Jahre
an die Spitze der öffentlichen Verwaltung gestellt hatte.   In
den Monaten April und Mai zogen zwei Heere, das eine
unter Moreau über den Rhein nach Deutschland, das zweite,
in vier Heerhaufen vertheilt, unter Bonaparte selbst, über
der Alpen Schnee und Eis nach den Ebenen Italiens; und
bald folgten so entscheidende Tage bei Möskirch, Memmin=
gen und Marengo q), daß gewiß schon im Laufe des Som=
mers der Friede zu Stande gekommen wäre, wenn nicht
Oestreichs Verpflichtung an England, keinen einseitigen Ab=
schluß einzugehn, die angeknüpfte Unterhandlung vereitelt
hätte.   Endlich nach vielem Zögern, kleinen Einbußen im
Felde und großem Verlust zur Gewinnung einer abermaligen
Waffenruhe r), führte die Schlacht bei Hohenlinden, wo
Moreau siegte, und die Einnahme von Linz s) zum Ziele.
Der Graf Cobenzl, früher schon t) in friedlicher Absicht von
Wien nach Lüneville gesandt, aber immer säumend und zu=
rückhaltend um Englands willen, erklärte am letzten Decem=
ber, er überlasse diese Macht ihrer eigenen Berathung, und

---

p) Seit dem 15. Dec. 1799.

q) Am 5. Mai, 10. Mai und 14. Junius.

r) Sie kostete die Räumung von Ingolstadt, Ulm und Philippsburg.

s) Am 3. und 20. December.

t) Am 15. Oct. Polit. J. 1082.

der erste Tag des neunzehnten Jahrhunderts eröffnete der bedrängten Menschheit eine hellere Aussicht.

Um Preußens Freundschaft war auch in den letzten Jahren des Kriegs viel geworben worden. England sandte im Februar 1799 den Lord Grenville, der in Berlin bis zum September verweilte v). Für Wien wirkte gleichzeitig mit ihm der Graf Dietrichstein x). Von Paris aus y) erschien, nach der Rückkehr Napoleon Bonaparte's, zunächst Duroc, sein Liebling, dem Könige Gruß und Freundschaft zu bringen z), dann ein wirklicher Gesandter in Beurnonville a), selbst auf kurze Zeit, doch schwerlich mit Aufträgen, des Consuls Bruder, Ludwig Bonaparte b). Auch der Russische Kaiser, lange kaltsinnig, näherte sich nach der Trennung von Oestreich. Diese wechselseitigen Bemühungen der großen Mächte gaben dem Berliner Hofe in jenen Tagen eine große Bedeutung. Von der kleinsten Bewegung im Innern schloß man auf Umwandlung der äußern Lage, und das Glück wie das Unglück der Heere, die gegen Frankreich standen, erregten die Hoffnung, Preußen werde die Anträge Englands hören. Aber die Haltung des Königes blieb fortwährend ruhig, und bald nahm er sogar eine ernstliche Stellung gegen den eben genannten Staat *).

Was England schon im Jahr 1780, nicht ohne Widerspruch der nordischen Mächte, versucht hatte, drohte es abermals und hartnäckiger durchzusetzen. Die Handelsschiffe der

---

v) Polit. J. von 1799. S. 166, 995.

x) Dasselbe 432.

y) Sieyes war im Junius 1799 abgegangen. Polit. J. 605.

z) Den 28. Nov. 1799. Polit. Journ. 1280. Er ging ab den 19. Dec. S. 1332.

a) Den 19. Jan. 1800. Polit. J. 100.

b) Im Oct. 1800. Polit. J. 1155.

*) Vergl. Bignon Geschichte von Frankreich vom 18. Brumaire (Nov.) 1799 bis zum Frieden von Tilsit 1807. Deutsch von Hase. Leipz. 1830. 1. Kap. 2. S. 41 — 47.

friedlichen Völker waren bisher mitten im Kriege, unter dem Schutze sie begleitender Kriegsschiffe, frei auf allen Meeren gesegelt: denn die Begleitung, die ihnen der Staat gab, verbürgte, daß sie die kriegführenden Völkerschaften mit keinem Kriegsbedarf unterstützten. Diesem allgemein verehrten Gesetz wollte sich England, die Herrscherin der Gewässer, nicht länger fügen. Unter dem Vorwande, zwischen verfeindeten und nicht verfeindeten Staaten walte ein unerlaubter Schleichhandel mit Kriegsbedürfnissen ob, nahm es im Jahr 1800 ein Dänisches Kriegsschiff, zwang darauf ein Schwedisches Handelsschiff, zur Eroberung zweier Spanischen Kriegsschiffe mitzuwirken, und übte überall auf dem weiten Meere das Recht des Stärkern. Solche Gewaltthätigkeit beleidigte den ganzen Norden, am tiefsten den Kaiser von Rußland. Auf England erzürnt, wie auf Oestreich, von jenem noch besonders gekränkt durch die Vorenthaltung des eroberten Malta, das er, als Großmeister des Ordens, forderte, überhaupt unzufrieden mit der Wendung der öffentlichen Angelegenheiten, überließ er sich ganz dem Antriebe seiner stürmischen Leidenschaft. Zur Erhaltung, wie er sich öffentlich erklärte, des Gleichgewichts von Europa und der gesellschaftlichen Ordnung, stellte er an den Gränzen seines Reiches zwei Heere auf, trug unterm 16. August den Königen von Schweden, Dänemark und Preußen eine Verbindung zur Bewahrung der Meeresfreiheit an und legte zugleich auf alle Englische Waaren und Schiffe in seinen Staaten Beschlag c).

Unter den handelnden Mächten des Nordens konnte keine gleichgültiger sein, als Preußen. Seine Schiffahrt hatte in ihrer Beschränktheit wenig zu fürchten. Pflanzungen und Reichthümer in fremden Welttheilen setzte es nicht aufs Spiel, und wenn England es irgend kränkte, so stand der Weg zur Rache nach Hannover offen. Aber die Staatsklugheit schien andre Maßregeln zu rathen, als die Staatsverhältnisse erlaub-

c) Die hieher gehörigen Actenstücke finden sich in Martens Recueil, Suppl. II. 344 u. f. Vergl. Bignon 1. K. 8, S. 181.

ten. Es war nicht nur schwer, zumal, da England in den ersten Tagen des Novembers sogar ein Preußisches Schiff, den Triton, aufbrachte, der Zudringlichkeit Pauls des ersten auszuweichen, ohne ihn zum Kampfe zu reizen; auch das Waffenglück Frankreichs und die zunehmende Schwäche der Oestreicher wiesen beide auf baldigen Frieden hin, und der König durfte vielleicht hoffen, seine Wünsche um so sicherer zu erreichen, je entschiedener er sich gegen England erkläre. Solchen Betrachtungen folgend, ließ er tausend acht hundert Mann zu Ende des Novembers nach dem Hamburger Amte Ritzebüttel aufbrechen, um Curhaven, wohin die Engländer den Triton geführt hatten, zu besetzen, und bezeigte seitdem einen größern Ernst. Dem Englischen Gesandten, Lord Carysford, der in den ersten Tagen des Jahres 1801 in Berlin anfragte, ob Preußen, was das Gerücht melde, dem nordischen Bunde wirklich beigetreten sei, ward unfreundliche Antwort, und da er später anzeigte, wie Großbritannien, von Rußland unaufhörlich bedrückt, mit diesem Staat in offner Fehde lebe und auf Preußens bewährte Freundschaft zähle, erwiederte ihm, unterm 12. Februar, Haugwitz, „der Londoner Hof handle gegen die nordischen Mächte eben so unbillig, als übereilt. Die Absicht der letztern gehe nicht auf Beleidigung anderer, sondern einzig auf die Sicherheit ihrer Flaggen und Unterthanen. Kein Staat von Ehre könne die Willkührlichkeit eines selbstgeschaffenen Seerechts, wie das Brittische, dulden. Wer denn je den Beherrschern Englands die Befugniß zugestanden habe, den fremden Seefahrer vor ihren Richterstuhl zu ziehen und seine Ladung sich zuzueignen? Nach so vielfachen erneuerten Gewaltthätigkeiten und immer fruchtloser Beschwerde müsse man endlich Gewalt mit Gewalt abtreiben. Nur ein gänzliches Aufheben alles Beschlags auf fremde Schiffe werde Preußen bestimmen, der bereits eingegangenen Verbindung zu entsagen d)."

---

d) Man sehe die gewechselten Noten bei Martens, Suppl. II.

Man erwartete nach so kräftigen Aeußerungen thätliche Wiedervergeltung und warnte die Embner Seefahrer. Aber die Schonung, die England fortdauernd der Preußischen Flagge bewies, während es die Schiffe der drei andern nordischen Mächte in seinen Häfen zurückhielt, sagte deutlich genug, und die Sendung des Englischen Prinzen Adolph, der am 4. März zu Berlin eintraf, bekräftigte es, man wolle die bestehenden Verhältnisse zu Preußen bewahren. Es fehlte jedoch so viel, daß die bezeigte Nachgiebigkeit die Herstellung des aufgehobenen Einverständnisses förderte, daß dieses nur noch mehr zerstört wurde. Am 30. März erklärte der Graf von Schulenburg der Hannöver'schen Ober-Behörde, „der König von Preußen sehe sich genöthigt, zur Rächung erfahrner Unbill und Abwehrung künftiger Beleidigung die Mündungen der Elbe, Weser und Ems zu sperren und zugleich die Deutschen Erblande des Königs der Britten in Besitz zu nehmen. Er verlange, daß der größere Theil des Hannöverschen Heeres aus einander gehe und die Gesammtheit der Führer Treue und Gehorsam gelobe. Die bei den Fahnen blieben, würden, verlegt in die Städte Hannover, Giffhorn, Uelzen, Lüneburg und die benachbarte Gegend, dort ihr Loos ruhig erwarten, die andern Ortschaften sammt der Festung Hameln aber den Preußen eingeräumt und die fremden Krieger auf Kosten des Landes verpflegt werden. Alle Verbindung zwischen Hannover und Großbritannien sei hiermit aufgehoben und das Ganze unter Preußens Verwaltung gegeben." Als, den Umständen weichend, die oberste Staats- und Kriegs-Behörde den geforderten Verpflichtungsschein aus-

---

424 u. f. Die Uebereinkunft Rußlands und Preußens zur Seevertheidigung, genehmigt zu Petersburg am 16. Dec. 1800 und 6. Febr. 1801, steht S. 405. Nach Martens Vermuthung (S. 415) unterzeichnete sie der König bereits im Februar, nach Wedekinds Angabe im chronologischen Handbuch von 1808 erst den 3. April. (Vergl. Jomini N. A. XIV. 242 f. u. Bignon 1. K. 8, S. 189. K. 12, S. 247. Paul freute sich über diese Erklärung so, daß er Haugwitzen den Andreas-Orden verlieh.

gestellt hatte, rückten am 3. April vier und zwanzig tausend
Mann Preußen in Hannover ein e), und der Englische Prinz
Adolph ging, Berlin verlassend, am 13. über Curhaven zurück
nach London f). Auch die freie Reichsstadt Bremen, vorbereitet
und beruhigt durch eine Anzeige des Grafen von Haugwitz,
nahm am 12. und die Fürstenthümer Oldenburg und Del=
menhorst am 20. des Monats Preußische Besatzung ein g).
Nach Hamburg und Lübeck rückten gleichzeitig sechs tausend
Dänen h).

Es liefen damals viel seltsame Gerüchte in Deutschland
um, eben so wenig zu behaupten, als zu läugnen, und noch
weniger zu umgehn, weil auch der Sage vor der Geschichte
Achtung gebührt und die Geheimnisse der Höfe oft nur wahr=
scheinliche Aufklärung zulassen. Die nach dem äußern Schein
urtheilten, waren der Meinung, Preußen wolle das wohl
gelegene Hannover zur Entschädigung für die Länder=Einbuße
am linken Rheinufer behalten, und ließen ihre Vermuthung
sogar in Druck ausgehn i). Aber der Glaube an des Kö=
nigs Rechtlichkeit war zu wohl gegründet, um ihn so leicht
aufzugeben. Andere schrieben, wie alle Maßregeln gegen
England, so auch diese heftigste der Furcht vor Rußland und
der Gefälligkeit für Frankreich zu, ebenfalls ohne zu überzeu=
gen. Die meisten (und ihnen stimmten öffentliche Blätter
von Werth bei) knüpften die Erscheinung an den Frieden,
der am 9. Februar zu Luneville zwischen Oestreich ohne Eng=
lands Theilnahme zu Stande gekommen war k). Preußen,

---

e) Polit. Journ. von 1801. S. 380, vergl. Schölls Histoire etc.
VI. 87.

f) Polit. J. 396.

g) Polit. J. 383.

h) Daselbst 374 u. f. Die Allgem. Zeitung erwähnt die im Text
berührten Ereignisse S. 390, 419, 423, 461.

i) So das eben so voreilige als unverschämte Polit. J. S. 395,
713, 839.

k) Die Urkunde liefert Martens VII. 538.

geschreckt durch die Aeußerung Bonaparte's, daß Französische
Völfer und die gefangenen Ruffen, die er um diese Zeit dem
verföhnten Kaifer zurücffandte, die Hannöverfchen Lande be=
feßen follten', habe, in geheimer Uebereinfunft mit Großbri=
tannien, fie felbft befeßt und der Prinz Adolph Berlin ohne
Furcht und ohne Feindfchaft verlaffen *).

Was diefer Vermuthung befonderes Gewicht gab, war
die ununterbrochene Achtung der Preußifchen Flagge zur
See l) und der Zufammenhang, der fich zwifchen der end=
lichen Räumung Hannovers und Englands Vortheilen offen=
barte. Eben als Preußen gegen diefen Staat am nachdrück=
lichften handelte, oder doch zu handeln fcheinen wollte, ward
Paul der erfte in der Nacht auf den 24. März in feinem
Schlafgemach ermordet und die Krone ging über auf feinen
Sohn Alexander. Diefer, nach Art junger Herrfcher, fuchte
nichts fo eifrig, als, zur Sicherung des unbefeftigten Thro=
nes, die alten Verbindungen wieder herzuftellen, und fandte
fogleich ein Schreiben freundfchaftlicher Gefinnungen voll
nach London m). Da man ihm hier nun entgegenfam, wie
er wünfchte, fo änderten fich die Verhältniffe im Norden eben
fo fchnell, als für Großbritannien günftig. Dänemark und
Schweden waren nicht vermögend, einem Vereine Nachdruck
zu geben, von dem Rußland, die Hauptmacht, abtrat, und
Preußen, durch die gefchloffenen Ströme beengt, trug bereits
im April bei den Dänen, die Hamburg und Lübeck befeßt
hatten, auf eine allgemeine Löfung der Bande des Handels
an und fand keinen Widerfpruch n). Noch vor dem Aus=
gange des Aprils ward die Sperre der Wefer aufgehoben

*) Vergl. Bignon I. K. 12. S. 260 f.   Nach ihm hatte Paul
allerdings einen entfcheidenden Einfluß auf das Verfahren der Preußi=
fchen Regierung.

l) Polit. J. 503.

m) Daffelbe 388. Vergl. Bignon I. Kap. 13.

n) Martens Suppl. II. 461.

und in der Mitte des Mais Oldenburg und Delmenhorst
und am 4. Julius Bremen von den Preußischen Völkern
geleert o). Auch Dänemark, dem Beispiele gern oder ungern
folgend, gab am 7. Mai die Elbe und am 23. Hamburg und
Lübeck frei p). Jetzt war es allein noch die Räumung Hannovers, der man hoffend entgegensah: aber Preußen weigerte
hartnäckig, seine Mannschaft abzurufen, und achtete, jede Erörterung *) meidend, weder auf verfängliche Muthmaßungen,
noch auf beleidigende Vorwürfe. Indeß rückten die Verhandlungen, die zwischen Frankreich und England seit Monaten
obwalteten, ihrem Ziele näher, und was wenige ahneten, die
vorläufigen Bedingungen kamen am 1. October zu Stande.
Dieß Ereigniß entschied augenblicklich über Hannovers Schicksal. Preußen erklärte den 11. October an England, es werde
die Kurlande verlassen und ertheilte am 25. Befehl zum Aufbruch q). Kaum konnte man zweifeln, jenes habe die Nähe
fremder Kriegsvölker gefürchtet, und dieses verhüten wollen,
daß Hannover nicht zur Befriedigung der Deutschen Fürsten
verwandt werde.

Sechs Monate früher (den 30. April) war bereits, nach
beinah fünfjähriger Dauer, die Verbindung aufgelöst worden,
die zum Schutz des nördlichen Deutschlands bestanden hatte r),
weil der Friede von Lüneville zugleich dem Reiche seine Ruhe
zurückgab und nur noch die Entschädigung derer, die durch
die Abtretung des linken Rheinufers an ihrem Eigenthum

---

o) Polit. J. 544, 712.

p) Dasselbe 534. Die deshalb gewechselten Noten liefert Martens
Suppl. II. 461 u. f. Die Allgem. Zeitung erwähnt der Vorfälle S. 583,
596, 602, 772.

*) Auch amtliche, wie die von der Hannöver'schen Regierung un-
term 14. Junius angeregte. Man sehe die Allgem. Z. 767.

q) Allgem. Zeit. 1232, 1244, vergl. 1278.

r) Die besten Nachrichten über diesen Verein finden sich in Küsters
mehrmals genannten Beiträgen zur Preußischen Staatskunde I. S. 81.

einbüßten, zu ordnen war. Wenn die Gegenwart die Für=
sten Deutschlands, während dem Laufe des Krieges, gequält
und gedrückt hatte, so ängstigte sie jetzt die Zukunft noch
mehr. Die geistlichen Kurfürsten waren durch den Frieden
selbst aller Hoffnung zum Ersatz ihres Länderverlustes beraubt
worden. Mehrere der weltlichen Herzöge und Herren fingen
an zu fürchten, sie und ihre Ansprüche möchten der Habsucht
der Mächtigern weichen müssen. Die noch bestehenden geist=
lichen Fürsten und Bischöfe konnten sich nicht verhehlen, daß
ohne Einziehung ihrer Besitzthümer an gar keine Ausgleichung
und Vergütung zu denken sei. Am meisten beunruhigte das
Anzeichen, Reich und Stände dürften in die Entschädigung
wenig einfließen, und alles nach ganz andern Rücksichten, als
die Rechtlichkeit aufstelle, von Paris aus bestimmt werden.
So sehr drängten die Gesandten der Deutschen Höfe, ausge=
stattet mit demüthigen Empfehlungsschreiben und noch empfeh=
lendern Geldsummen, nach Frankreichs Hauptstadt, und so
viel verlautete in öffentlichen Blättern und in Zeitschriften s)
von vorläufigen Abschlüssen und Gewährungen.

Diese Befürchtungen bekräftigte vorzüglich der Einspruch,
den Preußen um diese Zeit gegen die Besetzung eines frei
gewordenen Bischofsstuhles erhob. Der Erzherzog Maximi=
lian Franz Xaver Joseph, aus dem Hause Oestreich, Kurfürst

---

s) Man vergleiche, außer dem Moniteur, die Allgemeine Zeitung
jener Tage und die Europäischen Annalen, unter andern den Jahrgang
1802 I. 111 u. f. Von allen Seiten, sagt Bignon II. Kap. 23 S. 193
entwarf man dickleibige Denkschriften, die man nach Petersburg zur Bera=
thung und nach Paris zum endlichen Ausspruch schickte. Boden, Men=
schen, Alles brachte man in Rechnung, Quadratmeilen, Seelenzahl, rei=
ner und Brutto=Ertrag. Es war ein Meisterstück einer ganz neuen
Rechenkunst. Nie war die Statistik Deutschlands nach so wenig zusam=
menhängenden Grundsätzen bearbeitet worden; nie hatte man wider=
sprechendere und so entgegengesetzte Schätzungen gesehen. Mit welcher
Würde sich dagegen der Kurfürst von Sachsen benahm, S. Lucchesini
historische Entwicklung der Ursachen und Wirkungen des Rheinbundes.
Deutsch von v. Halen. Leipzig 1821. S. 174.

von Cöln und Fürst-Bischof zu Münster hatte in der Nacht
auf den 27. Juli geendet. Sobald die Kunde von diesem
Todesfalle nach Berlin kam, erklärte der König am 15. August
zu Regensburg und Wien und an den Wahlorten Ahrensberg
und Münster, „wie die bevorstehende Veränderung der Deutschen Reichsverfassung jetzt nicht gestatte, erledigte Stifter und
Bisthümer zu besetzen. Es sei die größte Wahrscheinlichkeit,
daß man mehrere geistliche Besitzungen einziehen und zur Befriedigung weltlicher Fürsten verwenden werde. Er wider-
rathe deshalb in dem eingetretenen Fall eine neue Wahl und
vermahne zum Aufschub." Niemand verkannte, wessen Vortheil der König durch dieß Bedenken · beziele, noch, daß es
sich auf Verabredung stütze, da Frankreich vierzehn Tage nachher eine ähnliche Abmahnung ergehen ließ. Aber für die
Wählenden lag eben darin der stärkste Grund, nicht zu säumen, sondern ihre Rechte geltend zu machen. Am 9. Sep-
ter ernannten sie den Erzherzog Anton Victor, des Kaisers
Bruder (sie fühlten die Nothwendigkeit sich an ein mächtiges
Haus anzulehnen), zum Fürst-Bischof zu Münster.

Wenn die Erwägung des Nutzens Preußen zum Widerspruch vermocht hatte, so trat jetzt noch die gekränkte Ehre
hinzu und reizte zu wiederholter Erneuerung. „Der König
wundere sich höchlich über die Beeilung des Wahlgeschäftes
und wie man nicht einmal den vierten Theil der gesetzmäßi-
gen Erledigungszeit habe verstreichen lassen. Fast noch mehr
befremde ihn die Nichtbeachtung seiner wohlgemeinten Absicht
und der geringe Werth, den man auf die Erhaltung friedlichen Einverständnisses mit ihm lege. Sein Betragen werde
sich von nun an nach dem der Stiftsmitglieder richten. Den
neuen Bischof anzuerkennen, sei er so weit entfernt, daß er
vielmehr gegen dessen Ernennung eine förmliche Verwahrung
einlege." Solches und ähnliches schrieb, Münster verlassend,
der Preußische Gesandte von Dohm, unterm 15. und 18.
September, an die Wahlversammlung.

Diese jedoch widersprach kräftig, obwohl mild und demü-

thig in Worten, dem erlaffenen Schreiben, berief sich auf ihre
Gerechtsame, auf den Kaiser, und auf die kaiserlichen Bevoll=
mächtigten, als Theilnehmer an der Wahl, und flößte den
Domherrn zu Ahrensberg so viel Vertrauen ein, daß sie den
Fürst=Bischof von Münster am 7. October auch zum Erzbi=
schof von Cöln wählten. Die nämlichen Ansichten theilte
Destreich. Den Einspruch des Preußischen Hofes als auf=
fällige und gefährliche Neuerung tadelnd, billigte es nicht
nur in einem Schreiben vom 14. October das Geschehene,
sondern gab sich sogar das Ansehn, als ob es die nun be=
gründeten Ansprüche seines Prinzen, selbst im schlimmsten
Falle, bewahren wolle. Aber die kriegerischen Bewegungen,
mit denen Preußen drohte, und der günstige Stand dieses
Staates zu Frankreich setzten bald allem weitern Unterneh=
men ein Ziel. Der kaiserliche Bevollmächtigte, Graf Stadion
zu Berlin, erklärte, der Erzherzog werde weder für jetzt sein
Bißthum antreten, noch der Entschädigung Deutscher Fürsten
ein Hinderniß legen. Worauf der Kaiser allein beharre, sei
die Erhaltung der drei geistlichen Kurfürsten. Auf diese Er=
öffnung antwortete Preußen am 26. October, „die Bischoffs=
wahl, als bloße Förmlichkeit, könne es dulden. Ueber das
Bestehn der geistlichen Kurwürden werde man sich wohl eini=
gen, wenn zuvor die weltlichen Reichsstände bedacht wären."
So beruhigte sich für jetzt diese Streitigkeit t).

Aber der König selbst kam durch die Entkräftung des
Wahleinflusses seinem Ziel um nichts näher. Die Wunde,
die Deutschland empfangen hatte, war so tief und schmerz=
lich, daß Jedermann ihre Berührung scheute. Der Ausschuß
zu Regensburg, der die Ansprüche der beeinträchtigten Für=
sten prüfen und die Ausgleichung feststellen sollte, saß rathlos

---

t) Polit. J. 960, 1031, 1071, und die in der allgemeinen Zeitung
mitgetheilten Noten der Höfe S. 991, 1119, 1171 u. f. Eine übersicht-
liche Darstellung der Sache, mit Nachweisung der Schriften, welche die
hieher gehörigen Actenstücke enthalten, gibt das Leben des H. v. Dohm
S. 387 u. f.

II. Theil.

4

und müßig. Die Hauptmacht des Vaterlandes, Oestreich, handelte für sich und mehrte die obwaltende Spannung und das wechselseitige Mißtrauen. Der schlaue Sieger freute sich, als Schiedsrichter im Verborgenen fortzuwirken und im Frieden die Trennung zu erweitern, welche im Kriege begonnen hatte *). Allenthalben bereitete sich der Zustand unabwendbarer Auflösung vor, und je länger er dauerte, desto wahrscheinlicher dünkte allen, er werde gewaltsam enden.

Wirklich ging solche Vermuthung, etwa ein halbes Jahr nach jenen Vorfällen, in Erfüllung. Als nämlich Friedrich Wilhelm zu Ausgange des Maimonats 1802 **) einen förmlichen Vertrag über seine Entschädigung v) mit Frankreich geschlossen und bald darauf (am 9. Junius) zu Memel sich mit dem Russischen Kaiser Alexander dem ersten, der als zugezogener Mittler die Angelegenheiten Deutschlands ordnen half, unterredet hatte ***), schritt er zur Besitzergreifung der zugestandenen Länder, wenig mehr beachtend des Reiches Zustimmung und Genehmigung, und eröffnete seinen Entschluß in einer feierlichen Erklärung. Diese, gezeichnet zu Königsberg am 6. Junius x), und fürs erste die Besetzung des Stiftes Hildesheim und der freien Reichsstadt Goslar verkündigend, machte, obwohl vermuthet, einen um so größern Eindruck, da in der nämlichen Zeit, der Entwurf zu einer

---

*) Paris devint, au commencement de l'année 1802 le centre de négociations fort animées. L'Autriche et la Prusse y traitèrent de leurs indemnités particulières; mais le gouvernement François se montra peu favorable aux réclamations de la première puissance, tandis qu'il se prêta à d'autres projets d'aggrandissement. Cinq traités furent le résultat des négociations de Paris etc. Schölls Histoire etc. VI. 253.

**) 23. Mai.

v) Der jedoch nicht bekannt geworden ist. Man sehe Martens Suppl. III. 219, Note, vergl. 233.

***) Allgemeine Zeitung 728. Vergl. Lucchesini Rheinbund I. 142 f.

x) Dieselbe 896.

allgemeinen Entschädigung, den Frankreich und Rußland zu
Regensburg überreichten, beider Einstimmung beurkundete.
Die Deutschen Reichsfürsten ergriff das herbe Gefühl ihrer
Ohnmacht und ihrer Schmach, und der Kaiser selbst, zurück=
gesetzt und über Zurücksetzung klagend, rieth zur Nachgiebig=
keit und mahnte in einem Schreiben vom 14. Julius einzig
von gewaltsamen Maßregeln vor Beendigung des Ausgleich=
ungsgeschäftes ab y).

Es war klar, wem von allen diese Abmahnung galt.
Auch verkannte es Preußens König so wenig, daß er viel=
mehr erwiederte, „was er besetze, besetze er vorläufig. Für
sein Eigenthum wolle er es erst dann ansehn, wenn die
Reichsversammlung ihn als rechtmäßigen Herrn bestätige z)."
Aber diese Erklärung hinderte ihn keineswegs an der raschen
Vollziehung seiner Absichten. Am 20. Julius brachen die
Schlesischen und Süd=Preußischen Völker, die in der Nähe
Berlins standen, unter dem Grafen von der Schulenburg
nach Magdeburg auf, um dort, vereinigt mit einem andern
Theile des Heeres, weiter zu rücken, und im Anfange des
Augusts ergriffen sie allmählig für ihren König Besitz a). Die
Stifter Hildesheim und Paderborn, bisher unter eigenen Bi=
schöfen, giengen, als weltliche Fürstenthümer, an Preußen

---

y) Allg. Z. 908. Sehr interessant ist Bignons Erzählung der
Verhandlungen, welche über das Entschädigungsgeschäft gepflogen wur=
den. Aus derselben geht hervor, daß eigentlich der erste Consul allein
entschied und was denselben leitete, ist dort so ausgesprochen: „Für
Frankreich war es dringend, dem alten Gebäude des Deutschen Reichs
einen Stoß zu geben und dadurch seine Kräfte zu theilen, daß man die
Staaten mindern Ranges auf Kosten der bedeutendsten vergrößerte.
So mußte in Deutschland eine neue Ordnung der Dinge entstehen, die
um ihres Bestandes willen für die Erfolge der Republik (Frankreich)
Partei nahm und ihr selbst einen Stützpunkt gewährte. Bignon II.
K. 23 S. 206. Vergl. Lucchesini Rheinbund 1. 190.

z) Polit. J. 812. 813. vergl. die Allgem. Zeit. 862.

a) Polit. Journ. 707, vergl. die Allgemeine Zeitung 851, 869,
883 u. f.

4 *

über. Die Stadt und das Gebiet Erfurt nebst Untergleichen und dem Eichsfelde mit Treffurt, beide von Kur-Mainz besessen, erkannten Preußischen Oberbefehl. Die drei Reichsstädte Mühlhausen, Nordhausen und Goslar verloren die lang bewahrte Selbstständigkeit. Die Reichsabteien, Quedlinburg in Ober-Sachsen, und Herford, Elten, Essen und Werden nebst der Probstei Kappenberg in Westphalen wurden eingezogen. Auch die Stadt Münster und des Bißthums südöstlicher Theil (ein Drittel etwa vom Ganzen) unterwarfen sich dem Preußischen Adler b). An Baiern überließ es in späterer Uebereinkunft c) einige Aemter, Ortschaften und Kronengüter im Anspachischen und Baireuthischen, und erhielt zu besserer Abrundung mehreres von den Fürstenthümern Bamberg, Würzburg und Eichstädt, nebst den Städten Weißenburg, Dünkelsbühl und Windsheim.

Was bei dieser Entschädigung alle Reichsstände beleidigte, war das Mißverhältniß des Gewinnes zur Einbuße. Preußen hatte durch die Abtretung des linken Rheinufers d) auf zwei und vierzig Geviertmeilen etwa hundert und zwei und siebenzig tausend Unterthanen und einmal hundert tausend Thaler verloren, und erhielt nun auf zwei hundert und ein und vierzig Geviertmeilen an sechsmal hundert tausend Menschen und eine Million und viermal hundert und dreißig

---

b) Das Umständlichere enthält: Das Deutsche Reich vor der französischen Revolution und nach dem Frieden zu Lüneville von K. E. A. von Hoff II. 150—161.

c) Vom 30. Junius und 26. Sept. 1803. Allgemeine Zeitung von 1803 S. 1400 und von 1804 S. 107, vergl. das angezogene Werk von Hoff II. 148.

d) Begreifend einen beträchtlichen Theil des Herzogthums Cleve, nebst dem Fürstenthum Meurs und dem Preußischen Geldern. Auch die Oerter Sevenaer, Huyssen und Malburgen am rechten Rheinufer, die vom Gebiete des Batavischen Freistaates umschlossen waren, fielen nach einer Verabredung vom 14. Nov. 1802 (Martens Suppl. III. 221) diesem anheim.

tausend Thaler an Einkünften e). Ueberdem wußten alle,
daß die Berechnung oder, eigentlicher, die ungefähre Schätzung
von Frankreich selbst zum Vortheil seines Freundes gestellt
war und das wahre Einkommen an zwei Millionen und dreimal hundert tausend Thaler betrug. Endlich blieb keinem
verborgen, welcher Verbesserung das bewilligte Land empfänglich sei, und wie große ihm die Wirthschaftlichkeit Preußens
geben werde. Das alles schadete auf mehr denn eine Weise
dem schon gesunkenen Rufe dieses Staates und belebte die
alten Vorwürfe. Man erinnerte sich mit Bitterkeit der ver-
nachlässigten Rettung Hollands, des beschleunigten Basler
Friedens, des Kaltsinns für jeden Aufruf zu neuer Vereinigung und der immer innigern Freundschaft für Frankreich.
Was absichtlich, wie es scheint, in Preußisch gestimmten Blättern f) von aufgewandten Kriegskosten, verringertem Einkommen während der Kriegsjahre, rühmlicher Friedensliebe und
wohlthätiger Beschützung Nord-Deutschlands erwähnt wurde,
brachte wenig Eindruck hervor. Der Kaiser und die Versammlung zu Regensburg sprachen immerfort von Ungerechtigkeit und Erschleichung, säumten, ihre Genehmigung zu den
Beschlüssen Frankreichs und Rußlands, die eigentlich hier
entschieden, zu geben, und hätten gerne geschmälert.

Der König, gesichert, wie er war, durch den Willen der
beiden obwaltenden Mächte, konnte gelassen zusehn, ob und
wann das Reich wegen der Ansprüche der Fürsten sich einen
werde: aber seine eigene Ehre schien zu fordern, über das,
was er dreist gethan hatte, wenigstens nicht zaghaft zu scheinen, und so erklärte sein Gesandter am 12. October zu Regensburg *), „alles Geschehene hätten Frankreich und Rußland
durch feierliches Abkommen gebilligt. Daraus erhelle von

---

e) Nach der Angabe der Zeitungen und Zeitschriften jener Tage.
Polit. Z. 809 u. f. vergl. Küsters Beiträge I. 174, 240.

f) Unter andern im Polit. Z. 1099.

*) Polit. Z. 1017.

selbst, daß Preußens Entschädigung nicht nach demselben
Verhältnisse zu würdigen sei, wie die der andern Fürsten.
Was übrigens die noch unberichtigte Angelegenheit Deutsch=
lands betreffe, so müsse der König wünschen und rathen, daß
man sich füge und den Französisch=Russischen Plan schnell und
unbedingt annehme." Nach solcher Handlungsweise und
Aeußerung eines der ersten Deutschen Machthaber richteten
sich jetzt die andern Fürsten insgesammt und zogen die Schaam
aus. Die sich gehörig bedacht glaubten, ergriffen, noch vor
Ablauf des Jahres, Besitz; die mehr verlangten, wie Oest=
reich, suchten durch besondre Unterhandlung mit Frankreich
ihr Loos zu bessern. Nachdem so alles nicht auf heimischem
Boden, sondern auswärts, nicht nach Grundsätzen, sondern
nach Willkühr, nicht durch Recht, sondern durch Eigenmacht,
nicht friedlich geschlichtet, sondern herrisch entschieden war,
folgte, den Schein zu retten, am 25. Februar 1803 der Reichs=
abschluß und ihm die kaiserliche Genehmigung g). Von da
an galt Preußens und der andern Fürsten Erwerb für öffent=
lich anerkannt und die Ungerechtigkeit ward als unvermeidlich
geheiligt.

Die innere Verwaltung des Preußischen Staates schlich
indeß, während dieser und der folgenden Jahre, gemächlich
im gewöhnlichen Gleise fort, sei es, weil man nicht begriff,
daß vieles, was für die Zeit gut ist, in und durch die
Zeit schlecht werde, oder zu gewissenhaft glaubte, es werde
der Staat am sichersten durch die Grundsätze erhalten, auf
die er sich von Anfang gestützt habe. Darum ist dessen, was
der Geschichtschreiber aus den ergangenen Verordnungen sam=
meln und ansheben mag, wenig und Einzelnes, und auch
dieß mehr Zeichen schwacher Lebensdauer, als thätiger Le=
benskraft.

---

g) Bei Martens Suppl. III. 231 — 355. Wie Napoleon seine
ehrsüchtigen Zwecke bei dem ungemessenen Einfluß, den er in das Thei-
lungsgeschäft hatte, zu verfolgen wußte, s. Lucchesini Rheinbund I.
156 f·

Das Loos der Ausländer, die unter den frühern Herr=
schern Preußens in die Marken aufgenommen und durch Fort=
pflanzung ihrer Geschlechter gleichsam heimisch im Staate
geworden waren, erhielt mit dem Eintritt des Jahres 1801
eine bessere Wendung. Der König erklärte h), die Bedingun=
gen, die bisher sie in der Verpfändung und Veräußerung
ihrer Stellen beschränkt hätten, sollten künftig aufhören und
die ursprünglich Fremden mit den Eingebornen gleicher Rechte
und Vortheile genießen.

Eine nicht minder billige Erleichterung ward den jüdi=
schen Gemeinden gewährt. Was einzelne Mitglieder durch
Entwendung oder Bergung des Entwendeten verschuldet hat=
ten, mußten alle vertreten. Ein Befehl vom 18. Julius i)
entband sie dieser lästigen Verpflichtung und ordnete in jeder
zahlreichen Gemeinheit eine eigene Aufsicht, um den verdäch=
tigen Einländer zu beobachten und den Betrug des Einwan=
dernden zu verhüten.

Um eben die Zeit kam auch die Sammlung der beson=
dern landschaftlichen Rechte und Gewohnheiten für Ost=Preu=
ßen, Litthauen, Ermeland und den landräthlichen Kreis von
Marienwerder zu Stande. Sie war seit zehn Jahren
betrieben worden, und lieferte nun die Zusätze zum allgemei=
nen Landrechte. Zwei königliche Bekanntmachungen k) gaben
ihr Bestätigung und Gültigkeit mit dem Eintritte des Jah=
res 1802.

Gegen Einzelne, die, obwohl wiederholt abschlägig be=
schieden, dem König immerfort und unmittelbar durch ihre
Beschwerde lästig fielen, so wie gegen ähnliche Zudringlich=
keiten ganzer Gemeinden und ihrer Abgeordneten wurden die
bestehenden Maßregeln sehr geschärft. Eine Verordnung vom

---

h) Durch ein Edict vom 6. Januar. C. P. B. Nr. I.

i) Constit. Pr. Br. Nr. 43.

k) Die eine vom 4. August 1801 (Constit. Pr. Br. Nr. 45), die
zweite vom 23. April 1802 (Nr. 25).

29. Junius l) setzte fest, daß die erstern verhaftet und die letztern von der Gerichtsobrigkeit nach ihrer Heimath gewiesen und, im Fall sie auf der Fortsetzung ihrer Reise beharrten, mit nachdrücklicher Strafe bedroht werden sollten.

Zu den vielen Verfügungen, welche auf die genaue Kenntniß der Landesbevölkerung sich bezogen, und deren keine ihrem Zwecke entsprach, gesellte sich eine neue vom 29. September m), die nicht nur in einer Beilage die bereits üblichen Verzeichnisse durch einen vollständigern Entwurf ergänzte, sondern auch den Predigern, die sie anfertigten, größere Genauigkeit einschärfte. So viel Werth legte man immerfort auf die Bestimmung von Zahlen, die weder sicher zu finden sind, noch, gefunden, zum wahren Maßstab der Kraft dienen können.

Das unnatürliche Verhältniß der Hochschulen zur Berlinischen Ober-Schulbehörde, der sie seit 1787 untergeordnet waren, änderte ein königlicher Befehl vom 31. December n). Durch ihn wurden sie einer Aufsicht, die für sie nicht sehr ehrenvoll war, entnommen und kehrten, nach älterer Sitte, unter die unmittelbare Leitung dessen zurück, der die oberste Sorge für die geistlichen Angelegenheiten führte. Zugleich erging am 8. Januar 1802 o), eine gemessene Vorschrift, unter welchen Bedingungen es erlaubt sein sollte, jungen Leuten, die den Wissenschaften auf höheren Schulen oblagen, zu borgen, ohne seine Anforderungen zu verlieren.

Den jüdischen Glaubensgenossen, zu deren Nicht-Duldung und Ausschließung von allem Gewerbe mehrere Städte in West-, Süd- und Neu-Ost-Preußen befugt waren, kam der König durch Aufhebung des wider sie bestehenden Vorrechtes zu Hülfe und machte die Bestimmung ihrer Aufnahme

---

l) Constit. Pr. Br. Nr. 36.

m) Constit. Pr. Br. Nr. 52.

n) Constit. Pr. Br. von 1802. Nr. 7.

o) Daselbst Nr. 2.

und Verwerfung von dem Ermeſſen der Landes-Polizei abhängig p).

Ueber hartnäckige Verbrecher, von denen die Sicherheit
ihrer Mitbürger unaufhörlich gefährdet ward, und keine Beſ-
ſerung zu erwarten ſtand, traf der König mit dem Ruſſiſchen
Kaiſer das Abkommen, daß ſie nach Sibirien, auf tauſend
Meilen von der Preußiſchen Gränze, geführt werden ſollten,
um dort ihr Leben in den Schachten der Bergwerke zuzu-
bringen, und ließ die erſten acht und funfzig an den Befehlshaber zu Narwa zur weitern Verſendung abliefern q). Aber
ſo ſehr dieſe Maßregel anfänglich gefiel, machte man doch
in der Folge wenig Gebrauch von ihr. Mehrere der kühnen
Verwieſenen fanden aus Rußlands Einöden den Weg zurück
in ihr Vaterland, und für die Wirkung auf rohe Gemüther
daheim ſchien durch die nicht bekannten Leiden der Strafwür-
digen in der Fremde wenig geſorgt. Ueberdem erinnerten
erfahrne Rechtsgelehrten, „nur der beſſere Menſch entſetze
ſich vor dem Gedanken unabwendbaren Elends ; den Fühllo-
ſen ſchrecke einzig der Tod. Die Achtung für das Leben des
Räubers und Diebes, und die Schonung ſogar der frech
Läugnenden — es war eben eine Vorſchrift r) ergangen, die
auch der körperlichen Züchtigung im Gericht zur Entdeckung
der Wahrheit Schranken ſetzte — mache der Milde des Fürſten
Ehre, beſtärke aber zugleich in trotzigem Uebermuth und in
hinterliſtiger Bosheit.‘

Für die Erwerbungen in Polen ſuchte man immerfort
neue Anſiedler. Ein eigner Ausſchuß, zu Oehringen in Franken angeſetzt, wirkte ausſchließend für dieſen Zweck und warb
nicht vergebens in Süd-Deutſchland, vorzüglich in der Pfalz.
Was man von den Auswandernden forderte, war die Kenntniß

---

p) Edict vom 6. Febr. 1802. Conſtit. Pr. Br. Nr. 13.

q) Publicandum wegen Deportation incorrigibler Verbrecher vom
7. Juli, 1802. Conſtit. Pr. Br. Nr. 36, vergl. Polit. J. 827.

r) Vom 21. Juli Conſtit. Pr. Br. Nr. 40.

des Garten- und Ackerbaues; verheißen wurde ihnen, nach
der Größe des Vermögens, das sie einbrachten, den ärmern
vier bis sechs, den reichern hundert und achtzig Morgen Landes, beiden drei bis sechs Freijahre und ihnen und ihren einziehenden Söhnen Entbindung vom Kriegsdienst. Die Län-
dereien, die sie erhielten, besaßen sie eigenthümlich und zahlten, nach Ablauf der Freijahre, einen mäßigen Erbpacht.
Wohnhäuser sollten erbaut, Wirthschaftsgeräthe geliefert, und
die Umbruchskosten oder Felder erstattet werden. Von solchen Bedingungen gelockt, brachen Dorfschaften auf s). Aber
bald bedauerten sie die verlassene Heimath und den freund-
lichern Himmel, als sie die Töne einer unverständlichen
Sprache vernahmen, des Bodens schwere Bearbeitung, nebst
der rauhen Landesart, kennen lernten, und durch untreue oder
sorglose Beamten um das Versprochene getäuscht wurden.
Mehrere der Wohlhabenden kehrten um, oder wandten sich
nach dem Oestreichischen; die ärmern lebten von der königlichen Unterstützung, so lange sie dauerte, und drückten dann
als Bettler den Staat; alle beurkundeten, es sei besser, auf
heimischem Boden zu bleiben und sich da redlich zu nähren.

Besser wurde für die Bevölkerung gesorgt durch die Anwendung der Schutzpocken. Diese wohlthätige Entdeckung,
das Verdienst des Englischen Arztes, Eduard Jenner, unter
allen Mitteln das unfehlbarste und allgemeinste gegen die natürlichen Blattern, das Gift des Menschenlebens, entging
auch der Beachtung des Königes nicht. Seine Hauptstadt
allein hatte im Jahr 1801 über anderthalb tausend Kinder
durch die verderbliche Seuche eingebüßt, und in den Provinzen war der Verlust nicht geringer. Es schien unverzeihlich,
was man über dem Meere als schon erprobt anerkannte,
dem festen Lande vorzuenthalten, und das Zutreten des Staates nöthig, um Unwissenheit und vorgefaßte Meinung zu be-
kämpfen. Dieß beherzigend, errichtete der König eine Impf-

s) Polit. J. 178, 182.

anstalt in Berlin, wo Jedem, vorzüglich dem Armen, unent-
geldlich gedient wurde t), und ließ eine eigene Impfanwei-
sung und, als der Erfolg sie bewährte, eine Erklärung und
Erweiterung derselben ins Land ausgehn *). Bald schwieg
der Tadel, den viele, selbst Treffliche im Volk und Kunstver-
ständige v), gegen die Neuerung vorbrachten. Menschen-
freundliche Aerzte und Geistliche lehrten durch Wort und
That. Nach wenigen Jahren wurden die Impfverzeichnisse,
die man öffentlich bekannt machte, immer größer x). Mißtrauen und Vorurtheil hemmten wenig mehr den Fortgang
der guten Sache, öfter Sorglosigkeit oder Trägheit.

In diesem Jahre traten drei Männer aus der Reihe
derer, die in den Preußischen Jahrbüchern glänzen. Unter
ihnen nennt man billig zuerst den Prinzen Heinrich von
Preußen. Er war am 23. Februar 1726 geboren und starb
am 3. August 1802 auf seinem Schlosse zu Rheinsberg. Ueber
Heinrichs Werth im Verhältnisse zu seinem Bruder, Friedrich
dem zweiten, der um vierzehn Jahr älter war, ist nicht erst
von der Nachwelt entschieden worden. Die Mitwelt schon
hat beide unparteiisch gewürdigt und dem großen König den
Vorzug der Eigenthümlichkeit des Geistes und eines kraftvollen Willens zuerkannt. Was Heinrich als Feldherr vermochte, bezeugt ehrenvoll für ihn der siebenjährige Krieg.
Aber wie kunstgerecht und einsichtig er ihn auch führte, —
geendet hätte er ihn nimmer, wie Friedrich. In Unterhandlungen war er glücklich, weil er Bedacht mit Klugheit verband, nicht so in der Beurtheilung der Welthändel und öffentlichen Verhältnisse, wo bald niedrige Vergrößerungssucht,
bald beschränkende Ansicht, bald unziemliche Leidenschaft ihn

---

t) Polit. J. 1103, vergl. 113.

*) Jene unterm 31. Oct. 1803, diese unterm 13. Oct. 1804. Nur
die letztere findet sich in den Constit. Pr. Br. Nr. 47.

v) Z. B. Marcus Herz.

x) Man sehe unter andern die Schlesischen Provinzial-Blätter.

verblendeten. Daß er sich nicht an seiner Stelle glaubte
und ungern des Einflusses in der Leitung der Staatsgeschäfte
entbehrte, äußerte sich schon bei Lebzeiten des Bruders,
dessen Maßregeln er oft keck tadelte, oft scharf bespöttelte,
und mehr noch nach dessen Tode. Das wenige Vertrauen,
das ihm der Nachfolger bewies, kränkte ihn so tief, daß er,
ein Preußischer Prinz, sogar die Grundsätze, die in Frankreich
aufkeimten, gut hieß und Großes von ihnen hoffte. In der
Geringschätzung Deutscher Sitten und Deutschen Geschmacks,
wie in der Verachtung der Lehren und Gebräuche des Chri-
stenthums glich er dem Bruder. Sein Aeußeres war nicht
gefällig, vielmehr abstoßend, sein Witz schneidend, in seinen
Trieben und Neigungen vieles, was, als ungeregelt, gerechten Tadel erfuhr. Die Ehe, die er mit Wilhelminen, Tochter des Prinzen Maximilian von Hessen-Cassel, am 25. Junius 1752 geschlossen hatte, gründete sein häusliches Glück
nicht und blieb ohne Erben y).

Noch vor dem Prinzen starb der Freiherr Anton Friedrich von Heinitz, von Geburt ein Sachse, einer der erfah-
rensten Staatsmänner Preußens, zwar hohen Alters, er hatte
eben sieben und siebenzig Jahre erreicht z) — aber doch vermißt und bedauert. Seine wissenschaftliche Richtung nahm
oder erhielt er früh nach der Natur- und Größen-Lehre hin,
durch Unterricht im väterlichen Hause und in der Pforte.
Später entschied und bildete er sich, ohne eine hohe Schule
zu besuchen, für Bergwerkskunde und angewandte Bewegungs-

---

y) Ungeachtet der Verfasser der bekannten und früher schon ange-
führten Vie privée du Prince Henri der Freund und Lobredner seines
Helden ist, so hat er doch, absichtlich oder unabsichtlich, die Wahrheit so
wenig entstellt, daß man sich ohne Bedenken auf sein Buch, als den
gültigsten Beleg für das eben Gesagte, berufen darf. Auch die Beurtheilung dieser Lebensbeschreibung in den Göttinger Anzeigen von 1809,
S. 609 u. f. verdient verglichen zu werden.

z) Er war nämlich geboren am 14 Mai 1725 und starb am 25.
Mai 1802. Klaproths und Cosmars Preußischer Staatsrath 465 u. f.

lehre, vornämlich zu Freiberg, und in den Hütten und Gru=
ben Böhmens, Schwedens und Ungarns, auch für Staats=
verwaltung und Landwirthschaft, zumal auf seinen Reisen
durch Frankreich und England. Nach Verwaltung mehrerer
bedeutenden Stellen in Sachsen lernte ihn Friedrich der zweite
kennen und gewann ihn für sich, wohl würdigend des Man=
nes Bildung und Eifer. Hier im Dienste des Königs und
seiner Nachfolger wirkte er mannigfaltig, am meisten für den
Bergbau, durch genauere Erforschung und leichtere Bearbei=
tung der verborgenen Erdschätze. Die Academie der Künste,
der ihn Friedrich vorsetzte, nutzte er glücklich zur Verschöne=
rung der Handwerke und Gewerbe, und wirkte vorzüglich
thätig zu der früher schon erwähnten Gründung der Bau=
Academie, deren wohlthätigen Einfluß kein Unparteiischer je
verkannt hat. Die Brauchbarkeit des Geschäftsmannes adelte
und erhöhte der Werth des Menschen.

Eben dieß Lob und mit eben dem Rechte gebührt dem
Grafen Philipp Carl von Alvensleben, der am 21. October,
noch nicht volle sieben und funfzig Jahre alt, starb. Auch er
hat, obgleich ein Ausländer *), wie Heinitz, sein ganzes Le=
ben dem Preußischen Staate gewidmet, wetteifernd in Liebe
und Treue mit jedem der Eingebornen und die Anträge zur
Rückkehr ins Vaterland ablehnend. Einen großen Theil sei=
ner kräftigen Jahre stand er als Gesandter in Dresden und
London, oder reiste in Unterhandlungen. Aus diesem Kreise
der Thätigkeit ging er im Mai 1791 in den geheimen Staats=
rath über und bekleidete hier nach Finkensteins Tode die erste
Stelle. Von seinem Eintritt an sind die wichtigsten Angele=
genheiten, wenn nicht durch ihn geführt, doch mit ihm be=
schlossen worden.

Wie die äußern Verhältnisse Preußens sich in den näch=
sten drei Jahren umgestalteten, wird bald ausführlich und

---

*) Er war zu Hannover den 16. Dec. 1748 geboren. Klaproths
und Cosmars Staatsrath S. 506.

mit Darlegung der Folgen, die daraus erwuchsen, berichtet
werden.   In der Verwaltung des Innern ging das Bestre=
ben vorzüglich dahin, die erworbenen Provinzen den ältern
zu verähnlichen.   In allen erhielt das Preußische Landrecht,
welches eine neue und verbesserte Auflage erfahren hatte a),
gesetzliche Kraft; in allen führte man die Accise nach den
einmal geltenden Ansichten ein; in allen ward das Grund=
verpfändungs= (oder Hypotheken=) Wesen nach den bestehen=
den Vorschriften geordnet b).   Als eine merkwürdige Verän=
derung in der Handhabung der Rechtspflege darf man es
betrachten, daß in jeder größern Regierung für peinliche Fälle
ein eigner Senat aus den Räthen und Beisitzern des obersten
Gerichtshofes und unter dem Vorsitz eines seiner Mitglieder
gebildet, die Untergerichte und Untersuchungs=Behörden an ihn
gewiesen und er selbst verpflichtet wurde, nicht mehr, wie
bisher, bloße Gutachten, sondern förmliche Erkenntnisse abzu=
fassen und seine Urtheile mit vollständiger Geschichtserzählung
und den nöthigen Entscheidungsgründen zu begleiten c).   Für
einen Beweis von Aufmerksamkeit auf gründliche Bildung
darf man die Verordnung ansehn, die allen, welche den Wis=
senschaften obliegen wollten, den dreijährigen Besuch der ho=
hen Schulen einschärfte und die Zulassung zu den gesetzlichen
Prüfungen, wie zu der selbstthätigen Vorbereitung auf Ge=
schäfte, davon abhängig machte d).

Den Verlust an wackern Staatsmännern, den Berlin,
wie oben gemeldet, 1802 erfuhr, mehrte noch am 17. Octo=
ber 1804 der Tod Carl August Struensee's von Carlsbach.
Er war am 16. August 1735 zu Halle, wo sein Vater als
Ober=Prediger stand, geboren, und bildete sich dort, ein

---

a) Constit. Pr. Br. von 1803, Nr. 22 und von 1804, Nr. 13.

b) Aus den Const. Pr. Br. von 1803 gehören hieher Nr. 7, 15,
20 und 71; aus denen von 1804 Nr 23—26.

c) Constit. von 1805, Nr. 3.

d) Constit. von 1804, Nr. 64.

Jüngling von glücklichen Anlagen und strengem Fleiße, vorzüglich durch ein gründliches Auffassen und Erlernen der Größenlehre. Seine erste Anstellung erhielt er, als Lehrer jener Wissenschaft, 1757 durch Friedrich den zweiten, an der verbesserten Ritter-Academie zu Liegnitz, die zweite durch seinen Bruder, den bekannten Dänischen Staatsminister 1770 zu Copenhagen: aber schon 1772 führte ihn der Sturz des ehrgeizigen Bruders zurück nach Schlesien und nicht lange nachher von neuem in die Dienste des großen Königs, der ihn und seine Kenntnisse in mehrern Aemtern erprobte. Geadelt ward er 1789 von Dänemark aus, als schäme man sich dort des am Bruder und an ihm selbst begangenen Unrechts, und zwei Jahre später von Friedrich Wilhelm dem zweiten zum Staatsminister befördert und ihm die Accise-, Zoll- und Handels-Geschäfte, nebst der Ober-Aufsicht über die Seehandlung und das Salzwesen untergeben. Ordnung, Schärfe und Klarheit im Denken, wozu in der Regel die Größenlehre führt, zeichneten ihn beides als Beamten und als Schriftsteller aus. An dem letztern hat man den Mangel an neuen Wahrnehmungen, an dem erstern das ungebührliche Eingehen ins Kleinliche und die vernachlässigte Auffassung höherer Standpunkte, an dem Menschen überhaupt die Geringschätzung des Menschengeschlechts gerügt. Anerkannt dagegen sind seine ausgezeichnete Thätigkeit, seine genaue Bekanntschaft mit den leitenden Ideen des von ihm bearbeiteten Faches und ein Reichthum an mannigfaltigen Kenntnissen, wie ihn Staatsmänner nur selten besitzen, verbunden mit Geradheit in Geschäften, Offenheit im Gespräche und Uneigennützigkeit im Dienste e).

---

e) Klaproths Staatsrath S. 515, vergl. Struensee, eine Skizze für diejenigen, denen sein Andenken werth ist, von H. H. L. von Held, Berlin, 1805. Die kleine Schrift enthält jedoch mehr Betrachtungen, als Geschichte.

Des vierten Buches

zweite Abtheilung.

―――◆―――

Veränderung der Lage Preussens gegen Frankreich.

Eo tempore varius incertusque princeps agitabat,
neque illi consilium satis placebat: ita, quocunque
intenderat, res advorsae erant.

SALLUST. Bellum Iugurth. 74, 1.

Beinah acht volle Jahre waren jetzt vorübergegangen, seit Preußen auf vorerzählte Weise von seinem friedlichen König beherrscht wurde. Daß in dem Innern der Verwaltung, mitten unter den Anregungen einer sehr bedenklichen Zeit, keine bedeutenden, wenn auch noch so nöthigen Veränderungen erfolgt waren, lag am Tage: aber wenige merkten darauf. Den Adel, der bei hohen, oft drückenden Getreidepreisen sein Vermögen zusehends steigerte und am Hofe, im Heer und in den obersten Landesstellen seine alten Vorrechte behauptete, verlangte nicht nach Neuerungen. Der Kaufmann war zufrieden, weil der Handel blühte und er, auch bei starken Abgaben, sich bereicherte. Der Staatsdiener, wenn kärglich besoldet, lobte wenigstens, daß er auf pünktliche Zahlung seines Gehaltes rechnen durfte. Von dem Könige wußte man, er habe die Schuldenlast seines Vaters durch gute Wirthschaft um ein Großes vermindert a) und verminderte sie jährlich. Ueberdem achteten viele Friedrichs Anordnungen hoch genug, um jede Abweichung als gefährlich zu verschreien. Daß ein Staat, der bestehen will, der Sitten, oder, wo diese fehlen, kräftiger Männer zur Ausführung kräftiger Maßregeln bedürfe, gewahrte Niemand. Man gewahrt das erst in Zeiten der Noth.

So wenig Preußen in seinem Innern gewonnen hatte, eben so wenig mochte es sich seines Zuwachses an Land und

---

a) Man sehe, was Lombard in den Materialien zur Geschichte der Jahre 1805 u. f. S. 19 und 20 darüber sagt.

Leuten rühmen. Noch immer bot Süd-Preußen dem Russischen Reiche eine lang gestreckte Gränze ohne Festungen, und,
was das Uebel vergrößerte, ohne Hoffnung sie zu erhalten.
In Westen hatte der Staat seine Ländermasse nur gemehrt,
nicht gerundet: so vereinzelt lagen immerfort die alten und
neuen Besitzungen, und so mühsam war, wenn ein Krieg entstand, die Deckung der letztern, sie aber aufzugeben um so
schmerzlicher, je bedeutender ihr Umfang sie machte. Von
dem größern Theile der neuen Unterthanen stand nicht zu
erwarten, daß er sich willfährig den getroffenen Einrichtungen
hingeben und die Gesinnungen mit eben der Leichtigkeit wechseln werde, wie den Herrn. Auch das Heer hatte nur zuge-
nommen an Zahl: denn in den Polen war keine Treue, und
den Völkern, die zuvor der Bischofsstab weidete, mindestens
der Kriegsdienst verhaßt.

Bedenklich wurden jedoch diese Verhältnisse erst durch
die Stellung, die Frankreich seit dem Lüneviller Frieden gegen Europa genommen hatte. An der Spitze dieses wohl
verbundenen Staats, den eine dreifache Reihe Festungen an
breiten Strömen schützte, und eine Million Krieger, abge-
härtet in Gefahr und geübt in allen Waffenkünsten, vertheidigte, stand Napoleon, nicht mehr Ober-Consul auf zehn
Jahre, sondern seit dem zweiten August 1802 auf Lebenszeit,
und seit dem achtzehnten Mai 1804 als Französischer Erb-
kaiser. Mit Bewunderung hatten alle, die den Ruhm lieben,
nach dem jungen Helden in den Schlachtfeldern von Lodi
und Arcole sich hingewandt, und die Geschlagenen sogar ihm
die verdiente Achtung gezollt. Bei der Landung in Aegypten
nahm an ihm Theil, wer dichterischer Begeisterung fähig war,
und nannte sein Beginnen, wenn abenteuerlich, doch der alten
Ritterzeit würdig. Auch die Einbuße Deutschlands, die Folge
der Wiederkehr des Feldherrn, und der Siege von Marengo
und Hohenlinden, wurde, als Opfer lang ersehnter Ruhe,
verschmerzt und die Stimmung für ihn nicht ungünstiger. Er
hatte dem Vaterlande die Gränze gegeben, die erlangen zu

müſſen ſeit langer Zeit fixe Idee der Franzoſen geweſen war, wie ſie es heute noch iſt, und verſprach nun, (der einzige Triumph, der ihm zu erringen übrig blieb!) ſich in dieſer Gränze zu halten. Daſſelbe ſchienen die Friedensſchlüſſe zu verbürgen, die er in raſcher Folge mit den meiſten Mächten Europa's, welche Frankreich noch unverſöhnt gegen über ſtan= den, und zu Amiens (am 25. März 1802) mit England, der erbittertſten von allen, einging.

Aber gerade ſie wurden der Wendepunkt der öffentlichen Meinung für ihn, und untergruben den Glauben an ſeine Mäßigung. Wahrhaft frei von Frankreichs Einfluß waren allein das unerreichbare England, der entlegene Norden, Preußen, noch unerſchüttert', und Oeſtreich, immer noch kräftig. Die andern Staaten alle hießen ſelbſtſtändig, ohne Selbſtſtändigkeit zu genießen. Holland mochte ſo wenig nach, als vor dem Frieden zu Amiens ſich der Bevormundung Frankreichs erwehren. Von Italien ſah man ſchon im Herbſte 1802 Piemont abgeriſſen und dem Franzöſiſchen Reiche ein= verleibt und erwartete gleiches von Parma und Piacenza b). Helvetien und Ligurien ordneten ihre Verfaſſung nach der Willkühr des Mächtigen, und Spanien durfte nicht wagen, ſeine wahren Geſinnungen zu zeigen. Im Morgenland reiſte Sebaſtiani, von Bonaparte geſandt, und nach ſeinen Aufträ= gen wirkend c), und in allen Franzöſiſchen Häfen herrſchte eine Thätigkeit, die Großes verkündigte. Es war umſonſt, daß ſchlaue Staatskunſt alle Scheingründe zur Rechtfertigung ihrer Maßregeln aufbot und Schönrednerei ihnen die betrüg= lichſten Farben lieh. Was Bonaparte ſpäterhin d) ausſprach,

---

b) Man ſehe die hieher gehörigen Bekanntmachungen vom 11. Sept. und 23. October in Martens Recueil, Supplem. T. IV. p. 111, 112 u. f.

c) Den wichtigen Bericht des Abgeordneten liefert die Allgem. Zeit., Jahrg. 1803, Nr. 37 u. f. S. 145 u. f.

d) Den 7. Junius 1805, als Eugen Beauharnois Vice=König von Italien ward.

„die Waffenstärke sei die eigentliche Stütze der Staaten,"
ward unausgesprochen empfunden und in der Furcht vor
Unterdrückung keimte ein neuer Krieg.

Am lebhaftesten fühlten die Engländer, wie gefährdet
bereits ihre Lage sei und es immer mehr werden müsse, wenn
Frankreich fortfahre, das feste Land niederzuhalten, oder sich
gar vertragswidrig auszudehnen. Der Friede zu Amiens,
zwecklos und übereilt (sie konnten sichs nicht verhehlen), hatte
sie beinah um alle Früchte einer zehnjährigen Anstrengung
gebracht. Die Abtretung der Inseln Trinidad und Ceylon
stand außer Verhältniß mit den Vortheilen, die dem Feinde
geworden waren, und die Erwerbung des Alleinhandels,
Englands wahrer und eigentlicher Gewinn, versprach keine
Dauer: denn weder die Erhebung Aegyptens zu einer Pflanzung Frankreichs schien aufgegeben, noch konnte es schwer
werden, die Englischen Flotten von den Häfen des Mittel-
meers auszuschließen. Selbst die baldige Herstellung einer
Seemacht lag nicht außer der Kraft des Mannes, der auch
im Frieden Spanien so wenig, als Holland, frei gab. Darum
ging alles, kein volles Jahr nach erlangter Ruhe, wieder in
die alte Feindseligkeit über. Die öffentlichen Blätter in London erbitterten durch fortgesetzte Schmähung den Ober-Consul.
Malta, den einzigen sichern Punkt für Englands Flotten im
Mittelmeer, sträubte man sich, der Bedingung gemäß, zu
räumen, und die versuchte Annäherung Frankreichs wurde
mehr als kaltsinnig zurückgewiesen. Dagegen verbot Bonaparte die Einbringung der Englischen Waaren, sammelte,
mit einer Landung drohend, zwischen Calais und Boulogne,
Boote und Mannschaft und griff England von seiner einzig
verwundbaren Seite an, indem er im Maimonat 1803 ein
kleines Heer unter Mortier nach Hannover aufbrechen ließ e).

<hr/>

e) Allgem. Zeitung Nr. 160 u. f. S. 639 u. f. Der Keim des
späterhin sogenannten Continentalsystems — sagt Bignon III. Kap. 29
S. 91 — hatte damals schon in der Seele des ersten Consuls geschlum-

Jetzt schaute Deutschland sehnsüchtig und erwartend auf Preußen, und wohl nicht ohne Grund. Wenn irgend einer, der vaterländischen Fürsten berufen war, den Gewaltanfall der Feinde zurückzuwehren, so war es Friedrich Wilhelm der dritte. Nicht nur sein Vater hatte, unter fast noch schwierigern Umständen, dem nördlichen Deutschland, und namentlich dem ebenfalls bedrohten Hannover seine Ruhe bewahrt; auch die Duldung des Feindes im Nachbarlande schien demüthigend und das Beispiel gefährlich. Ueberdem säumten die Bedrängten nicht, Preußische Hülfe anzuflehn, und sandten den Oberst-Wachtmeister von der Decken mit Aufträgen nach Berlin, um dort, wo möglich, Theilnahme zu bewirken f). In der That war dem Könige vom ersten Anfange an nicht entgangen, weder, was Deutschland hoffe, noch, was die Ehre gebiete. Noch immer unterwarf England, seinen alten Grundsätzen getreu, und durch die Abkunft mit Rußland vom Jahre 1801 gleichsam gesetzlich dazu berechtigt g), die Schiffe parteiloser Mächte der Durchsuchung auf offnem Meere. Es lag am Tage, daß die Anerkennung der Flagge Preußens sowohl diesem Staate selbst, als dem Französischen, wesentliche Vortheile, zumal jetzt, bringen müsse, und der letzte war nicht so verblendet, sie zu übersehen, oder gering zu achten.

---

mert, und dieses System sollte auf eine Grundlage gebaut werden, welche einzig und allein Preußens Schwäche und Unentschlossenheit durch die Verbindung der Cabinette von Paris und Berlin zu vernichten im Stande war. Einer der Hauptgründe des Einfalls in Hannover war daher das Bedürfniß, dem Preußischen Cabinette alle üblen Folgen seines schwankenden Benehmens gegen Frankreich und die Vortheile einer innigeren Verbindung mit demselben fühlbar zu machen. Der Plan des ersten Consuls war, Preußens Macht zu heben, um mit ihr gemeinschaftlich das ganze Festland im Zaume zu halten (und — hätte Bignon hinzusetzen wollen — zuletzt, wenn England unterworfen sein würde, auch Preußen zu verschlingen.)

f) Polit. J. 489.

g) Siehe oben S. 42.

So in geheimer Uebereinstimmung mit ihm, schlug Friedrich Wilhelm den Britten vor, wenn sie seinen Schiffen künftig freie Fahrt gönnen wollten, Hannover zu besetzen und durch seine Völker zu schirmen. Aber jene weigerten sich des Antrags h).

Vielleicht war es weiser gehandelt, die gedachte Beding= ung nicht aufzustellen, viel weniger die Rettung Hannovers an deren Erfüllung zu knüpfen. Es ließ sich nicht nur vor= aussehn, England müsse erwägen, daß es den nordischen Mächten nicht länger verwehren dürfe, was es Preußen ver= willige; es war auch zu fürchten, daß es kaufmännisch den Gewinn zu Lande gegen die Einbuße zur See halten, oder wohl gar die Aufopferung des Kurfürstenthums, als an sich unverträglich mit Preußens Sicherheit, betrachten werde. Welche Gründe indeß in die Entschließung des Londoner Hofs einflossen, die abschlägige Antwort war für Preußen bestim= mend und mußte es sein, weil, nach so schnöder Zurückwei= sung, die Beschützung Hannovers zur Parteilichkeit für Eng= land und zur Beleidigung Frankreichs ward. So geschah, was nimmer hätte geschehen sollen. Hannover sah sich am 4. Junius von Französischen Völkern besetzt; der kleine Kriegs= haufe der Eingebornen, jetzt verzweifelnd an sich, und seinen Führern ungehorsam, löste sich auf, und das ganze Land mit Einschluß des Lauenburgischen, wurde, nach vielem vergeb= lichen Einreden von London aus, als ein Preis gegebenes benutzt i). Alle Biedermänner fühlten tief die Schmach, die Deutschland erduldete, und fürchteten schlimme Folgen.

Die nächsten trafen, fast bedeutungsvoll für die Zukunft, den Staat, der ihnen im Wege friedlicher Unterhandlung hatte ausweichen wollen. Mit dem Ausgange des Junius

---

h) Materialien von Lombard S. 116 u. f. Vergl. Bignon III. Kap. 28 S. 74 und Lucchesini Rheinbund I. 200.

i) Allgemeine Zeitung Nr. 167. S. 667. Vergl. Lucchesini Rhein= bund I. 196 f.

sperrten die Britten die Mündung der Elbe und bald nach=
her auch die Ausflüsse der Weser, weil ihre Feinde kein Eng=
lisches Gut den Elbstrom hinauf ließen und Curhaven und
Ritzebüttel besetzt hielten. Diese Maßregel, wie sie über=
haupt den Absatz des Nordens nach der See hin störte (und
sie sollte das, um die Elbfahrt wieder zu öffnen), so beein=
trächtigte sie vorzüglich den Verkehr Preußens. Die Ausfuhr
der Schlesischen Leinwand, worin ein Geldumlauf von Millio=
nen ruhte, wurde plötzlich gehemmt; und wiewohl der Handel
bald über Emden und dann von Stettin aus über Kiel und
Tönningen neue Wege fand, schadete doch die minder bequeme
Lage der Orte, die Theilnahme mehrerer am Gewinn, und
die Einmischung Französischer Auflaurer. Fruchtlos unterhan=
delte Preußen für sich durch Lombard zu Brüssel mit Bona=
parte, der eben die Nordküste bereiste, und zu London in
Verbindung mit Hamburg und Dänemark. Der Ober=Consul
gab weder die Elbe frei, noch die Weser, und die Britten
machten jenes Nachgiebigkeit hartnäckig zur Bedingung der
ihrigen. Also erfuhr zum ersten Mal Friedrich Wilhelm, wie
wenig er durch vorsichtige Schonung von Napoleons stren=
gem Willen gewinnen möge k).

Englaud indeß, wohl fühlend, welche Gefahr ihm dräue,
dachte, um sie abzuleiten, ernstlich auf Beistand vom festen
Lande, und bemühte sich vor allen, bei der Gleichgültigkeit
Preußens und der Erschöpfung Oestreichs, Rußland zu sich
herüberzuziehn. Die Empfindlichkeit des jungen Fürsten, der
hier herrschte, war durch die eingetretenen Verhältnisse viel=
fach aufgeregt worden. Die hergestellte Ordnung in Deutsch=
land, zum Theil sein Werk und von ihm verbürgt, hörte
mit der Besetzung Hannovers auf. Diese Besetzung selbst
schien ganz eigentlich unternommen, um das unglückliche Land

---

k) Polit. J. von 1803, S. 694, 709, 790, vergl. die Allgem. Zeit.
S. 696, 742, 899. Vergl. Bignon II. Kap. 32 S. 157 f. u. Lucchesini
Rheinbund I. 205.

auszufaugen l). Auf den Vorschlag, die Bedrängniſſe zu
mildern und die Sperre der Elbe und Weſer aufzuheben,
hatte Bonaparte nicht geachtet, oder ausweichend geantwortet.
Auch die Entſchädigung des Königs von Sardinien, wieder=
holt bedungen und seit Jahren erwartet, sollte noch erfüllt wer=
den m). Das alles und Englands Einfluß, am meiſten der Wi=
derwille, den ungezähmte Herrſchſucht einflößt, wirkte, daß
schon mit dem Ausgange des 1803ten Jahres Kaltſinn zwiſchen
Rußland und Frankreich eintrat und die Beziehungen, in denen
sie standen, loser wurden n). Aber als die Franzosen, zwölf
hundert Mann stark, am 15. März 1804 mehrere Ausge=
wanderten jenseits des Rheins, unter ihnen den Herzog von
Enghien, den Enkel des Prinzen von Condé, zu Ettenheim
im Badenschen Gebiet aufhoben, um ihn zum Tod nach Pa=
ris abzuführen o), und zwei Monate später Napoleon feier=
lich zum Kaiser Frankreichs ernannt und der Würde Erblich=
keit in seinem Geschlecht beschloſſen wurde p), da riſſen die
letzten Bande, die beide Staaten zuſammenhielten, und es

---

l) Was es gleich beim Einrücken der feindlichen Truppen einbüßte,
und wie es in der Folge durch Lieferungen und Erpreſſungen aller Art
erſchöpft wurde, sagen die öffentlichen Blätter jener Tage. Man vergl.
unter andern das Polit. J. S. 617, 912, 1089, u. ſ. w.

m) Man vergl. die Allgem. Zeitung von 1804, S. 23, vergl. das
Polit. J. von 1803, S. 303.

n) Den 27. Nov. übergab der Ruſſiſche Gesandte Graf von Mar=
coff bereits sein Abberufungs=Schreiben. Vergl. Bignon III. Kap. 32
S. 138 f.

o) Er wurde in der Nacht auf den 21. März im Walde von
Vincennes, als Verräther am Franzöſiſchen Staate, erſchoſſen. Allgem.
Zeitung S. 354, 357.

p) Der organiſche Rathsbeſchluß vom 18. Mai ist mehrmals gedruckt,
unter andern in Martens Recueil, Supplem. T. IV. S. 83 und, über=
setzt, in der Allgemeinen Zeitung Nr. 151 u. f. Schon im April waren
einige auswärtige Höfe, darunter die von Oeſtreich und Preußen, durch
das Franzöſiſche Miniſterium von den muthmaßlichen Veränderungen
unterrichtet worden, um sich im voraus ihrer Genehmigung derſelben

war zu Ausgang Augusts kein Zweifel, die alte Freundschaft zwischen Rußland und Frankreich bestehe nicht mehr q).

Wie der Russische Kaiser Alexander der erste und aus gleichem Grunde empfand Schwedens König, Gustav der vierte, ein Mann rechtlicher Denkart, aber überspannt in seinen Erwartungen, unbedächtig in seinen Entschließungen, hochfahrend, man wollte wissen, in Vertrauen auf alte Weissagungen, wenig berechnend Zweck und Mittel, wenn der erste gut war, oder ihm gut schien, und darum dem kühlen Beobachter oft lächerlich. Ungeachtet ihn eine Reise nach Deutschland, im Julius des Jahres 1803 unternommen, um gegen Napoleon aufzubringen, hinlänglich belehrte, wie wenig er gelte, und die Französischen Blätter die trotzige Wichtigkeit, die er sich gab, unaufhörlich und mehr als bitter bespöttelten, war er doch der erste, der sich entscheidende Schritte erlaubte. Noch auf fremdem Boden r) erklärte er nicht nur (am 7. September 1804) an den Französischen Geschäftsträger Caillard, wie alle amtlichen Eröffnungen zwischen Paris und Stockholm aufhören müßten s), sondern schloß auch mit England (am 3. December) eine geheime Uebereinkunft, in der er sich gegen Zahlung von Hülfsgeldern verpflichtete, Stralsund in gehörigen Vertheidigungsstand zu setzen, und zugleich den neuen Verbündeten den

---

zu versichern. Eine Depesche vom 23. April bevollmächtigte den Preuß. Gesandten, Marquis Lucchesini, zu dieser Genehmigung, aber dem Preußischen Cabinet war das Oestreichische bereits zuvorgekommen. Bignon IV. Kap. 39, S. 20.

q) Am 28. August übergab der Russische Geschäftsträger d'Oubril dem Minister Talleyrand seine letzte Note und verließ am 31. Paris.

r) Er traf nicht eher, als im Februar 1805 wieder in seiner Hauptstadt ein.

s) Man findet das hieher gehörige Schreiben, nebst dem Artikel aus dem Moniteur, der es veranlaßte, in dem Historischen Gemälde der letzten Regierungsjahre Gustavs des vierten B. I. S. 98 u. f.

Ort als Werbeplatz und Waaren-Niederlage zu nutzen gestattete t).

Um eben diese Zeit entstanden auch Bewegungen im
Oestreichischen, deren Absichten Frankreich aus Staasklugheit
zu übersehen schien, obwohl schwerlich im Glauben an freundschaftliche Gesinnungen verkannte. In Böhmen sowohl als
Mähren zogen sich Heerhaufen zusammen und rückten unter
allerlei Vorwand nach der Gränze Italiens v), woselbst Napoleon, nun gekrönt, ebenfalls seine Völker verstärkte, obwohl
sicher weder um zu beleidigen, noch Beleidigung fürchtend.
Es gab wenig Staatsmänner, die nicht damals schon aus
allen den Vorbereitungen sichern Krieg und verabredetes Einverständniß Englands und Rußlands mit Oestreich folgerten.
Sie bedachten, daß Frankreich für jene Mächte nur durch
diese angreifbar sei.

Während dieß vorging, behauptete Preußen immerfort
seine Haltung und schien auf nichts anders bedacht, als daß
es seine Unabhängigkeit bewahre und Nord-Deutschlands Ruhe
schütze. Schon im September 1804, als der König von
Schweden in Berlin anfragen ließ, „wie man dort die eingetretenen Verhältnisse deute und würdige," empfing er zur
Antwort, „man denke parteilos zu bleiben und werde feindliche Bewaffnung im Schwedischen Pommern nicht dulden."
Eben diese Gesinnungen sprach man aus, da der Französische
Gesandte Laforest den Abschluß des Hülfsvertrags zwischen
England und Schweden amtlich berichtete. „Es sei kaum
glaublich, äußerte von Hardenberg unterm 24. December x)
gegen den Schwedischen Geschäftsträger von Brinkmann, daß
ein Bund, wie das Gerücht melde, zwischen beiden Mächten
bestehe, und gleichwohl das Gerücht zu allgemein, um nicht

---

t) Martens Recueil u. s. w. Supplem. T. IV. S. 158.

v) Allgem. Zeitung von 1805, S. 126.

x) Allgem. Zeitung von 1805, S. 832 und 836. Vergl. Bignon
IV. Kap. 39, S. 31.

Auskunft zu fordern. Was übrigens auch verhandelt sei, er müsse im voraus anzeigen, wie sein König in keinem Fall zulassen werde, daß beleidigende Maßregeln gegen Frankreich von Pommern ausgingen." Noch entschiedener ward die Spannung, nachdem Rußland, von Schweden veranlaßt, am 29. Januar 1805 zu Berlin *) auf jenes Ansinnen vorstellte, „Rechenschaft über eingegangene Verbindungen von einem Fürsten zu verlangen, sei Eingriff in die Rechte unumschränkter Herrschaft," und Gustav dem gemäß am 28. Februar mit stolzer Empfindlichkeit, nicht ohne Wahrheit, erklärte y), „er begreife weder, wie, bei durchaus friedlichen Verhältnissen zu Preußen, seine Verbindungen mit fremden Mächten ein Gegenstand der Erörterung werden könnten, noch vermöge er sich zu überzeugen, daß Preußen wirklich gemeint sei, Schwedens Schritte zu lenken." Spät erst (man hatte Frankreich benachrichtigt) erwiederte Friedrich Wilhelm an Rußland, „es komme ihm nicht in den Sinn, Gustavs Selbstgewalt zu beschränken; eine feindliche Ausforderung von Schwedisch-Pommern her aber dürfe er bei der obwaltenden Lage des Landes nicht gestatten;" und ohne den Schwedischen Geschäftsträger einer besondern Antwort zu würdigen, verwies er ihn auf diese Anzeige an Rußland, gleichsam jetzt schon sich lossagend von dessen König. Wirklich verzog es sich auch nicht lange, als ein zufälliger Anlaß den begonnenen Bruch vollendete. Napoleon, der sieben seiner großen Adlerorden nach Berlin gesandt hatte, erhielt eben so viele Preußische schwarze Adler von dort zur Erwiederung. Sobald dieß Gustav erfuhr, schickte er den seinen, ein Ehrengeschenk Friedrich Wilhelms des zweiten, zurück, äußernd, er achte es gegen die Ordensgesetze, ihn zugleich mit dem Fran-

---

*) In einer übrigens nicht öffentlich gewordenen Note. S. Schölls Histoire etc. VII. 322. Vergl. Lucchesini Rheinbund I. 269 f.

y) Allg. Z. von 1805, S. 460 vergl. 280, 288,, 415, 524 und, wegen des Monats-Tages 832.

zöfifchen Kaifer zu tragen z). Hierauf (am 29. Mai 1805) verließ der Preußifche Geſchäftsträger Stockholm ohne Ab=
ſchied a).

Die aufgehobene Gemeinschaft mit Schweden änderte jedoch in den Verhältniffen des Preußifchen Staates zu den verfeindeten ſo wenig, daß Rußland ihn vielmehr um eben die Zeit abermals zu neuer Vermittelung aufrief. Ungeach=
tet nämlich diefe Macht ſeit dem 11. April 1805 mit Eng=
land wirklich verbündet b) und durch ſie auch Oeſtreich zu gleicher Abſicht gewonnen war, ſo wünſchten doch alle, ein=
gedenk beides der Leiden und Gefahren des Krieges, ſeine Fortſchritte zu hemmen, oder wenigſtens den Ruf ihrer Frie=
densliebe zu retten, zumal, da Napoleon ſelbſt nicht ver=
ſchmäht hatte, im Anfange des Jahres c) ſich den ſtolzen Inſelbewohnern durch freiwillige Anträge zu nähern. Zu dem Ende beſchloß der Ruſſiſche Kaifer, in Uebereinſtimmung mit dem Londoner Hofe, den Kammerherrn Nowofilzof nach Paris zu ſenden, und erſuchte Preußen, Franzöſiſche Päſſe für ihn auszuwirken, im Fall Napoleon nicht darauf beſtehe, als Kaifer begrüßt zu werden und ſeine Geſinnung noch die alte ſei d). Diefe Bedingungen wurden gern zugeſtanden. Ein Paß vom 13. Mai, ausgefertigt zu Mailand, wo Na=
poleon ſich damals aufhielt, traf am 22. zu Berlin ein und

---

z) Das Schreiben vom 22. April 1805 iſt in dem Hiſtoriſchen Ge=
mälde u. ſ. w. Th. I. S. 105 zu fin' n.   Seinen Fürſten zu rächen ſchickte der Preußiſche General Graf v. Schmettau, der den Serapbinen=
orden hatte, denſelben an den König von Schweden zurück. Bignon IV. Kap. 44, S. 123.

a) Allgem. Z. S. 672.

b) Den abgeſchloſſenen Vertrag liefert Martens Recueil, Suppl. IV. 160 und die Allgem. Z. von 1806, Nr. 52 u. f. S. 206 u. f.

c) Man ſehe das Schreiben vom 2. Januar in der Allgem. Zeit. Nr. 44, S. 174 und im Polit. J. von 1805. 189.

d) Man ſehe die in der Note f nachzuweiſende Erklärung No=
woſilzofs.

eben daselbst in der zweiten Hälfte des Junius Nowosilzof, die Aufträge seines Herrn weiter zu bringen e). Aber gleich= zeitig mit jener Sendung erhielt man in Petersburg die un= erwartete Nachricht, daß Napoleon am 26. Mai sich die Königskrone Italiens aufgesetzt und am 4. Junius Ligurien mit Frankreich vereinigt habe. So schlimme Kunde änderte plötzlich die gute Stimmung. Nowosilzof gab mit einer Note vom 10. Julius seine Pässe zurück f). Oestreich, das schon gerüstete, trat am 9. August dem verabredeten Bunde Ruß= lands mit England bei g), und setzte sein Heer h) auf den Kriegsfuß. Der erste Zug der Russischen Hülfsvölker rückte am 19. August in Gallizien ein, und die Franzosen von Bou= logne, dem Ober=Rhein und Hannover brachen gegen Süd= Deutschland auf i). Die öffentlichen Blätter befehdeten sich wechselsweise in herben Bemerkungen und spöttischen Erwie= derungen. Es war kein Zweifel, der Herbst werde die Flu= ren, wo fröhliche Saaten gereift hatten, mit Leichen und Blut decken.

Wie immer, wenn es Großes gilt, eilten der Zukunft jetzt auch Ahnungen und Wünsche voran. Man berechnete Kraft und Gegenkraft, erwog der Führer Ruhm und Erfah= rung, würdigte den eigenthümlichen Geist der Heere, und beachtete die Gunst und Ungunst der Meinung. Am unge= wissesten war man, ob und welche Partei Preußen ergreifen

────────────

e) Allgem. Z. S. 628, 748.

f) Allgem. Z. S. 824, Politisches Journ. v. 1805, S. 689, 741, Schölls Histoire etc. VII. 376. Vergl. Bignon IV. Kap. 46, S. 160 f. nebst Lucchesini Rheinbund I. 275 f. u. Précis des événemens militai- res etc. par M. le Comte Matthieu Dumas. A Paris 1817 f. Tom. XII. S. 92. Man findet hier einen Auszug aus dem heftigen Aufsatze, den Napoleon in den Moniteur gegen Nowosilzofs Note einrücken ließ.

g) Der Vertrag steht in Martens Recueil, Suppl. IV. 169 u f. vergl. die Allgem. Z. von 1806, Nr. 55 u. f. S. 218 u. f.

h) Vom 1. Sept. an. Allgem. Z. S. 1016.

i) Allgem. Z. von 1805, S. 1011, 1012, 1032 u. f. w.

werde, wo nicht, ob es überhaupt Theil nehmen solle. Die
bejahend entschieden, drückten sich etwa so aus: „Der gehöre
zu den Verblendeten, der nicht zur Rettung herbeieile, wenn
noch zu retten sei. Wornach Frankreich trachte und was es
vermöge, liege klar zu Tage. Wie lange man dem alten
Vorurtheil fröhnen wolle, daß von Oestreichs Erniedrigung
Preußens Erhebung ausgehe und Frankreich der natürliche
Freund dieses Staates sei. Der letzte Friede habe alle Verhältnisse so umgekehrt, daß die Erhaltung Oestreichs und
Preußens sich nun wechselseitig bedinge, und ein aufrichtiger
Bund zu gemeinsamer Vertheidigung und Beschränkung fremden Einflusses nothwendiger werde, als jemals. Des Schicksals Wille biete Preußen zum zweiten Mal, was es aus
Eigensinn oder Eigennutz sechs Jahre früher von sich gewiesen habe, — den Zutritt zur Verbindung der beiden mächtigen Kaiserhöfe von Wien und Petersburg. Möge es jetzt
den begangenen Irrthum verbessern und dem Vaterlande die
schwer verwirkte Schuld abtragen!"

Darauf erwiederten, die der entgegengesetzten Meinung
folgten: „Preußen sei bis jetzt von Frankreich nicht beleidigt,
vielmehr, bei der Theilung Deutschlands, aufs beste bedacht
worden. Weshalb es denn, um möglicher Kränkung willen,
einen Krieg nicht für sich, sondern für andre beginnen solle.
Die erste Verbindung zwischen Oestreich und Rußland habe
so wenig Segen gebracht, daß man den Beitritt zur zweiten
eher scheuen als suchen müsse. Komme Preußen je in den
Fall, vom Rhein her angegriffen zu werden, so dürfe es hoffen, in seinem eigenen tapfern Heere, und in der Kraft der
Norddeutschen Fürsten, die ihm gleiche Gefahr und Denkart
gewiß zuführen werde, hinlängliche Vertheidigungsmittel zu
finden. Es sei allerdings ein wahres und bedeutendes Wort,
man kämpfe für sich selbst, sobald man für Freunde kämpfe,
nur Schade, daß in Deutschland Niemand so recht eigentlich
wisse, wer Freund und Feind sei. Welchen Dank sich Preußen von den Beherrschern Sachsens, Hessens, Braunschweigs

und der Nachbarstaaten versprechen dürfe, wenn es, was bei
seiner Theilnahme am Kriege so leicht geschehen möge, die=
sen in ihre Länder ziehe. Gerechtigkeit und Klugheit schrie=
ben ihm auch dießmal die Maßregel seines Verhaltens vor.
Solche sei keine andere, als Zurückziehung in sich und Beob=
achtung strenger Parteilosigkeit gegen alle."

Diese letzte Ansicht war es, die sich auch dem Könige
und seinen Betrauten empfahl und in einer Berathung zu
Halberstadt zwischen dem Herzoge von Braunschweig, dem
Grafen von der Schulenburg und dem Freiherrn von Har=
denberg obsiegte. Ihr gemäß ward dem Marschall Duroc,
der am 1. September in Berlin eintraf, um zum Bunde mit
Frankreich aufzufordern, die bestimmte Antwort ertheilt, wie
man, fest auf den bisherigen Grundsätzen beharrend, der
Ruhe des nördlichen Deutschlands wahrnehmen wolle, und
die Mächte Dänemark, Sachsen und Hessen einladen werde,
sich mit Preußen zu demselben Zweck zu vereinen. Zugleich
erging auf den Fall der Beeinträchtigung am 7. September
Befehl, daß achtzig tausend Mann sich bereit halten sollten k).

Aber jetzt schon traten die Folgen der zugelassenen Be=
sitznahme Hannovers hervor. Rußland, im Verein mit Schwe=
den, dachte in das Kurfürstenthum einzudringen, um seinen
Feind daselbst aufzusuchen und rüstete in allen Häfen der
Ostsee. Dieß Unternehmen versetzte Preußen in große Be=
kümmerniß. Da Napoleon das Land überzog und Friedrich
Wilhelm die Minderung der Französischen Völker als Freund=
schaftsbeweis verlangte, ward ihm das Geforderte unter der
Bedingung gewährt, keiner Macht von seiner Gränze her den
Eingang ins Hannöversche zu verstatten. Er nun übernahm
gern die Verpflichtung, kaum als möglich ahnend, was später

k) Polit. J. von 1805, S. 951 u. f. vergl. Allgem. J. S. 1032,
1044, 1052, 1083, 1088. Besonders Bignon IV. Kap. 48, S. 207 f.
und Lucchesini Rheinbund I. 300 — 310. auch M. Dumas T. XII. S. 179
f. u. S. 223.

II. Theil. G

geschah, und nur die Sicherheit der Marken und seiner Haupt=
stadt im Auge haltend.   Jetzt ereignete sich auf einmal das
Unerwartete. Rußlands Kaiser, wenig geneigt, die ihm nach=
theilige Verbindlichkeit des Königs gegen Frankreich anzuer=
kennen, zumal er gar nicht genöthiget war, zur Erreichung
seines Zwecks Preußisches Gebiet zu betreten, richtete seine
Gedanken fortdauernd auf die Landung in Schwedisch=Pom=
mern und wies alle Vorstellungen, die von Berlin aus ka=
men, zurück, während Napoleon, der den größten Theil sei=
ner Streitkräfte zu weiterer Bestimmung aus Hannover ab=
rief, es eben dadurch der Obhut Preußens anheim gab l).

Diese Verhältnisse hatten sich noch nicht geändert, als
neue und bei weitem schwierigere zwischen Preußen und Ruß=
land eintraten. Es war am 19. September, wo der Russi=
sche Feldherr von Buxhövden in Berlin ankam m) und für
die Heeresmacht Alexanders, die dem Oestreichischen Kaiser
gegen Frankreich zu Hülfe eilte, einen Durchzug durch die
Preußischen Staaten, an deren Gränzen sie stand, begehrte n).
Eine Forderung der Art befremdete nicht nur, sondern belei=
digte: denn wie man sie auch immer auslegen mochte, ent=
weder hielt man das Preußische Heer für so unbedeutend,
daß man es in leichtem Angriff zu überwältigen meinte, oder
den König für so schwach, daß er sich auf das erste Ansin=
nen ergeben werde, oder (die leidlichste Deutung von allen)
für einen wenn auch heimlichen, doch so entschiedenen Feind
von Frankreich, daß er nur eines Anstoßes bedürfe, um sich
öffentlich zu erklären. Wirklich wurde die Kränkung, die in
jeder dieser Möglichkeiten lag, in Berlin so tief empfunden,
daß man, vielleicht eben, um sich recht kräftig zu zeigen,
mehr that, als nöthig war. Die gesammte Preußische Kriegs=

l) Lombards Materialien 128 — 130, vergl. das Polit. J. 953,
954 u. Bignon IV. Kap. 46, S. 169 f.

m) Allgem. Z. S. 1104, vergl. das Polit. J. 955.

n) Materialien 124 u. Bignon IV. Kap. 48, S. 215 f.

macht brach sogleich nach den Ufern der Weichsel auf o),
und Niemand zweifelte, die Freundschaft zwischen Preußen
und Frankreich habe an Festigkeit viel gewonnen, während
sie fast zu der nämlichen Zeit von einer andern Seite her
gänzlich erschüttert ward.

Die Oestreicher standen in den letzten Tagen des Septembers, nachdem sie Baiern bewältigt hatten, zwischen Ulm
und Memmingen an der Iller, das Gesicht gegen Westen,
von woher sie den Angriff erwarteten.   Ihnen zur Verstärkung bewegte sich durch Gallizien nach der Donau und diese
aufwärts der erste Russische Heerhaufe unter Kutusow p).
Napoleon, von allem Anfange bedacht, die Oestreichischen
Völker zu umgehn und vor der Vereinigung mit den Russischen zu vernichten, richtete sieben Heerhaufen nach der Donau in die Gegend von Nördlingen, das nord-ostwärts von
Ulm liegt q). Von diesen sieben bildete den einen die Mannschaft, die bisher Hannover besetzt hatte.   Bernadotte, ihr
Führer, erhielt Befehl, das Land bis auf die Festen Nienburg und Hameln zu räumen und auf dem kürzesten Weg
bis Nördlingen vorzudringen, und erhielt ihn auf die Bemerkung, daß man dann Preußisches Gebiet betreten müsse, wiederholt und geschärft.   So gebunden, wandte er sich, nach
gepflogener gütlicher Uebereinkunft mit dem Kurfürsten von
Hessen, durch dessen Lande gegen Frankfurt, und von da
plötzlich rechts ins Würzburgische, wo er, in den ersten Tagen des Octobers, auf der Straße von Ussenheim über Anspach, Gunzenhausen und Weißenburg weiter vortrang. Ihm
entgegen zur Vereinigung zog Marmont von Mainz herüber
ebenfalls durch Würzburg in das Anspachische auf Feucht-

---

o) Materialien 126, vergl. die Allgem. Z. 1120, 1166, 1170.

p) Allgem. Z. S. 1174.

q) Man vergl. die Uebersicht in den Europäischen Annalen von
1805, IV. 235.

6*

wangen und Wassertrudingen. Zugleich betrat, beiden die Hand bietend, das Baiersche Heer, das unter Wrede sich vor den Oestreichern über die Donau gerettet hatte, auf dem Weg von Schwabach und Abenberg den Boden des Fürsten= thums. Auch Davoust, bei Crailsheim und Dinkelsbühl ge= lagert, breitete sich in dessen südlichstem Theile aus r).

Die bedenkliche Vereinzelung der Fränkischen Fürstenthü= mer war bei dem Wiederausbruch des Krieges in Berlin nicht verkannt worden. Nicht nur hatte bereits im Jahre 1796, kraft besonderer Uebereinkunft, das Sambre= und Maas= Heer unter Jourdan das friedliche Land durchziehen dürfen, und im December des Jahrs 1800 Augereau und der Oest= reicher Klenau es betreten s); auch die jetzige Lage der Dinge ließ bald fürchten, der fliehende Besiegte werde so wenig, als der verfolgende Sieger, die Gränze der Markgrafthümer ver= meiden können. Dieß mit Umsicht erwägend, beschloß der König in Zeiten, seine Fränkischen Besitzungen allen kriegfüh= renden Mächten zu öffnen, mit der Bedingung, daß keine eine feste Stellung in ihnen nehme, noch sich liefern lasse ohne Bezahlung. Aber so weiser Rath ward von klügelnden Um= gebungen unter dem Vorwande, daß er Schwäche verrathe, gemißbilligt und die Gesammtheit der königlichen Länder für unberührbar erklärt t).

Desto größer war die Verlegenheit, als das Gefürchtete eintraf. An hundert tausend Mann waren binnen sechs Ta= gen durch das unvertheidigte Anspach gezogen. Alle Verwah= rungen der bürgerlichen und Kriegs=Beamten hatte Berna= dotte so wenig geachtet, daß er vielmehr in einem und dem=

---

r) Allgem. Zeit. 1182, 1186, 1194 u. s. vergl. das Polit. Journ. S. 1043 u. s. Eine brauchbare chronologische Zusammenstellung der Ereignisse vom Aufbruch des Französischen Heeres bis zur Gefangenneh= mung der Oestreicher in Ulm gewähren die Europäischen Annalen IV. 219.

s) Allgemeine Zeitung von 1801, S. 7.

t) Lombards Materialien 134 u. s.

felben Augenblick feine Zufage gab und brach. Selbft über
Ausfchweifungen, dergleichen der Krieg ftets mit fich führt,
durften die Einwohner, bei aller ftreng beobachteten Manns=
zucht, klagen, zumal in den Gegenden, wo die Baiern ein=
drangen v). Es ift nicht bekannt geworden, womit und in
welchen Ausdrücken x) der Marfchall Duroc und der Fran=
zöfifche Gefandte Laforeft die Unbill in Schutz nahmen. Aber
wie ungenügend man ihre Vertheidigung fand, und wie der
König fie aufnahm, zeigte die Antwort, die ihnen Hardenberg
am 14. October einhändigte y).

„Sein König wiffe nicht, ob er fich mehr über die aus=
geübte Gewaltthätigkeit der Heere Frankreichs, oder über die
unbegreiflichen Gründe, mit denen man fie rechtfertige, ver=
wundern folle. Preußen habe feine Parteilofigkeit ausgefpro=
chen, allen frühern Obliegenheiten, deren ganzer Vortheil
auf franzöfifcher Seite fei, nachgelebt, und Opfer gebracht,
die feinen theuerften Pflichten nachtheilig werden konnten.
Und diefe fich immer gleiche Redlichkeit und bewahrten Ver=
hältniffe, — wie habe man fie vergolten? Man ftütze fich
auf das Beifpiel der letzten Kriege und die Aehnlichkeit der
Umftände; — als ob die damals zugeftandene Ausnahme
nicht in ausdrücklichen Verhandlungen gegründet gewefen fei!
Man führe die Unkunde unferer Abfichten an; — als ob
die Abficht nicht aus der Natur der Sache hervorgehe, die
feierlichften Verwahrungen der königlichen Behörden nicht
genügten, und der Verfaffer diefes Schreibens dem Marfchall
Duroc und dem Gefandten Laforeft nicht mit der Charte in
der Hand die Unzuläffigkeit irgend eines Durchzugs durch die
Markgrafthümer dargethan habe! Man bemerke, daß man

---

v) Polit. 3. am angez. O.

x) Sie laffen fich indeß aus dem, was erwiedert wurde, errathen.

y) Allgem. 3. 1242, auch im Polit. 3. 1120, Schöll VIII. 16,
Bignon IV. Kap. 48, S. 217 f. M. Dumas T. XIII. S. 29 u. Lucche=
fini I. 326 f.

in Angelegenheiten von solcher Wichtigkeit sich bestimmt erklä=
ren müsse; — als ob die Pflicht der Erklärung dem obliege,
der sich auf die redliche Anerkennung eines allgemein gelten=
den Grundsatzes verlasse, nicht dem, der ihn umzustoßen ge=
denke! Endlich schütze man Thatsachen vor, die Riemand
kenne, und leihe den Oestreichern Beleidigungen, die sie nie=
mals verschuldet hätten. Das heiße wohl recht, die Aufmerk=
samkeit des Königes auf den Abstand in dem Betragen jener
und der Französischen Heere hinlenken wollen. Ohne indeß
aus diesem Abstand bedeutende Folgerungen für die Absicht
des Kaisers herzuleiten, beschränke sich der König zu denken,
daß der Kaiser Ursachen gehabt habe, die zwischen ihnen
bestehenden Verpflichtungen für werthlos zu halten, und achte
sich selbst für entbunden von allen frühern Obliegenheiten.
So den Verhältnissen zurückgegeben, wo keine andre Pflicht,
als die der Sicherheit und allgemeinen Gerechtigkeit, obwalte,
werde er zwar, seinen unerschütterlichen Grundsätzen getreu,
alles aufbieten, um Europa den Frieden zu vermitteln, den
er seinem Volke zu erhalten wünsche, erkläre aber zugleich,
daß er, überall in seinen großmüthigen Vorsätzen gehemmt,
und ohne alle Verpflichtung und Gewährleistung, sich genö=
thigt sehe, sein Heer die Stellung nehmen zu lassen, welche
für die Vertheidigung des Staates unerläßlich sei.'

Eine so kräftige, vielleicht überkräftige Erwiederung for=
derte Vorkehrungen, die ihr Bedeutung gaben, und der Kö=
nig that ganz so viel, als die Ehre gebot und die erlassene
Antwort erwarten ließ. Drei Heere begannen, sich augen=
blicklich zu bilden, das eine von funfzig tausend Mann unter
dem Herzoge von Braunschweig in Nieder=Sachsen, ein zwei=
tes, sechzig tausend Mann stark, unter dem Fürsten von'Ho=
henlohe in Franken, und ein drittes, zwanzig tausend betra=
gend, unter dem Kurfürsten von Hessen in Westphalen z).

100

Den Schaaren des Russischen Kaisers ward Schlesien geöff=
net und die Kammerbehörde in Breslau beauftragt, sie zu
verpflegen a). Zugleich erhielten die Preußischen Völker, die
an der Weichsel standen, den Befehl umzukehren und sich
nach Westen zu wenden b). Frankreich selbst konnte diese
Maßregeln, wie ungern es sie auch sah, nicht mißbilligen, da
sie zunächst nur Vertheidigung, nicht Angriff beabsichtigten.

Aber wo die erste so ernstlich betrieben wird, ist der
letzte gewöhnlich nicht fern, zumal, wenn die Umstände selber
dringend mahnen und Abwehr der Gefahr und eigne Erhal=

Gebiets schuldig gemacht, der französische General aber sich aus Achtung
gegen eben diese Neutralität des Vortheils begeben habe, den er hätte
erhalten können, wenn er weniger gewissenhaft gewesen wäre. Es war
der wichtige Posten von Fürth, dessen sich die Oestreicher bemächtigten.
Bignon I. Kap. 9, S. 206. Der Fall war aber jetzt ein ganz anderer.
Durch Preußens standhafte Ablehnung des Beitritts zur Coalition wa=
ren Oesterreich und Rußland genöthiget worden, andre Anordnungen
für den Feldzug zu treffen, hatten sich aber von Preußen eine hinreichende
Garantie bedungen, daß Frankreich ebenfalls genöthigt werden sollte,
die Neutralitätslinie zu respectiren, und diese war ihnen zugesichert
worden. Mém. de M. Dumas XIII. S. 26. Rücksichtslos gab Napo=
leon von Straßburg aus am 27. Septbr. Bernadotte den Befehl, seinen
Marsch über Anspach zu nehmen. A. a. O. S. 317 und in einem
Schreiben vom 1. Oct. aus Ettlingen läßt er schreiben: Quant aux
subsistances, il est impossible de vous nourrir par les magasins;
cela n'a jamais été, et c'est à ne pas s'être servi de magasins que
l'armée française doit en grande partie ses succès. Vous devez
vous nourrir par les réquisitions faites aux baillis, laisser des bons
en règle, et l'empereur fera payer ce qui aura été fourni. A. a.
O. S. 338. Doch läßt er an den Minister Otto unter dem 2. Oct.
von Ludwigsburg aus schreiben: Il faut beaucoup de protestations
en faveur de la Prusse, et témoigner beaucoup d'attachement
pour elle et le plus d'égards qu'on pourra; puis traverser ses possessions avec rapidité, en alléguant l'impossibilité de faire autrement,
parce que cette impossibilité est réelle. A. a. O. S. 343.

a) Allgem. Zeitung S. 1222, 1250. Der eine Heerhaufe ging
durch Breslau, die andern tiefer unten über Rattibor.

b) Das. S. 1266. vergl. M. Dumas XIII. S. 29.

tung zusammenfallen. Nicht leicht ist ein muthigeres und ge-
übteres Heer durch die Unklugheit oder Rathlosigkeit seines
Führers schimpflicher untergegangen, als das Oestreichische.
Kaum nämlich waren Napoleons Heerhaufen bei Nördlingen
eingetroffen, als er sogleich anfing, den Entwurf zur Um-
zingelung des Feindes zu entwickeln, und ihn ohne Hinderniß
ausführte. Bereits am 14. October, an demselben Tage,
wo die Erklärung des Königs zu Berlin ausging, erfolgte
ein allgemeiner Angriff auf die Stellung der Deutschen bei
Ulm, und so geschickt waren alle Wendungen berechnet und
so glücklich jede geleitet, daß vier Tage darauf die Stadt
Ulm und in ihr drei und zwanzig tausend tapfere Krieger
sich dem Ueberwinder ergaben. Wenige einzelne Haufen ret-
teten sich durch die Flucht und entkamen. Mehrere wurden
eingeholt. Die Gesammtzahl der Gefangenen belief sich auf
sechzig tausend, die erbeuteten Fahnen auf neunzig, das gewonnene Geschütz auf zwei hundert Stück. Napoleon hatte
das Wort gelöst, das er vor der Schlacht aussprach: „Es
genügt mir nicht, den Feind zu besiegen. Ich will ihn vernichten c)."

Als diese Trauerbotschaft Deutschland durchlief, verbreitete sie allenthalben Staunen und Schrecken, das größte, nach
Oestreichs Hauptstadt, in Berlin. Man fing an, den Zeitgeist
in so weit wenigstens zu begreifen, daß man sich überzeugte,
das übermächtige Frankreich stehe auf dem Punkt allmächtig
zu werden, und könne auch wohl den Damm, den ihm Rußland entgegensetze, bewältigen. „Wessen sich alsdann Preußen, das vereinzelte, zumal nach den letzten Erfahrungen,
versehen dürfe? Verwundete Freundschaft heile selten so zusammen, daß keine Narbe zurückbleibe. Es liege ja wohl
Jedem, der sehen wolle, recht klar vor Augen, was Nothwendigkeit und Klugheit in diesem Falle gebiete. Beide ver-

_____

c) In dem Aufruf an sein Heer vom 13. October. Allgem. Zeit.
1161 und das Polit. J. S. 1074.

pflichteten, Rußlands Kraft theils unmittelbar zu unterſtützen, theils die Franzöſiſche durch Seitenangriffe abzuleiten. Verſäume man jetzt die Gelegenheit, die ſich zur Erhaltung theuer errungener Selbſtſtändigkeit zeige, ſo dürfe leicht eine Zeit eintreten, wo man den vernachläſſigten Augenblick bereuen und wünſchen werde, ihn um vieles zurückzukaufen."

Unter allen Bürgern ſeines Reichs war der König leicht der bedächtigſte: ſo richtig würdigte er entweder ſich, ſein Heer und den Staat, oder ſo ſehr mißtraute er den Verhältniſſen, wie ſie nun einmal beſtanden. Aber auch Könige müſſen den Einfluß der öffentlichen Meinung erkennen, und dieſe, vorher ſchon ſtark und jetzt im Wachſen, begünſtigte keine Mäßigung. Preußens verletzte Ehre war das allgemeine Geſpräch der Hauptſtadt und die Führung des Krieges Ehrenſache geworden. Der eine Theil des Volks klagte, der andre murrte, daß man ſich noch bedenke. Die jungen Krieger, an ihrer Spitze des Hauſes Prinzen, ſahen ſich im Geiſt mit Lorbeern geſchmückt und fürchteten nichts ſo ſehr, als träge Raſt. Im Schauſpielhauſe gab man unter lautem Jubel Wallenſteins Lager und ließ am Ende des Stückes aus den obern Sitzen ein Kriegslied herabfallen, das ein verdienſtvoller Krieger eigens gedichtet und ein berühmter Tonkünſtler geſetzt hatte d). An allen Tafeln und in allen fröhlichen Zirkeln trank man auf die Befreiung des Vaterlands und den Untergang ſeiner Feinde. Nur wenige dachten im Stillen oder erinnerten vorſichtig an den Feldzug im Jahr 1792. Die Menge urtheilte nach alten Thaten und den Ausbrüchen der Ruhmbegier.

In dieſe Stimmung griff Alexander, Rußlands Kaiſer, nicht wenig ein. Dieſer Fürſt hatte die ihm günſtigen Folgen des Mißverſtändniſſes zwiſchen Preußen und Frankreich kaum wahrgenommen, als er, im Vertrauen auf dieſes und

---

d) Allgem. Zeitung S. 1205, 1239, vergl. Polit. Journ. S. 1050, 1205, 1239.

die persönliche Freundschaft, die er drei Jahre früher (den 10.
Junius 1802) zu Memel mit dem König geknüpft hatte, von
Pulawi unsern Kazimierz, woselbst er angekommen war, auf=
brach und nach Berlin eilte e).   Hier am 25. October ein=
treffend, fand er ein Volk, das seiner Ankunft sich freute, und
einen Hof, der seinem Wunsche entgegenkam.   Wie der rit=
terliche Sinn, der in dem Gaste sich aussprach, die Männer
aufregte, so verwirrte er die Frauen, die nicht minder Par=
tei nahmen, und überwältigte vollends die Zweifel, die irgend
noch in den königlichen Betrauten keimeten.   Nur wenige
Großen, man kann nicht sagen, ob geleitet durch ein dunkles
Vorgefühl, das zuweilen das Rechte trifft, oder bestimmt durch
persönliche Rücksicht, oder wahrhaft aufgeklärt über die Lage
der Dinge, begünstigten die Erhaltung des Friedens, doch
ohne Kraft (sie ermangelten dieser, wie alle Höflinge), und
darum ohne Erfolg.   Immer herrschender wurde die Meinung,
Preußens auffällig verletzte Ehre heische eine eben so auffäl=
lige Genugthuung, und immer häufiger drängten sich, seit
der Ulmer Niederlage, die ärgerlichen Berichte, daß Fliehende
und Verfolgte Anspach und Baireuth durchzögen, wie ein
Preis gegebenes Land f).   Auch der Erzherzog Anton, des
Deutschen Kaisers Bruder, der am vorletzten October von
Wien aus nach Berlin kam g), legte einiges Gewicht in die
Wagschale und kein geringeres der vorlaute Eifer der Schrift=
steller, die kaum die Entscheidung erwarten konnten h).

---

e) Allgem. Zeit. S. 1218, vergl. 1222 und Bignon V. Kap. 52,
S. 2.

f) Lombards Materialien S. 142, vorzüglich 147 u. f. vergl. das
Polit. J. 1161 und, wegen der Flucht der Oestreicher durchs Baireu=
thische und ihrer Verfolgung, die Allgem. J. S. 1194.

g) Allgem. J. S. 1250.

h) Eine der gelesensten Schriften jener Tage war Traduction
d'un Fragment du XVIII Livre de Polybe trouvé dans le monastère
St. Laure au mont Athos, par le Comte d'Antraigues; reich an

Unter einem solchen Zusammenflusse von Umständen geschah endlich, was alle vermutheten, wenige fürchteten, die
meisten wünschten. Am dritten November ward zu Potsdam
zwischen dem Kaiser und König ein Vertrag unterzeichnet,
den die Staatsklugheit bis jetzt noch verheimlicht, das Gerücht aber, dießmal sicher nicht unglaubwürdig, in der Haupt-
sache verrathen hat. Die Unterlage der Uebereinkunft war
der Friede von Lüneville. Bequemen sollte sich Frankreich zur
Erfüllung und Wiederherstellung alles dessen, was es, seit
jenem Frieden, entweder nicht geleistet, oder zur Vergrößerung seiner Herrschaft versucht hatte, — zur Entschädigung
des Königs von Sardinien, zur Freigebung Hollands und
der Schweiz, zur Sicherung der Unabhängigkeit beider, und
zur Trennung der Welschen Krone von der Französischen.
Verabredet ward zugleich, es solle der Graf von Haugwitz
diese Bedingungen der drei Höfe (Oestreich trat ihnen bei)
dem Kaiser Napoleon überbringen und ihm Preußens Vermittelung und der alten Freundschaft Erneuerung anbieten,
wenn er eingehe. Weigere er sich (man fand die Vorschläge
als abgezwungen durch Uebermuth und hervorgehend aus der
Sorge für gemeine Sicherheit beides gerecht und billig), so
übernehme Preußen die Verpflichtung spätestens den 15. December die Feindseligkeiten zu beginnen. Dieß war der Beschluß i). Wenige Tage nach der Unterzeichnung verließ
Alexander Berlin, um sein Heer aufzusuchen k), nachdem er
und sein Freund, begleitet von der Königin, sich zuvor in der
Stunde der Mitternacht an dem Sarge Friedrichs des zweiten
gerührt umarmt hatten l), — eine Scene, würdig der guten

---

mannigfaltigen Anspielungen, vorzüglich auf den Preußischen Hof und
dessen, wie der Verfasser meinte, verderbliche Unentschlossenheit.

i) Lombards Materialien S. 148 u. f. Schölls Histoire etc.
VIII. 19, und Bignon V. Kap. 52, S. 3 f.

k) Allgem. 3. S. 1274. Seinen Weg nahm er über Weimar
und Dresden. S. 1333, 1341.

l) Polit. Journ. 1163, vergl. die Allgem. Zeit. 1278 und Luise,

Vorzeit und dafür gewiß anerkannt, wenn die Thaten dem
hochherzigen Gefühle entsprochen hätten, nun verlacht und
als Poſſe gebrandmarkt von vielen, die keinen andern Maß-
ſtab für Großes und Herrliches kennen, als den Erfolg.
Noch vor dem Abſchluſſe des Vertrags (am I. November)
reiſte, zurückberufen, der Franzöſiſche Marſchall Duroc und
zwei Tage nach Alexandern (am 7. November) der Oeſt-
reicher Anton ab, jener in ſcheinbarer, dieſer in wahrer
Freundſchaft m).

Seine veränderten Geſinnungen hatte der König noch
vor der Verbindung mit Rußland durch die Beſitznahme der
Hannöveriſchen Lande geoffenbart. Schon am 26. October
waren Abtheilungen ſeiner Völker von Hildesheim herüber in
des Kurfürſtenthums Hauptſtadt gerückt und der kleine Reſt
der Franzoſen unter Barbou in die Feſtung Hameln, den
einzigen Ort, der ihnen jetzt noch übrig blieb, eingezogen.
Da unmittelbar nachher auch die aufgehobenen Landesbehör-
den wieder in ihren Wirkungskreis traten und die vorige Lan-
desverwaltung begann, ſo wünſchten alle Vaterlandsfreunde
ſich Glück und lebten der beſten Hoffnung. Aber bald wurden ſie abermals an dem Benehmen der Preußen irre. Die
Anzahl der fremden Krieger mehrte ſich in wenigen Tagen
zuſehends und erfüllte das ganze Kurfürſtenthum. Die kaum
erleichterten Einwohner ſahen ſich zu neuen Kriegslieferungen
genöthigt und hörten, wenn ſie ſäumten, Gewaltdrohungen.
Die Franzöſiſche Beſatzung in Hameln ſchloß, auf Belagerung
rechnend, die Thore und erfuhr eine ſo freundliche Behandlung, daß ihr Brod und weſſen ſie ſonſt bedurfte verabfolgt
ward n). So widerſprechende Maßregeln veranlaßten unter

Königin von Preußen, ein Denkmal, Berlin, 1810, S. 194. „Der Kaiſer, heißt es daſelbſt, wünſchte nach der Sitte ſeines Landes, unmittelbar vor ſeiner Abreiſe von Potsdam, noch eine Kirche zu beſuchen und
wählte dazu die dortige Garniſon-Kirche.

m) Allgem. Z 1250, 1278.
n) Allgem. Zeit. 1228, 1252, 1257, 1333.

den Urtheilenden eine doppelte Deutung. Die einen meinten, Preußen, im Einverständniß mit Frankreich, denke Hannover sich zuzueignen. Die andern, weniger argwöhnisch, vermuthe= ten, es habe dem Schwedisch=Russischen Heere, das damals schon zum Einrücken fertig an der Gränze Mecklenburgs stand o), zuvorkommen und die fremde Nachbarschaft abweh= ren wollen. Gewiß ist es, daß erst die Uebereinkunft zwischen Preußen und Rußland dem Unternehmen eine bestimmte Rich= tung gab und das Kurfürstenthum dem rechtmäßigen Herrn sicherte p).

Napoleon selbst behauptete, bei so vielen Anzeigen Preußi= scher Unentschlossenheit, jene ruhige Fassung, die dem Sohne des Glücks und dem Helden, der sich fühlt, so wohl ansteht *); und die öffentlichen Blätter, Verkündiger seiner Ansicht und seines Willens, vergaßen nicht, Preußen zu höhnen, wie sie Oestreich gehöhnt hatten. Zur Vergütung des Schadens in Anspach hatte er sechs und sechzig tausend Gulden von Augs=

---

o) Man sehe den Brief des Königs von Schweden an den König von Preußen im Historischen Gemälde u. s. w. Th. 1. S. 118.

p) Treffend und das obwaltende Verhältniß richtig würdigend, sagt der Verfasser des eben angezogenen Gemäldes S. 17. „Der Kö= nig von Schweden wollte, daß man Hannover besetzen sollte, ehe noch die Preußen daselbst eintreffen konnten, wogegen es seinen Verbündeten wichtiger schien, den Preußischen Hof auf ihre Seite zu bringen. Ueber= haupt wurde diesem Hofe, der noch keinen rechten Beschluß gefaßt zu haben schien, eben so sehr von Rußland, als von Frankreich geschmei= chelt." Noch gehört hierher, was Schöll in einer Note zu der eben an= gezeigten Stelle bemerkt. On voit, schreibt er, par un passage du manifeste du roi d'Angleterre comme électeur de Brunswick-Lüne= bourg, du 20. Avril 1806, dont nous parlerons plus bas (p. 33), que, dans les négociations de Potsdam, il a été pour la première fois question de céder l'électorat d'Hannovre à la Prusse. Celle-ci voulait, en échange, donner une autre province, probablement des possessions en Westphalie.

†) Doch vernachläßigte er nicht, sehr früh Maßregeln gegen Be= wegungen zu treffen, welche von Preußen aus gemacht werden könnten. M. Dumas T. XIII S. 293.

burg nach Fürth in die Bank gesandt, und da man unbe=
denklich sie annahm, während man bitter über beleidigte Ehre
klagte und auf Rache dachte, spöttelte ein Deutsches Zeitungs=
blatt: „Nun sei man über den Krieg in Franken beruhigt.“
Von der Erklärung, die Hardenberg der Französischen Ge=
sandtschaft einhändigte, hieß es in einem andern, „sie sei
allerdings in einer kraftvollen Sprache verfaßt, allein im
Grunde doch mehr zu freundlichen Erörterungen geeignet.
Darum habe auch Napoleon mit unbegränzter Achtung geant=
wortet und Duroc in dieser Stimmung Berlin verlassen.“
Die Französischen Blätter äußerten ohne Zurückhaltung: „Der
Krieg an der Donau werde beendigt sein, ehe es an der Elbe
Geschäfte gebe; auch fürchte man Preußen nicht, wenn der
lange geachtete Vermittler sich ungleich und an seinem Wort
untreu werde q).“

Nach der Einschließung der Oestreicher in Ulm und der
Auflösung ihrer Macht, beruhte die Hoffnung des Deutschen
Kaisers einzig auf den Russen, die in mehrern Heerhaufen nach
Mähren anrückten. Eben dahin wandte sich auch mit seiner
Mannschaft der Russe Kutusow, der vorgedrungen war bis
zum Inn. Nachdem er, dem überwältigenden Feinde weichend,
eine Zeit lang die Straße von Wien verfolgt hatte, ging er
am 10. November bei Grein und Krems an das linke Ufer
des Donaustroms und von da, nach einem rühmlichen Ge=
fechte mit Mortier, der bei Linz übergesetzt hatte, nordwärts
hinauf nach Brünn, sicher, wie es schien, vor dem Angriffe
der kleinen Abtheilungen des Feindes, die ihm auf diesem
Wege nachrückten, und ohne Furcht, daß man von Wien her
beunruhigen werde. Aber mit Sturmesgewalt voreilend, hat=
ten die Franzosen bereits am 13. November die Hauptstadt
der Oestreichischen Staaten besetzt und, unter dem trüglichen
Vorwand eines geschlossenen Waffenstillstands, sich der Do=
naubrücke bemächtigt. Ueber diese hin drängten jetzt ihre

---

q) Allgem. 3. 1266, 1292, 1299.

Reihen immer weiter nach Mähren; und nur mit Mühe,
selbst nicht ohne Einbuße, vermochte Kutusow sich auf den
zweiten Heerhaufen der Russen zurückzuziehn, die unter Bur=
hövden durch Schlesien gegangen waren und am 18. Novem=
ber in der Gegend von Olmütz anlangten. Seit dieser Ver=
einigung ruhten aller Augen, wie einige Wochen früher auf
den Gefilden zwischen dem Lech und der Iller, so jetzt auf
dem Lande, das die Morawa und Svarczava einschließen.
Den einen stärkte die Hoffnung auf die rohe ungebändigte
Kraft des Nordens, den andern belebte die Erinnerung an
die schnellen Siege Suwarows in Italien, der dritte rechnete
auf glücklichen Ausgang, weil Napoleon nicht nur schüchtern
(so schien es und so sollte es scheinen) sich rückwärts zog
und, was er besetzt hatte, aufgab, sondern selbst den Kaiser
Alexander, der an demselben Tage, wo seine Heeresabthei=
lungen zusammenfließen, bei ihnen eingetroffen war, freund=
lich und feierlich, als werde Annäherung gewünscht, grü=
ßen ließ r).

So in wechselseitiger Beobachtung standen beide Heere
etwa acht Tage gegen einander, beide immerfort Verstärkung
an sich ziehend und den blutigsten Kampf vorbereitend, als
in dem 2. December der Jahrestag der Krönung Napoleons
anbrach, um ihm einen neuen Kranz darzureichen. Bei der klei=
nen Stadt Austerlitz (bisher unbekannt in der Geschichte, seitdem
unsterblich) begann mit dem Morgen jenes Tages eine Schlacht
zwischen zwei Streitmassen, wovon die Französische an acht=
zigtausend, die Oestreichisch=Russische an neunzig tausend Mann
zählte. Wie der Preis groß war, um den man kämpfte, so

<hr>

r) Eine verdeutlichende chronologische Uebersicht der Ereignisse lie=
fern die Europäischen Annalen von 1806, I. 173 und II. 219, eine zu=
sammenhängende und nach allen Gründen innerer Wahrscheinlichkeit
nicht zu bezweifelnde Darstellung dessen, was sich seit der Besitznahme
von Wien zutrug, die historische Skizze eines Augenzeugen, betitelt:
Die Franzosen zu Wien, Photopel, 1806.

war es auch die Erbitterung, die in dem Kampf obwaltete: aber die Anstrengungen der Russen erlagen der Besonnenheit des Französischen Kaisers. Früh überflügelt und in ihrer Mitte getrennt, sahen sie sich noch vor Abends auf allen Punkten geworfen und verdankten die Abwehr völliger Vernichtung einzig ihrer unbezwinglichen Tapferkeit. Der Deutsche Kaiser, von jetzt an überzeugt, daß für ihn überall nur Verlust und nirgends Gewinn sei, verabredete am 4. December mit dem Sieger einen Waffenstillstand, der diesen zu seiner Sicherheit in den Besitz von halb Mähren, dem ganzen Oestreichischen Kreis, Tyrol und Venedig setzte, und Alexander, nun ein unnützer Bundesgenosse, kehrte am 6. nach Petersburg zurück, indeß seine Völker, zu spät durch einen Zuzug von zwölf tausend Mann unter Essen verstärkt, zwei Tage nachher in drei Heerhaufen aufbrachen und sich über Cracau, Caschau und Tirnau nach Gallizien wandten. Die Drei-Kaiser-Schlacht, wie sie der gemeine Krieger bezeichnete, erhob den Beherrscher Frankreichs abermals zum Gesetzgeber des Friedens, der, zuerst in Nikelsburg unterhandelt, weiter besprochen in Brünn, und endlich zu Preßburg am 26. December abgeschlossen, dem Oestreichischen Hause über tausend Geviertmeilen und an drei Millionen Einwohner kostete s).

Im Deutschen Norden ereigneten sich bereits vor der Schlacht von Austerlitz bedeutende Bewegungen mancher Art. Nicht nur die Hannöver'sche Schaar, wie sie genannt ward, landete, von England absegelnd, am 19. November zu Stade und anderwärts; auch die Schweden rückten endlich gegen die Elbe vor, und die Russen auf Hameln, um es einzuschließen t).

---

s) Man vergl. außer der allgemeinen Zeitung, das Polit. J. von 1805, S. 1246 u. f. und die Uebersicht der Begebenheiten in den Europäischen Annalen von 1806, III. 89. Den Friedensschluß der beiden Mächte liefert Martens im Recueil, Suppl. T. IV. p. 212. Eine Nachweisung der Einbuße Oestreichs. Schölls Histoire etc. VII. 443.

t) Allgem. Z. S. 1341, 1352, 1365, und Schöll VIII. 21.

Die größte Aufmerksamkeit erregte jedoch Preußen, das jetzt ernstlich auf die Herstellung seines Ansehens und die Erfüllung der eingegangenen Verbindlichkeiten mit Alexandern zu denken schien. Noch vor dem Ausgange des Novembers sammelte sich seine ganze Macht in drei großen Abtheilungen und zog vorwärts. Die eine unter Ferdinand von Braunschweig versammelte sich in Nieder-Sachsen; die zweite unter dem Kurfürsten von Hessen, nahm ihre Richtung gegen Westphalen; die dritte unter dem Fürsten von Hohenlohe-Ingelfingen bewegte sich nach Franken v). Ihnen folgte am 5. December die Besatzung Berlins, die Kriegscasse und das Feldlazareth x), indeß in Schlesien und anderwärts sich ergänzende und beobachtende Heerhaufen bildeten. Alles verrieth, man wolle die Vorschläge, die der Graf von Haugwitz an Napoleon überbrachte, aufs kräftigste unterstützen.

Dieser Gesandte, der Berlin in der Mitte des Novembers verlassen hatte, traf den Französischen Kaiser am 28. zu Brünn y) in den Vorbereitungen zur großen Schlacht. Schon verkündigte alles die Nähe der verhängnißvollen Stunde. Unablässig kamen und gingen Geschäftige, brachten Berichte und trugen Befehle weiter. Jeden trieb Eile, und Napoleons ganze Aufmerksamkeit war in einem Zwecke, in der Umgarnung der Feinde gesammelt. In diesem Drange der Umstände blieb er bei einigen Anträgen *), die Hannover betrafen, stehen und forderte, alle übrige Erörterung vermeidend, den Abgeordneten auf, sich fürs erste nach Wien zu

---

v) Schölls VIII. 20. Die einzelnen Heerhaufen und deren Führer sind aufgezählt in der Allgem. Z. S. 1409 und in den Europäischen Annalen von 1806, III. 92, vergl. Allgem. Z. S. 1333.

x) Allgem. Z. S. 1389, 1400.

y) So die Actenstücke im Polit. J. von 1806, S. 114 und 497, vergl. den vier und dreißigsten Französischen Tagsbericht in der Allgem. Z. von 1805, S. 1405 und Bignon V. Kap. 52, S. 9.

*) Sie werden besser unten vorkommen. Man sehe Schölls Hist. VIII. S. 22.

II. Theil. 7

begeben und dort des Erfolgs zu warten, was dieser, wie
einen Befehl aufnehmend, ohne Säumen vollzog *). Die
Verhältnisse waren für den Kaiser so angethan, daß er ihre
Entwickelung nicht von einem freundlichen oder feindlichen
Wortwechsel abhängig machen durfte, sondern allein von dem
Ausgange der unabwendbaren Schlacht.

Ob man über diese in Berlin wirklich getäuscht war,
oder sich absichtlich täuschen wollte, ist ein Geheimniß. Gewiß ist allein, daß Nord-Deutschland durch Nachrichten, von
da aus verbreitet, den Russen lange den Sieg zuschrieb z)
und die Stimmung für den Krieg sich fortdauernd in der
Hauptstadt Preußens erhielt und laut genug offenbarte. In
desto größerer Verlegenheit lebte der Graf von Haugwitz, der
jene Stimmung niemals getheilt hatte. Die erhaltenen Aufträge waren auf keine Niederlage berechnet und wurden jetzt
durch sie ganz überflüssig. Die eine der verbündeten Mächte
hatte ihre letzte Hoffnung auf dem Kampfplatze eingebüßt,
und die andre zog gedemüthigt von dannen. Jene hatte sich
durch den eingegangenen Waffenstillstand zur Ruhe verpflichtet, und diese schien wenigstens wohl zu thun, wenn sie Erholung suchte. Die Gränze Hollands, der Preußens Adler
von Westphalen her drohte, war durch ein eiligst geworbenes
Heer vor dem ersten Anfall gedeckt a), und dagegen die Gränze
Schlesiens durch den Zug der Völker nach Westen so entblößt, und ihr der Sieger so unerwartet nahe gekommen,
daß hier nicht wenig zu fürchten war. Ueberdem sagten die
Aussonderung der Polen aus der Masse der gefangenen Russen und Oestreicher, die heimlichen Wirkungen nach Süd-

---

*) Den 29. Nov. Abends traf er ein. Allgem. Z. S. 1361.

z) Wie unter andern die Zeitschrift, der Freimüthige, jubelte und
verstummte, berichtet die Allgem. Z. S. 1433. Eben sie meldet S. 1400,
welche Artikel die Berliner Hofzeitung noch unterm 16. Dec. nachschrieb,
und im Jahrgang 1806, S. 23, welch ein befremdliches Stillschweigen
noch lange nachher alle Preußischen Blätter beobachteten.

a) Allgem. Z. S. 1336, 1359.

Preußen hinein zur Weckung der Unzufriedenen b) und der Aufruf an die Französischen Krieger sich auf neue Gefahren vorzubereiten c), wessen man sich versehe und wie man vor weiterm Krieg nicht erschrecke. In solchen Beziehungen schien es der Klugheit gemäß, sorgfältig zu verschweigen, was unter günstigern verabredet worden war, und lieber die Ansprüche des gekränkten Freundes, als die Forderungen des gerüsteten Feindes geltend zu machen. Die Preußische Heeresmacht stand im Westen, und man bedurfte ihrer im Osten. Bevor sie dort anlangte, war vielleicht ein entscheidender Schlag geschehen und Oestreich selbst durch die Vorhaltung Schlesiens zur Freundschaft Frankreichs übergegangen.

Wirklich trat Haugwitz, von Betrachtungen der Art ausgehend, ja gewisser Maßen von ihnen auszugehen gezwungen, am 13. December in Wien vor Napoleon *). Auch den Kaiser bewog in seiner Lage mancherlei zum Vergessen und Uebersehn. Wie er überhaupt von dem Glücke mehrmals schon die Weisung erhalten hatte, sich ihm nicht mit Unbedacht hinzugeben, so schien insbesondre jetzt wenig rathsam, es hartnäckig zu verfolgen. Seine Völker hatten gesiegt, aber der Sieg viel gekostet. Oestreich war ein gewaltsam beruhigter, aber keineswegs versöhnter Feind. Aus Welschland zu Hülfe gerufen, stand, eben angelangt, der Erzherzog Carl mit einem Heere bei Grätz, das sich einiger Lorbeern rühmen durfte. Rußland hatte keinen Frieden geschlossen, sondern nur den Kampfplatz verlassen. Von Frankreich selbst Verstärkung herbeizuholen, war so leicht nicht. Ueberdem verdienten die Schlesischen Festen und der aufgeregte Volksgeist Beachtung. In solche Bedenklichkeiten eingehend, eröffnete Napoleon gern Unterhandlungen mit einem Manne, der

---

b) Allgem. Z. 1356 vergl. Lombards Materialien 162.

c) Allgem. Z. S. 1426.

*) Haugwitz wurde von Napoleon sehr unfreundlich empfangen. Mém. de Bourienne T. VII. chap. 5, p. 66.

7*

ihm lieb, gewandt und Französischer Ansichten empfänglich
war, und schloß vorläufig so mit ihm ab:

„Preußen tritt ohne Vorbehalt an Baiern das Fürsten=
thum Anspach, an Frankreich den Rest von Cleve mit Wesel
und Neufchatel ab. Dafür überläßt ihm die erste Macht,
um Baireuth zu rinden, einen Bezirk, der zwanzig tausend
Einwohner enthält, und die zweite, kraft ihres Eroberungs=
rechtes, das Kurfürstenthum Hannover, sammt allen übrigen
Deutschen Staaten des Königs von England. Preußens
Beherrscher verbürgt dem Französischen Kaiser den Ausfall
des Preßburger Friedens, der Kaiser ihm den Besitz aller
Länder, der alten sowohl als der neuen. Beide verpflichten
sich die Ottomanische Pforte unter gemeinsame Obhut zu neh=
men." So lautete die Uebereinkunft d), die der Graf von
Haugwitz, nach eignem Dünken, ohne Verhaltungsbefehle ein=
zuholen, am 15. December, an eben dem Tage abschloß, an
welchem Preußens Völker die Würzburgische Gränze be=
schritten, Verpflegung heischten und den Beamten verboten
an ihre Behörden zu steuern e).

Nach Berlin waren von dem Austerlitzer Schlachtfeld
hinweg der Russische Fürst Dolgorucki und der Großfürst

---

d) Im Druck ist sie nie erschienen. Man vergl. aber Lombards
Materialien S. 155 und was der Erfolg hierüber gelehrt hat.

e) Allgem. Z. S. 1408. Vergl. Mém. du Duc de Rovigo II.
S. 135, Bignon V. Kap. 52, S. 11, u. Lucchesini Rheinbund I. S. 353 f.
Ungeachtet es herkömmlich ist, sagt Lucchesini und im vorliegenden Falle
ausdrücklich versprochen war, Staatsverträge nicht vor Auswechslung der
Ratificationen öffentlich bekannt werden zu lassen, so ward doch die Nach=
richt von dem zwischen Frankreich und Preußen abgeschlossenen Allianztrac=
tat unverzüglich in ganz Preßburg verbreitet, und brachte auf dem Frie=
denscongresse eine Bewegung hervor, die kaum heftiger hätte sein können,
wenn eine zweite Schlacht bei Austerlitz vorgefallen wäre. Bald schwan=
den bei dieser Kunde den Oestreichischen Bevollmächtigten alle weitere
Hoffnungen, und mit Beseitigung aller Zögerungen, die jetzt nicht län=
ger ein günstigeres Ergebniß versprachen, unterzeichneten sie am 27.
Dec. die (nachtheiligen) Friedensartikel. A. a. O. 358.

Constantin, des Kaisers Bruder, gereist f). Alexander erbot
sich, den Heerhaufen, der an der Elbe und in Schlesien stand,
dem Könige zu überlassen, wenn er den Krieg aufnehmen
wolle. Immerfort herrschte die stolze Einbildung, Preußen
dürfe ein entscheidendes Wort sprechen, und die beiden Fremd‐
linge unterstützten sie. Bald begannen neue Berathschlagun‐
gen über der Dinge neue Lage, und aus ihnen hervor gingen
neue Beschlüsse. Bereits bei der ersten Zusammenkunft mit
Haugwitz hatte Napoleon darauf angetragen, daß weder Brit‐
ten, noch Russen, noch Schweden, wenn er Preußen als ver‐
mittelnde Macht zulassen solle, nach den Gränzen Hollands
vorrücken dürften, und der Festung Hameln ein weiterer
Spielraum für die Erhaltung ihrer Bedürfnisse gewährt werde.
Auf diese Bedingungen, die man zuerst für unzulässig erkannte,
kam man jetzt zurück, und sandte den Obersten Pful ins
Französische Lager, um weiter darüber zu verhandeln, und
durch ihn an den Grafen von Haugwitz den Befehl, dem Kaiser
zu erklären, man werde die Wiederbesetzung Hannovers als
eine feindliche Maßregel ansehn. Zugleich eröffnete Harden‐
berg dem Lord Harrowby, dem Geschäftsträger Englands,
was geschehen sei, und verlangte, die Brittischen Völker möch‐
ten sich hinter die Preußischen zurückziehn und jeden beleidi‐
genden Schritt vermeiden. Dasselbe wünschte der König von
Seiten der Schweden. „Dem Theil, der sich füge, verspreche
er Schutz und Sicherheit, doch rechne er, im Fall eines An‐
griffs, auf beide, wie auf der Russen schon verheißnen
Schutz.“ So entwarf und handelte man in Berlin, in gänz‐
licher Unwissenheit dessen, was, während der Zeit, von Haug‐
witz verabredet wurde, und Pful reiste am 19. December ab,
um die neuen Befehle zu überbringen g). Aber noch hatte

f) Allgem. 3. 1411, 1446. Der letztere traf am 17. December zu
Berlin ein.

g) Die Beweise für das Gesagte liefert das amtliche Schreiben
Hardenbergs an den Lord Harrowby vom 22. Dec. 1805. Man s.

der Beauftragte die Schlesische Gränze nicht erreicht, als der
Graf von Haugwiß, der am 16. December Oestreichs Hauptstadt verließ, ihm auf seinem Wege begegnete. Beide erklärten sich. Es schien immer noch Zeit, die Räumung Hannovers von Napoleon zu fordern, wenn der König den neuen
Vertrag verwerfe, und rathsam, die Bedingungen zu verber-
gen, wenn er ihn billige. Pful bedachte sich nicht lange,
eine, wenn nicht feindselige, doch gewiß störende Sendung
aufzugeben und er und Haugwiß trafen am 25. December
wieder in Berlin ein h).

Selten wohl hat sich ereignet, daß ein Vertrag unwil-
liger aufgenommen und doch reiflicher erwogen worden ist,
als der Wiener. Die erste Kunde, die sich von ihm verbreitete, ward die allgemeine Losung zum Tadel. Der Gedanke
an Kampf und Schlacht hatte sich der Gemüther zu sehr be-
meistert, um der Vorstellung des Friedens sogleich zu weichen.
Den Krieger verdroß die ruhmlose Rückkehr ins Vaterland,
und den Bürger kränkte die vermeintliche Herabsetzung, die
dem Staate widerfuhr. Wenige waren fähig sich zu sammeln und, was für und wider die Abkunft sprach, zu überlegen. Die meisten bedachten einzig die Vortheile, die ein
schlagfertiges ungeschwächtes Heer, Rußlands Versprechen
und Oestreichs stille Erbitterung darbot. Nach ihrer Ansicht
war der Augenblick zu handeln der günstigste und ihn ent-
fliehen zu lassen unverzeihlich. Am lautesten sprach die öffentliche Meinung sich gegen den Grafen von Haugwiß aus.
„Sein Zögern auf der Hinreise zu Napoleon scheine beinahe
geflissentlich, um, wo möglich, nur nicht vor der Entschei-

Schölls Histoire u. s. w. VIII. 23, oder auch das Polit. Z. von 1806,
S. 113 u. f. vergl. Lombards Materialien S. 161 und die Allgem. Z.
von 1806, S. 28.

h) Zufolge der Antwort Hardenbergs in der Berliner Zeitung vom
19. April 1806 auf den Angriff gegen ihn vom 21. März im Moniteur.
Schöll am angezeigten O oder auch das Polit. Z. von 1806, S. 356
u. f. vergl. die Allgem. Z. von 1806, S. 28.

dung einzutreffen, und sein ganzes Benehmen, auch in das mildeste Licht gestellt, höchst befremdend. Ihm habe obgelegen, bei seiner Ankunft in Brünn sich nicht von Napoleon leiten, viel weniger hinter das Heer nach Wien weisen zu lassen, sondern ihm die Aufträge des Königes mitzutheilen, ohne sie seiner Ueberzeugung unterzuordnen, oder den Umständen anzupassen. Jene Verspätung und diese Nachgiebigkeit sei Schuld, daß Oestreich, irre geworden an Preußen, den Frieden übereilt, Rußland die Fortsetzung des Krieges aufgegeben, und das Ganze eine nachtheilige Wendung genommen habe. Noch mehr. Sogar nach abgeschlossener Uebereinkunft sei keine Nachricht an den König eingesandt, sondern alles dem mündlichen Vortrage verspart und dieser wiederum durch die gemächliche Eile des Gesandten über Gebühr verzögert worden i). Was wohl Friedrich der Große zu einer ähnlichen Vollstreckung seiner Befehle gesagt haben würde?" Solche und andere Rügen wurden gehört. Auch fehlte es nicht an Leuten, die sogar Schlimmeres argwohnten und bösen Willen da ahneten, wo sicher Vorurtheil und Verkennung des Wahren allein obwalteten.

In diesem Gedränge der Parteien und Leidenschaften war es schwer selbstständig und entschlossen zu wählen. Darum berief der König die ersten seiner Staatsdiener, so viel ihrer in dem Rufe besonderer Weisheit standen, oder hohen Vertrauens werth schienen, um sich mit ihnen zu berathen, und niemals war, wenn dem Gerüchte zu trauen ist, eine Sitzung stürmischer und getheilter *). Je nach dem Gegenwart oder Zukunft in des Einzelnen Gemüth eingriff, Friedenliebe oder Kriegsruhm überwog, Napoleons Kühnheit mehr oder minder schreckte, und Gunst oder Ungunst für und gegen Haugwitz das Wort nahm, je nach dem vertheidigte und bestritt, rieth

---

i) Man sehe das eben angeführte Actenstück.

*) Materialien 157 u. Schölls Histoire etc. VIII. 28 u. f. vergl. die Allgem. Z. von 1806, S. 56.

und widerrieth, vergrößerte und verminderte Jeder. Selbst
als endlich nach hartem Kampfe entschieden war, Frankreich
nicht zu bekriegen, begann ein zweiter bei weitem härterer
über den dargebotenen Ländertausch. Man fühlte, wie
schimpflich es sei, treue Unterthanen und ein angestammtes
Erbe zu wechseln, wie man ein Gewand wechselt, aber man
hatte erfahren, wie schwer es werde, Entferntes und Verein=
zeltes zu beschützen. Man übersah nicht, welche zusammen=
hängende, selbst feste Gränzen Hannover gegen Frankreich
gewähre, aber man mußte eingestehn, daß zu dem Besitz ein=
zig die schmähliche Beraubung eines uralten Fürstenhauses,
mit dem man vielfach verbündet und oft verschwägert sei,
hinführe. Man sagte sich allerdings, daß die Staatsklugheit
nicht immer prüfe, was Rechtens sei; aber es war die Frage,
ob es auch staatsklug sei, dem Vortheile den letzten Rest der
öffentlichen Ehre und obwaltenden Redlichkeit aufzuopfern k).

So in Zweifeln sich auf= und abtreibend, weder dreist
genug, das trügliche Geschenk zu behalten, noch stark genug,
es zu verwerfen, suchte man auf einem Mittelwege beides
den Schein und den Gewinn zu retten, und sich das Ansehn
zu geben, als mäßige man den Wiener Vertrag, indem man
ihn wirklich aufhob. „Bis zum allgemeinen Frieden, so einigte
man sich, müsse alles in dem bisherigen Zustande zwischen
Preußen und Frankreich bleiben. Jenes solle keines der ver=
sprochenen Länder räumen, und Hannover nur einstweilen
besetzen, dieses werde England vermögen, das Kurfürstenthum
gutwillig und feierlich abzutreten l)." In dieser Art schien,
was Haugwitz beschlossen hatte, gefahrlos, rechtlich und nützlich.
Er selbst ward zum Ueberbringer der neuen Bestimmungen
auserseh'n und reiste am 14. Januar 1806 nach Paris m).

k) Materialien 163 u. f. und das Preußische Manifest vom 9.
October 1806.

l) Materialien 169.

m) Allgem. Zeitung S. 112. Vergl. über das Ganze Bignon V.
Kap 57, S. 159 f.

Vom Anfange an ist vielfach gestritten worden, was
Napoleons Absicht bei dem angetragenen Ländertausche gewe=
sen sei. Weder die Freunde Frankreichs, noch die Anhänger
des Grafen von Haugwitz haben irgend einer Anklage oder
Beschuldigung Raum geben wollen. „Der rechtliche Sinn
des Kaisers, sagen sie, erkannte das Unrecht, das in dem
Zuge durch Anspach lag, und gedachte zugleich der Vortheile,
die er diesem Durchzuge dankte. Ein geheimer Unwille gegen
Preußen waltete nicht ob und konnte nicht obwalten, weil
es erst nach erfahrner Beleidigung sich an Rußland ange=
schlossen hatte. Ueberdem war Napoleon nach der Austerlitzer Schlacht in der Stimmung, wo man gern Glückliche
macht, weil man selbst glücklich ist n). Offenbar verschenkte
er ohne Reid, da ihm, was er hingab, nichts kostete, und
mehrte Preußens Macht ohne Furcht, da er doch der Stär=
kere blieb, und mit einigem Gewinn für sich, da er auf Wie=
derherstellung der gekränkten Verhältnisse hoffen durfte." An=
dere, argwöhnischer und an der Danaer Gaben o) denkend,
ahneten nichts, als Hinterlist. „Es liege nicht in Napoleons
Denkart, meinten sie, Preußens trotzige Einmischung zu ver=
gessen; aber sie ihm gleich jetzt zu vergelten, rathe die Zeit
nicht. Eine desto empfindlichere Rache habe er sich für die
Zukunft durch Hannover bereitet. Dieß verderbliche Geschenk
sei ganz geeignet, Preußen zu verfeinden mit England, das
Mißtrauen der vaterländischen Fürsten zu mehren, und die
Bande, die es an Rußland knüpften, zu lösen. Auch für
den Fall eines Krieges mit Frankreich könne diesem nichts
erwünschter sein, als der Austausch treuer in den Staat ver=
wachsener Länder, gegen neue unsichere Erwerbungen. Was
es denn helfe, eine zusammenhängende Gränze zu gewinnen,
wenn der Unterthan hinter ihr nicht gewonnen sei?" Solche
Urtheile liefen um.

---

n) So Lombard in den Materialien 170.

o) Timeo Danaos et dona ferentes. Virgil, Aeneid. II. 49.

Zu Paris indeß wurde der Graf von Haugwitz mit einer Freundlichkeit empfangen, die günstige Deutung erlaubte und in Berlin sie erhielt p). Der König erklärte am 24. Januar q), wie ihm gelungen sei, den Frieden auf genügende Art zu behaupten, rief den größten Theil seiner Völker in ihre Einlager zurück und dankte für ihre Treue. Der Kaufmannschaft eröffnete am 26. der Freiherr von Hardenberg r), daß Preußens Lage alle Besorgnisse für Handel und Verkehr hebe, und um Hannover vorläufig, wie die Meinung war, zu besetzen, drang man auf die Entfernung der Verbündeten, die noch daselbst standen s). Die Englische Mannschaft, mit Einschluß des Deutschen Heerhaufens, unter dem Oberbefehl des Lord Cathcart, schiffte sich hierauf ein und stach in See, und die Russen unter Tolstoy zogen durch Preußisch-Pommern nach ihrer Heimath t). Nur der König von Schweden weigerte sich hartnäckig, das rechte Elbufer zu räumen, bevor eine Uebereinkunft zwischen ihm und dem Könige Englands getroffen sei v), doch ohne Einfluß auf die Maßregeln, die man in Berlin faßte. Eine öffentliche Bekanntmachung an Hannovers Adel und Bürgerschaft und ein Schreiben an die oberste Landesbehörde (beide vom 27. Januar) meldeten x), „wie die Französischen Völker von nun an das Kurfürstenthum räumen würden, und Preußen es bis zum allgemeinen Frieden in Verwaltung und Obhut nehme. Was die Verpflegung der Krieger und die Besoldung der Diener an Einkünften übrig lasse, komme ganz dem Lande zu gut. Man versehe sich freundlicher Aufnahme und unbedingter Anerken-

---

p) Materialien 174.
- q) Polit. 3. 119.
r) Das. 120.
s) Das. 448.
t) Das. 3. 121, vergl. die Allgem. 3. 166, 178.
v) Daselbst.
x) Polit. 3. 122, 225.

nung der Preußischen Verfügungen und Befehle." Zugleich
folgten der Erklärung, unter dem Grafen von Schulenburg-
Kehnert, drei und zwanzig Halbschaaren, fünf und zwanzig
Schwadronen Reiter und mehrere Stückbetten y). Umsonst
legte der Graf von Münster, der an der Spitze der Geschäfte
stand, eine feierliche Verwahrung im Namen seines Königes
nieder, rügte den argen Widerspruch zwischen dem Schreiben
an den Lord Harrowby vom vorigen Jahre und der neuern
Kundmachung und äußerte, daß ein Gehorsam, wie der geforderte, da er eine gänzliche Lossagung von dem rechtmäßigen
Landesherrn voraussetze, mit allem Pflichtgefühl streite z).
Die Besitznahme ging ihren Gang, und der Graf reiste im
Anfange des Hornungs nach London, nachdem er zuvor
ermahnt hatte, keinen vergeblichen Widerstand zu versuchen a).
Seitdem hielten alle, die sich nicht muthwillig täuschen woll-
ten, Englands Unwillen für wahrscheinlich und Preußens
Verhältnisse für bedenklich.

Aber es vergingen nur wenige Monate, als an jenem
nicht mehr zu zweifeln war und diese sich wirklich verschlim-
merten. Seit der Rückkehr der Preußischen Völker in ihre
Standlager war Napoleon ein anderer geworden. Mit Verachtung hörte er die Maßregeln einer Macht, von der es
ungewiß schien, ob sie übereilter beschließe, oder zaghafter
vollführe, und weit gefehlt in ihre Ansichten einzugehn, drang
er nicht nur auf die Erfüllung des verabredeten Ländertau-
sches, sondern schmälerte und verbitterte selbst sein Geschenk.
Um Hannover zu erhalten, mußte Preußen versprechen, der
Brittischen Flagge die Mündungen der Elbe und Weser zu
sperren, und Baiern von der Verpflichtung entbinden, ihm
einen Bezirk von zwanzig tausend Einwohnern abzutreten b).

---

y) Pol. J. 121.

z) Das. 229.

a) Das. 124. Die allgemeine Zeitung vom Jahr 1806 liefert die
angezogenen Actenstücke S. 164, 199, 283, 287.

b) Lombards Materialien 175.

Es war nicht mehr der Wiener Vertrag, es war ein neuer, den Haugwitz am 15. Februar abschloß und der König am 9. März durch seine Unterzeichnung bekräftigte c).

Von nun an begann ein Ländertausch, der die Untertha= nen betrübte und die Fremden empörte. Noch ehe der Graf von Haugwitz die Hauptstadt Frankreichs verließ, nahm be= reits Bernadotte (am 24. Februar) Anspach für Baiern in Besitz d). Das Fürstenthum Neufchatel und die Grafschaft Valengin wurden ihrer Verbindlichkeit (am 28. Februar) von Berlin aus entlassen e), huldigten (am 18. März) dem Kai= ser und gingen bald nachher (am 30.) unter dem Namen eines Herzogthums, an den kaiserlichen Freund, Alexander Berthier, über f). Den Rest des Clevischen Landes besetzte Dupont (am 16.) sammt der Feste Wesel (am 18. März) für des Kaisers Schwager, den Prinzen Murat g). Schon in diese Veränderungen mischte sich mancherlei Entehrung für Preußen. Tief erschüttert durch die Trennung vom Mutter= staate, entschütteten sich die Anspacher in einem rührenden Schreiben, das sie am Throne niederlegten, beides ihrer Liebe und ihrer Klagen h), und der König antwortete gezwungen und wie wenn ihn sein Unrecht drücke i). Bei der Räumung von Wesel drängte man, um an dem bestimmten Tage ein= zuziehn, die Preußische Besatzung so sehr, daß sie in den

---

c) Allgem. Z. 280. Auch sein Inhalt ist nicht amtlich bekannt, sondern bloß aus den Folgen erkannt worden. Vergl. Bignon V. Kap. 57, S. 164.

d) Polit. Z. 284. Die Abtretungs=Urkunde liefert Martens Re= cueil, Suppl. T. IV. 241.

e) Polit. Z. 329 und Martens 237.

f) Polit. Z. 391.

g) Das. 382. Die Bekanntmachungen giebt auch Martens 239, 250, 254. Vergl. Schöll VIII. 62 u. f. und Bignon V. Kap. 57, S.166.

h) Polit. Z. 324.

i) Das. 283.

Dörfern umher sich einlagern und was ihr an Kriegs= und
Mund=Vorrath gehörte, vorläufig zurücklassen mußte k).

Zugleich als Preußen dieß von Frankreich erfuhr, war
es selbst gezwungen, Andere (welches oft noch schmerzlicher
fällt) Aehnliches erfahren zu lassen. Durch die neue Abkunft
mit Napoleon hatte es sich verpflichtet, den Englischen Schif=
fen der Nordsee Häfen und Ströme zu schließen, wie zur
Zeit der Französischen Besitznahme Hannovers, und in einem
Schreiben vom 28. März bekannte es dieß demüthigende An=
gelöbniß der Welt und errichtete (schwerlich in Ernst, allein
deßhalb um nichts rühmlicher) Stückbetten längs der Küste
von Curhaven l). Bald enthüllte der erste Tag des Aprils
(die Alten hätten in ihm die üble Vorbedeutung gemieden,
die Neuern den Spott meiden sollen), was man sich bis jetzt
noch gescheut hatte, öffentlich zu gestehn. Eine Erklärung
vom genannten Tage besagte, Preußen eigne sich von nun
an, kraft seines Vertrags mit Frankreich, alle Deutschen
Staaten des Kurhauses Braunschweig, als vom Französischen
Kaiser durch Eroberung erworben und feierlich abgetreten,
von Rechts wegen zu und sehe sie in jedem Bezug für über=
gegangen in seine Gewalt an m). Auch dem Könige von
Schweden bot man zur selben Zeit Fehde und mußte es.
Hartnäckig bis zur Wunderlichkeit, unterhielt dieser Fürst,
wiewohl er selbst mit der Hauptmacht (am 27. März) nach
Pommern gezogen war n), immerfort einen unbedeutenden
Heerhaufen, unter den Befehlen des Grafen von Löwenhielm,
am rechten Elbufer, um seinem Verbündeten, dem Könige
von England, der dieses Dienstes nicht begehrte *), das

k) Polit. J. 385, vergl. Allgem. J. 347.
l) Polit. J. 370, vergl. die Allgem. J. S. 399, 418.
m) Polit. J. 340, Allgem. J. 434.
n) Polit. J. 367.
*) Le parti, sagt Schöll VIII. 36, que prit ce monarque de
s'ériger en protecteur du duché de Lauenbourg étoit d'autant plus

Herzogthum Lauenburg zu bewahren, fest meinend, die Preußen würden ihn nicht beunruhigen. Umsonst erklärte Friedrich Wilhelm, daß er alles Deutsche Eigenthum Englands
besetzen werde. Umsonst rieth der Rüssische Geschäftsträger
Alopeus, ein Land zu räumen, das sich nicht vertheidigen
lasse. Umsonst verfuhren die Preußischen Befehlshaber mit
aller nur möglichen Schonung. Als sie von Perleberg und
Lenzen her am 23. April durch das Mecklenburgische vordrangen, fanden sie dennoch Widerstand und Löwenhjelm zog
sich nur erst über Ratzeburg nordwärts, nachdem ein Schwede
gefallen und mehrere auf beiden Seiten verwundet waren o).
So gelangte Preußen zum vollen Besitz alles dessen, was
England auf Deutschem Boden sein nannte, aber bald auch
zum bittern Gefühl aller Folgen, welche aus Unrecht und
Hinterlist zu entspringen pflegen.

Es war zu erwarten, daß England, das schwer gekränkte,
zuerst empfindliche Rache üben werde, und so geschah es.
Die Kunde von der Schließung der Nordhäfen war kaum
über das Meer gekommen, so rief König Georg der dritte
seinen Gesandten Jackson von Berlin ab, sperrte (unterm 8.
April) die Mündungen der Elbe, Weser, Ems und Trave
und verbot nicht nur (den 5. April) den Brittischen Schiffen
für Preußische Häfen zu laden, sondern legte auch auf alle

---

extraordinaire que le roi d'Angleterre ne lui demandoit pas ce ser-
vice. Loin de là, une dépéche de Fox du 14. Février 1806 addressée
à Mr. Pierrepoint, ministre Britannique à Stockholm, demanda
même que le roi de Suède renonçât à se charger de ce rôle „J'ai
vu, dit Fox u. f. w.

o) Daselbst 468 u. f. und vor allem das schon mehrmals angezogene Gemälde der letzten Regierungsjahre Gustavs des vierten. (Schwe-
disch: Historisk Tafla af Konung Gustav IV. Adolfs sednaste Re-
gerinsår, med Billagen) I. 32. Mit Recht sagt Schöll 38. Note:
Il est facile de s'apercevoir, que cet ouvrage est semi-officiel. On
doit en citer le texte avec quelque précaution; mais l'ouvrage est
riche en pièces officielles.

Preußische Fahrzeuge in den Englischen Häfen Beschlag p).
Dieser neue Beschluß und die Kaperbriefe, die man (am 14.
Mai) ertheilte q), kosteten Preußen in wenig Wochen mehrere
hundert Schiffe und den ganzen blühenden Handel. Eben so
theuer zu stehen kamen seiner öffentlichen Ehre die amtlichen
Erklärungen und Reden r), die nun von der Insel nach dem
festen Lande ausgingen und, was irgend noch geheim oder
unbemerkt geblieben war, aufdeckten. Mit Bitterkeit verfolgte
man Preußens Betragen vom ersten Beginn an und malte
es mit den gehässigsten Farben. Was aus Unentschlossenheit
gefehlt oder in Thorheit gesündigt ward, hieß sträfliche Hin=
terlist, der aufgegebene Krieg gegen Frankreich ein unwürdi=
ges Geständniß von Schwäche, und die beabsichtigte Verwal=
tung Hannovers bis zum Abschluß des allgemeinen Friedens
überdachter Verrath. „Nie habe eine Macht heuchlerischer
gehandelt und die Gesetze der Treue und des guten Glaubens
frevelnder gebrochen, als Preußen. Von ihm könne man
lernen, wie man schmeichle mit Worten und verwunde durch
Thaten. Ob es nicht vor der Entschuldigung erröthe, daß
die Wahl der Mittel zur Sicherung seiner und des Nordens
Ruhe nach der Austerlitzer Schlacht nicht mehr von ihm ab=
hängig gewesen sei? Eine solche Sprache zieme keinem schlag=
fertigen Staate, wenn es Ruhm und Vaterland gelte, am
wenigsten dem Preußischen, dessen Heer sich der Siege des
großen Friedrichs erinnere, und im Verein mit einem Bun=
desgenossen, wie Rußland. Was man ferner denken solle,

---

p) Polit. J. 403, 430, vergl. die Allgem. Z. S. 454.

q) Polit. J. 631.

r) Dahin gehören die Noten, welche die Kur=Hannöverischen Ge=
sandten von Reden und von Ompteda jener zu Regensburg am 26.
März (Polit. J. 342) dieser zu Berlin den 7. April (423) übergaben,
die Declaration des Königs vom 20. April (437) und die heftigen Par=
laments=Reden, unter denen sich die von Fox (522) vorzüglich auszeich=
neten. (Vergl. Bignon V. Kap. 57, S. 168.)

wenn eben dieser Staat sich rühme, er habe durch seine Ver=
abredung mit Frankreich die fremden Völker aus Hannover
entfernt? Hoffentlich würden diesem Lande die Preußischen
Kriegsschaaren so fremd bleiben, wie die Französischen. Und
nun vollends das Prahlen mit gebrachten Aufopferungen!
Freilich habe Preußen seine Unabhängigkeit, seine Pflichten,
alte Besitzungen und treue Unterthanen geopfert; allein diese
Opfer wären nicht die Folgen der Maßregeln Englands und
gäben kein Recht, jener Macht das Ihre zu rauben." Es
lag vieles in diesen Vorwürfen, was dem Unparteiischen in
milderm Lichte erscheinen mußte; auch fehlte es nicht an
Vertheidigungen s). Aber lauter sprach immer die Thatsache,
daß Preußen ein uraltes Deutsches Fürstenhaus um das Erbe
seiner Väter gebracht habe.

Nicht schonender, denn England, behandelte den Preußi=
schen Staat der König von Schweden, so leicht verwundbar,
und doch so übermüthig, wie wenn er nirgends zu erreichen
sei. Kaum daß sein kleiner Haufen gezwungen worden war,
das Lauenburgische zu verlassen, so sperrte er, längs der Bal=
tischen Küste, alle Häfen vom Memel=Ausfluß bis zur Mün=
dung der Peene und befahl die Preußischen Schiffe aufzu=
bringen t). Niemand zweifelte, es werde Friedrich Wilhelm
die Unbill an der Ohnmacht rächen und sich des Schwedi=
schen Pommerns, dieses nahen und wohl gelegenen Landes,
versichern. Allein weit gefehlt, eine entschiedene Stellung zu
nehmen, äußerte sich auch hier jene Befangenheit, die aus
dem Bewußtsein des Unrechts hervorgeht und, durch den
Blick in die Zukunft gelähmt, für die Gegenwart nichts ver=
mag. Statt die Waffen schlichten zu lassen, wollte man

---

s) Man sehe unter andern die in Paris geschriebenen Bemerkun=
gen zur Englischen Declaration im Polit. J. 494.

t) Man sehe die Declaration vom 27. April im Polit. J. 477 und
die Instruction für den Contre=Admiral Cederström vom 2. Mai in
Gustavs des vierten letzten Regierungsjahren I. 134.

durch die Feder vermitteln, und der hartnäckige Schwede wich wieder um keinen Schritt v). Wie nachdrücklich auch Preußens König in eigenhändigen Briefen vorstellte, Lauenburgs Schicksal sei an Hannovers Schicksal geknüpft, und die Ostsee weder der Brittischen noch einer andern Flagge verschlossen, — Gustav Adolph erklärte standhaft, seine Ehre, die Obliegenheit gegen England, und die Verpflichtung zum Westphälischen Frieden erlaube ihm nicht, die begonnene Feindseligkeit unter einer andern Bedingung zu enden, als wenn ihm entweder Lauenburg überantwortet, oder die Elbe den Englischen Schiffen geöffnet werde, und fuhr fort die Preußen zu befehden. Solche Demüthigung erfuhr und trug Preußen von dieser Macht.

Die empfindlichste fügte ihm jedoch Napoleon selbst zu. Die Achtung, die es vielleicht eine Zeit lang von diesem Fürsten genossen hatte, war nach so vielen Anzeigen von Unsicherheit im Beschließen und Handeln gar sehr gemindert worden, wie denn in der Meinung des Kräftigen und Gewaltsamen nichts so sehr schadet, als Unentschlossenheit und Behutsamkeit. Vorzüglich floß und mußte wohl die Art, wie Preußen Hannover hinnahm, in das Urtheil des Kaisers einfließen. Nachdem er dem König so viel geboten hatte, entstand leicht der Gedanke, er dürfe ihm alles bieten, und so nahm er in seinen Entwürfen keine Kenntniß weiter von ihm, sondern ordnete nach Willkühr, wozu die erschütterten Verhältnisse Deutschlands, gutes Glück und eigne Denkweise anriefen.

Der Anfang absichtlicher Kränkung ging aus von der Begünstigung des Großherzogthums Berg, des eben gegründeten. Drei Abteien, Elten, Essen und Werden in der Grafschaft Mark erkannten vor dem Lüneviller Frieden die Hoheit Preußens und waren ihm nachher als weltliche Besitzungen

---

v) Siehe den Briefwechsel der beiden Monarchen im gedachten Werke I. 136 — 149.

II. Theil. 8

verblieben. Alle drei nahm jetzt der Großherzog in Anspruch und gedachte sie mit seinem Lande zu vereinigen. Vergebens machte man ihm bemerkbar, daß sie weder auf Clevischem Gebiete lägen, noch unter den abgetretenen Ländern begriffen wären. Er beharrte standhaft auf seinem Entschluß, und bald drängte man dort zu Ausgang des Märzes einander so ungestüm, daß Preußische und Französische Völker in die nämlichen Ortschaften einrückten und Blücher, der die erstern führte, die Besitzergreifung nicht abwehren konnte x). Selbst den Bewohnern der Grafschaft Mark ward in jenen Tagen vor Herren-Wechsel so bange, daß sie ein kräftiges Schreiben nach Berlin sandten und an fest bewahrte uralte Treue und an die Zusage des großen Kurfürsten erinnerten y). Solches traf den König unmittelbar.

Noch Härteres traf ihn mittelbar. Preußen war seit Jahren gewohnt, daß sich nichts in Deutschland ohne sein Mitwissen ordnete. Als Joseph der zweite nach dem Besitz von Baiern lüstete, wehrte ihm Friedrich der Große. Derselbe stiftete den Fürstenbund, als jener späterhin die Deutsche Verfassung auf andere Weise antastete. Den jungen Grafen von Bückeburg schützte Friedrich Wilhelm der zweite gegen die Anmaßungen Hessens, und in die Umschaffung des Vaterlandes nach dem Frieden von Lüneville wirkte Preußen verborgen und sichtbar ein. Wie wenig Napoleon gesonnen sei, ferner noch dieß Fürstenhaus zu beachten, zeigte recht auffallend eine der merkwürdigsten Veränderungen Deutschlands, die, kaum mit flüchtigen Worten angedeutet z) und

x) Allgem. Z. 411, 418, 439. Vergl. Mém. du Duc. de Rovigo III. S. 152, wo erzählt wird, daß der Großherzog sich Mühe gegeben habe, Napoleon gegen Preußen aufzuregen.

y) Polit. Z. 453.

z) In einem Schreiben aus München vom 12. Januar hieß es fast räthselhaft: „Wir behalten uns vor, durch fernere Verfügung die Bande anzugeben, welche nach unserm Willen alle Bundesstaaten des Französischen Reichs umschlingen sollen. Da die verschiedenen unter sich

durch ein dumpfes Gerücht umhergetragen, in des Julius Mitte eintrat. Mehrere Fürſten, des Reichs im Süden ſowohl als im Weſten und unter ihnen die angeſehenen Herrſcher Baierns und Würtembergs, ſeit dem Preßburger Frieden Könige, riſſen ſich plötzlich von dem alten Germaniſchen Vereine los und bildeten, unter dem Namen des Rheinbundes, einen neuen, an deſſen Spitze als Beſchützer der Kaiſer von Frankreich trat a). Alles war bedeutend in dieſer Erſcheinung,

─────────

unabhängigen Theile einen gemeinſamen Vortheil verfolgen, ſo muß ſie auch ein gemeinſames Band vereinigen." Polit. J. 179.

a) Man ſehe die Bundes-Acte und die ihr verwandten Erklärungen in Martens Recueil, Suppl. T. IV. 313 u. f. Der erſte Gedanke zu dieſem Bunde ging von dem Freiherrn von Waitz, erſtem Miniſter des Kurfürſten von Heſſen, aus. Die rein germaniſchen Staaten, meinte derſelbe, ſollten, ihre Unabhängigkeit zu ſichern, ſich zu einem Bunde unter dem Schutz eines mit Deutſchland nicht zuſammenhängenden Staates erſten Ranges vereinigen, und dieſen Gedanken theilte er zu Anfange des Jahres 1804 dem Franzöſiſchen Miniſter Bignon in Caſſel mit, der ihn, weiter ausgeführt, ſeiner Regierung in einer Denkſchrift vorlegte. Die Franzöſiſche Regierung ging fürs erſte auf den Entwurf nicht ein, doch fand er großen Beifall und Herr von Talleyrand ſchrieb Bignon am 27. Februar, daß derſelbe über lang oder kurz zur Ausführung kommen könnte. Dieſe verzögerte ſich ſo lange, bis man ſich überzeugte, daß man nur in ihr den Stützpunkt in Deutſchland finden könne, den das Cabinet der Tuilerien gegen die faſt ſtetig gewordene Coalition von Oeſtreich und Rußland ſuchte, und als es entſchieden war, daß man ihn in Preußen vergebens ſuche, ſchritt man mit der größten Raſchheit zur Schließung des Bundes. Vom 6. Julius an begann Talleyrand mit jedem Staate, der in denſelben aufgenommen werden ſollte, einzeln zu unterhandeln und die Willfährigkeit zum Beitritt war ſo groß, daß ſchon am 12. Julius eine allgemeine Zuſammenkunft der Abgeordneten bei dem Franzöſiſchen Geſandten gehalten und an dem nemlichen Tage die Bundesacte unterzeichnet werden konnte. Am 1. Auguſt wurde ſie ſowohl von dem Franzöſiſchen Geſchäftsträger als von den Mitgliedern des Bundes den Reichstagsmitgliedern zu Regensburg mitgetheilt. Bignon IV. Kap. 42, S. 89 u. V. Kap. 60, S. 214. Vergl. Lucchesini Rheinbund II. S. 356. Nach dieſem Verfaſſer war beſonders der Kurfürſtl. Erzkanzler F. v. Dalberg ein Beförderer des Bundes und ein noch leidenſchaftlicherer der kurbaieriſche Miniſter Mongelas a. a. O. S. 295 vergl. S. 312.

8*

die Heimlichkeit, mit welcher sie sich gestaltete, die Schnellig=
keit, mit der sie hervorbrach, die nächste Folge für Oestreich,
das am 6. August der Deutschen Krone entsagte b), die Ab=
hängigkeit, in die mehrere bis jetzt selbstständige kleine Fürsten
von dem begünstigten größern geriethen, endlich das Ueber=
gewicht, das der Französische Staat gewann. Alle nicht Ver=
blendeten erschraken und fürchteten, am meisten Preußen.
Zum ersten Mal empfand es, daß es aufgehört hatte, unter
den Mächten zu zählen, deren Einwilligung man bedürfe,
und empfand es um desto tiefer, da der König zugleich durch
die Beeinträchtigungen seines Schwagers, des Prinzen von
Nassau=Diez=Oranien, litt. Nicht nur die Geldforderungen
dieses Fürsten an den Batavischen Freistaat, die (seit dem 9.
April) durch den Tod seines Vaters, des ehemaligen Erb=
statthalters, auf ihn übergegangen waren, wurden durch die
Entscheidung Frankreichs zurückgewiesen; auch ein Theil des
Deutschen Eigenthums seiner Vorältern kam, durch die Grün=
dung des Großherzogthums Berg, unter die Landeshoheit des
Französischen Prinzen Joachim Murat c).

Bald beliebte Frankreich noch einen unerwarteten Ein=
griff, der nicht minder empfunden ward. Die Festung Wesel,
in die Hände des Bergischen Großherzogs gegeben, war
eigentlich in den Händen Napoleons, und es schien völlig
gleichgültig, wozu sie gehöre. Dennoch ordnete ein Befehl,
am 29. Julius von St. Cloud ausgehend, daß sie in allen
kriegerischen Beziehungen künftig der fünf und zwanzigsten

---

b) Das hieher gehörige Actenstück liefert Martens am a. O. 332.

c) Sowohl diese, als manche bereits erwähnte und noch zu erwäh-
nende Kränkung ist in der Preußischen Kriegserklärung vom 9. October
1806 (vergl. Schölls Histoire etc. VIII. 362 u. f.) geltend gemacht. —
Die Geldansprüche des Hauses Nassau gründeten sich ursprünglich auf
einen zwischen Frankreich und Preußen abgeschlossenen Vertrag vom 24.
Mai 1802 (s. Martens Recueil Suppl. T. III. 219.), aber die Bata=
vische Regierung hatte sich der Anerkennung derselben stets widersetzt.

Kriegsabtheilung einverleibt und zum Ruhr=Bezirk zu rech=
nen sei d).

Um eben diese Zeit forderte Napoleon e) den König,
als er ihm das Dasein des Rheinbundes anzeigte, zur Grün=
dung eines ähnlichen Bundes in Nord=Deutschland auf. Die=
ser Antrag stimmte zu wohl mit den Bedürfnissen Preußens
und dem geheimen Wunsche aller Vaterlandsfreunde, um nicht
willig aufgenommen zu werden. Einige Schriftsteller träum=
ten sogleich gutmüthig von einem nordischen Kaiserthume,
oder berechneten scharfsinnig im voraus dessen Flächen=Inhalt
und Macht; noch andre erklärten vorlaut, wie nur in einem
solchen Verein Rettung für Deutschland blühe; und schon ergin=
gen von Berlin aus an die angesehensten Höfe Vorfragen und
Werbungen f). Aber während Preußen für diesen Zweck ar=
beitete, ergriff und verfolgte Frankreichs Kaiser denselben.
Der Rheinische Bundesvertrag sagte bloß aus g), man be=
halte sich vor, noch andre Deutsche Fürsten und Stände in

---

d) Allgem. Z. 932. Nach Bignon ist Wesel erst im Jahre 1808
dem Französischen Reiche einverleibt worden. V. 5, Kap. 60, S. 229.

e) Zufolge der Preußischen Kriegserklärung. Vergl. Lucchesini
Rheinbund II. 30.

f) Man vergl. die Allgem. Z. S. 916. Es wurden von Preußen
allerdings ernstliche Verhandlungen über die Bildung eines Nordi=
schen Bundes mit dem Kurfürsten von Sachsen und dem Kurfürsten
von Hessen gepflogen und die Einleitung zu demselben machte ein Schrei=
ben des Königes von Preußen an den Kurfürsten von Sachsen vom 25.
Juli 1806, worin dieser zu einem dem Rheinbunde entgegen zu setzen=
den Föderativsysteme eingeladen wurde, welches aus einer nähern Ver=
bindung zwischen Preußen, Sachsen und Hessen bestehen solle. Auch
ward Preußischer Seits am 21. August ein Entwurf zu dieser Verbin=
dung dem Sächsischen Gesandten Grafen von Görtz mitgetheilt, von
dem Kurfürsten von Sachsen dagegen ein Gegenentwurf übergeben.
Ausführliche Nachrichten über diese Verhandlungen, welche, da sie ohne
Erfolg blieben, hier übergangen werden können, findet man in Pölitz
Regierung Friedrich Augusts I. S. 273 — 289. Vergl. auch Bignon V.
Kap. 62, S. 266.

g) Artikel 39.

den Verein anfzunehmen, sobald deren Vortheil dem gemein=
samen nicht widerspreche: allein von nun an schien man sich
nicht mehr mit der' unbedingten Einladung begnügen zu
wollen. Den Kurfürsten von Cassel forderte der Französische
Gesandte ausdrücklich zum Beitritt auf und verhieß ihm sogar
als Lockung Fulda, das Eigenthum des Prinzen von' Ora=
nien, Schwagers des Königs *). Den Hansestädten, Bre=
men, Hamburg und Lübeck ward verboten, den nordischen
Bund zu verstärken, weil Frankreich sie in seinen besondern
Schutz nehmen wolle **). Denen, die das Land eines Bun=
desgliedes gewaffnet oder ungewaffnet mit ihren Völkern
durchziehen würden, bot man nach einem spätern Beschluß
Fehde h).

---

*) Französischer Gesandter am Casselschen Hofe war damals Big=
non und dieser erklärt in seiner Geschichte den Antrag, von welchem
hier die Rede ist, für eine Erdichtung. V. Kap. 62, S. 271. Dagegen
erzählt Matth. Dumas: L'électeur de Hesse, désigné comme l'un
des principaux membres de la confédération du Nord, fut vivement
sollicité de se réunir à celle du Rhin, et menacé par celle-ci de
perdre une partie de ses possessions, s'il s'obstinait à s'y refuser
XV. S. 254. Vergl. Lucchesini Rheinbund II. 39.

**) Vergl. Bignon B. V. K. 62, S. 278.

h) So ebenfalls die schon erwähnte Preußische Kriegserklärung,
vergl. Napoleons Schreiben an den König von Baiern vom 21. Sept.
im Polit. J. S. 1059. Bignon behauptet, Napoleon sei einem Kriege
mit Preußen abgeneigt gewesen. Er habe, sagt er, nur ein Bündniß
mit dieser Macht vor Augen gehabt und sein Plan in Bezug auf das
Festland habe darin bestanden, es in zwei Zonen einzutheilen, von denen
die eine durch Rußland und Oestreich, die andere durch Frankreich und
Preußen besetzt werden sollte. Zu seiner Abneigung gegen diesen Krieg
sei aber noch ein persönlicher Beweggrund gekommen. Napoleon, sagt
er, marschirte keineswegs mit jener Gemüthsruhe und Sieges=Gewiß=
heit, die ihm so eigenthümlich war, gegen Preußen. Er fürchtete zwar
nicht besiegt zu werden, allein er fürchtete den Vortheil nur mit großem
Verluste zu erkaufen und schon dadurch, daß seine Siege nicht unerhört
wären, glaubte er in ihnen im Vergleiche mit dem Feldzuge von 1805
eine Schmälerung des blendenden Ruhmes zu erfahren. (Bignon B. 3,

Es war dem Könige, zumal seit des Grafen von Haug=
witz Wiederkehr, nicht entgangen, wie sein Verhältniß zu
Frankreich sei, oder doch in kurzer Zeit werden müsse. Darum
bewahrte er sorgfältig die dargebotene Freundschaft Alexan=
ders und knüpfte zeitig den Bund fester, um einst nicht allein

---

K. 32, S. 153 vergl B. 5, K. 61, S. 256). Mit Bignon stimmt
überein, was in Las Cases Mémoires de St. Hel. Tom. VI. S. 449
steht: Nous avons été à cette époque (wo der Krieg mit Preußen
dem Ausbruche nahe war) témoins des regrets et de la repugnance
qu'avait ce prince (Nap.) pour la 'guerre de Prusse; il était dis-
posé à laisser à cette puissance le Hanovre, et à reconnaître une
confédération du Nord de l'Allemagne. Il sentait que la Prusse
n'ayant jamais été ni battue ni humiliée par la France, étant toute
entière, n'avait aucun intérêt contraire aux siens; mais qu'une fois
vaincue il faudrait la détruire. Dagegen versichert Bourienne (T. VII.
p. 266). La destruction de la Prusse n'était pas dans la tête de
l'empereur un projet nouveau, et je me rapelle à ce sujet un mot
de Bonaparte à Mr. Lemercier dans les premiers tems, que nous
habitions la Malmaison. Mr. Lemercier avait lu au premier consul
je ne sais plus quel poëme, où il était question du grand Frédéric.
„Vous l'admirez donc beaucoup, dit Bonaparte à Mr. Lemercier.
Que trouvez vous donc en lui de si étonnant? il n'est l'égal de
Turenne." Général, repondit Lemercier, ce n'est pas seulement
le guerrier que j'estime en Frédéric, mais vous ne pouvez pas nous
empêcher d'admirer un homme qui, sur le trône même, a fait preuve
de philosophie. Le premier consul dit alors d'un ton aigre-doux :
„Non, mon bon Lemercier, ce n'est pas mon intention, mais cela
ne m'empêchera pas de rayer son royaume de la carte." Je suis
sur, setzt Bourienne hinzu, que si Mr. Lemercier lit ceci il en recon-
naitra la parfaite exactitude. Nun ist zwar Bourienne's Glaubwür=
tigkeit stark in Anspruch genommen worden in: Bourienne et ses erreurs
ou observations sur ses mémoires par Belliard, Gourgaud etc.
Allein in der wortreichen Ausführung dieser Entgegnungen findet sich
über diese Aeußerungen nichts und es ist dem Herausgeber kein Wider=
spruch von Lemercier bekannt worden. Auch stimmt mit Bourienne eine
im Lucchesini angeführte Aeußerung Napoleons überein. Am 24. Oct.
1804 ward nemlich der Brittische Geschäftsträger Rumbold durch ein
Französisches Detachement auf neutralem Hamburger Gebiet aufgehoben
und nach Paris geführt. Auf die kräftige Verwendung des Königs von
Preußen aber gab ihm Napoleon, doch ungern, seine Freiheit wieder.

zu stehn. Bereits am vorletzten Januar reiste der Herzog von Braunschweig, in Begleitung des Herrn von Krusemark, nach Petersburg, von wo er erst im Ausgange des März zurückkam i), und Niemand zweifelte, wiewohl das Gerücht Gleichgültiges vorwandte, daß er in wichtigen Angelegenheiten gesandt sei. Eben so zuverlässig verkündigten andre Anstalten, wenn nicht beschlossenen Krieg, doch Bereitschaft zu allem. Nicht nur eine wirkliche Kriegsmacht stand zum Aufbruche fertig, viel zu groß für die Besitznahme Hannovers k); selbst auf die Errichtung einer namhaften Landwehr ward gesonnen, um die erste zu unterstützen. Ueberdem zeigte die absichtliche Schonung Schwedens und das unsichere Benehmen gegen England l) deutlich genug, worauf man sich jetzt schon gefaßt halte. Ruhig, wie der König dachte und Kraft und Gegenkraft abwog, hätte er indeß den Frieden gewiß auch jetzt noch bewahrt, wenn es nicht öfters sogar des Besonnensten Loos wäre, seine Richtung von außen zu empfangen.

Das wieder hergestellte Verhältniß zwischen Preußen und Frankreich ward nemlich in Berlin so wenig gebilligt, daß es vielmehr die Erbitterung erst recht belebte und diese sich lauter aussprach, denn je. Seit dem Abschlusse des Wiener Vertrags ward Hardenberg ganz eigentlich der Mann des Volkes und vor allen der Krieger. Ihm bewies man durch Darbringung einer rauschenden Musik und eines ehrenden

---

Als ihm nun einige ihre Verwunderung über diese Nachgiebigkeit äußerten, soll er gesagt haben: Le roi de Prusse m'a fait passer un mauvais quart d'heure, mais je le lui ferai payer avec usure. (Lucchesini Rheinbund I. S 242.)

i) Allgem. Z. S. 155, 374. Sein Gefährte Krusemark (s. S. 888) kehrte erst am 29. Julius zurück. Vgl. Bignon B. 5, K. 57, S. 169.

k) Mehrere Nachweisungen hierüber enthält die Allgem. Z. z. B. S. 183.

l) Man sehe im Polit. J. S. 624 die merkwürdige Stelle aus dem Morning-Chronicle vom 23. Mai.

Lebehochs öffentliche Achtung und entschiedenes Wohlwollen, während der Haß gegen Hangwitz sich in vielfachen und höchst auffälligen Beleidigungen offenbarte *). Was für Verun=glimpfungen der erste in jenen Tagen durch Französische Blätter erfuhr — und es trafen ihn deren gar manche m) —, sie alle wurden ihm zum Verdienst angerechnet. Eben ihm folgte allgemeines Bedauern, als er, der Verfolgung weichend, aus dem Rathe des Königs schied n), so wie dem Grafen von Hangwitz, an den die Geschäfte nun allein übergingen, unverhehlter Argwohn und Tadel. Auf der Bühne erlaub=ten sich die Schauspieler Hinweisungen, die man begierig ergriff und erwiederte o), und im Drucke mochten jetzt, wie früher, selbst angesehene Schriftsteller sich nicht mäßigen, ihren Unwil=len in geschichtlichen Anspielungen auszulassen p).

Wie zweifelhaft der König, bei einer so entschiedenen Stimmung für den Krieg, über die zu nehmenden Maßregeln war, offenbarte sich zum Theil schon in der Nachsicht, welche er gegen diese und andere Erscheinungen jener Tage bewies. Die Herabwürdigung eines der ersten Staatsdiener, die Fried=rich der Große als Verletzung eigner Ehre gerächt hätte, blieb ungeahndet. Die unziemlichen Reden vorlauter junger Krie=ger, die man an vielen öffentlichen Orten hörte, wurden ver=boten, aber wie ohne Ernst, so ohne Frucht q). Die Aus=fälle gegen Frankreich mochte lesen, wer wollte, und die

---

*) Maffenbachs historische Denkwürdigkeiten I. 97.

m) Man sehe unter andern im Polit. J. 356 den Artikel aus dem Moniteur. Vergl. Vignon V. 5, K. 57, S. 171.

n) Polit. Jour. 432. Sein Wirkungskreis endigte mit dem 15. April. Aber schon im Januar wurde sein Zurücktreten vermuthet. Vergl. a. a. O. 172.

o) Wallensteins Lager und der politische Kannengießer waren in jenen Tagen die oft gegebenen und fleißig besuchten Stücke.

p) Attila, der Held des fünften Jahrhunderts, erlebte bekanntlich kurz hinter einander zwei Auflagen.

q) Allgem. Z. 383.

Andeutungen im Schauspiele wiederkehren und der Zuschauer
stürmische Theilnahme sich äußern, ohne daß ein anderer, als
der Französische Gesandte, sie rügte. Auch das war in und
außer Berlin kein Geheimniß, daß die Königin in der allge=
meinen Stimmung befangen sei *). Nur ein kleiner Funke
schien nöthig, um ihres Gemahls vielfach gereiztes Gemüth
ganz zu entflammen, und dieser Funke fiel bald genug.

Ungeachtet die Furcht vor Uebermacht und Unterdrückung,
die Mutter der meisten Kriege, zu den Waffen mahnte, und
immer wiederholte Kränkungen die Empfindlichkeit schärften,
bestand doch zum Bruche keine entscheidende Veranlassung,
als endlich eine solche aus den Verhandlungen hervorging,
die Frankreich seit dem Monat April mit England pflog.
Zu den vorläufigen Bedingungen der Ausgleichung beider
Staaten gehörte auch die, daß an den Beherrscher Englands
seine Deutschen Länder zurückkehren sollten. Diese Nachricht,
zuerst durch Lucchesini, den Preußischen Gesandten zu Paris,
im Anfang des August seinem Hofe gemeldet r), dann durch
vielfältige Briefe aus London bestätigt, und späterhin, nach
Auflösung der angeknüpften Verbindung, dem Brittischen
Volke von dem Könige selbst mitgetheilt s) erzeugte anfäng=
lich in Berlin jenen Eindruck, der das Unglaubliche zu beglei=
ten pflegt. Man läugnete sich eine Weile die Möglichkeit
des Antrags an England und wollte nicht an die tiefe Ver=
achtung glauben, die daraus gegen Preußen hervorleuchtete.
Aber es dauerte nicht lange, als unzweideutige Zeichen in

---

*) Vergl. Bignon V. Kap. 62, S. 284.
r) Allgem. Z. S. 928, vergl. 944. Wie hinterlistig die Franzosen
die Wahrheit umgingen und entstellten, sagt ihr erster Tagesbericht
Bamberg, den 8. Oct. 1806. Vergl. Bignon B. 5, K. 62, S. 274.
s) Man sehe die Englische Declaration wegen Abbrechung der
Friedensunterhandlungen mit Frankreich im Polit. Z. 1096, vergl. die
Europäischen Annalen von 1807. 1. 161, 164. Vergl. Bignon B. 5,
K. 62, S. 262, wo er sich Mühe giebt, Napoleon zu rechtfertigen, ohne
jedoch zu überzeugen.

Menge beides die begründete Ueberzeugung und den gefaßten
Entschluß verkündigten. Eilboten über Eilboten gingen nach
allen Theilen des Reiches von Berlin ab. Allen Preußischen
Feldherrn von Ruf, an ihrer Spitze der Herzog von Braun=
schweig, sammelten sich um den König. In den gesammten
Ländern des Staates waffnete sich, was noch nicht bewaff=
net war, und zog aus seinen Einlagern der Elbe zu t). Die
Bewohner der Hauptstadt, wie von Taumel ergriffen, wuß=
ten ihrer Freude kein Ende v), und die Lage des Französi=
schen Gesandten Laforest ward unbequem. Nach Petersburg
eilte (am 15. September) Krusemark, um mit Alexandern
nähere Verabredung zu treffen x). Aus dem Lauenburgischen
zogen die Preußen ab und die Schweden (am 27. August)
ein, ohne daß Friedrich Wilhelm es ahndete. Er wünschte
Aussöhnung mit Gustav Adolph und die Freiheit der Ostsee=
Häfen, die jetzt erfolgte y). Auch England, seines Wunsches
gewährt, bot zur Aussöhnung mit Preußen die Hand und
verkündigte in öffentlichen Blättern vorläufig die Befreiung

---

t) Allgem. Z. 944, 952, 968 u. f. w.

v) Mehreres hieher gehörige meldet die Allgem. Z. So ertönte
(S. 1044) das ganze Schauspielhaus von dem lebhaftesten Beifalle, als
in der Jungfrau von Orleans die Verse gesprochen worden:

> Für seinen König muß das Volk sich opfern;
> Dieß ist das Schicksal und Gesetz der Welt.
> Nichtswürdig ist die Nation, die nicht
> Ihr alles freudig setzt an ihre Ehre.

Daß Dichterlinge und Flugschriftler (Allgem. Z.S. 1107) unter solchen
Umständen nicht dahinten blieben, sondern ihr Licht ebenfalls fleißig
leuchten ließen, bedarf kaum bemerkt zu werden. Ein in jenen Tagen
sehr gelesenes Blatt findet man im Polit. Z. 924. Vergl. Bignon V.
K. 62, S. 287 u. K. 63, S. 289.

x) Allgem. Z. 1072, 1088. Eben er (S. 964) war früher auch
(den 15. August) nach Greifswalde an den König von Schweden gesandt
worden.

y) Die letzten Regierungsjahre Gustavs I. 38, und vorzüglich die
Beilagen 149—157. vergl. das Polit. Z. 919.

der Elbe. z). So viel vermochte gemeinsamer Haß gegen Einen, daß in wenigen Wochen die Verhältnisse der Mächti= gen sich umgestalteten, und Freunde aus Feinden, und Bun= desgenossen aus erbitterten Gegnern wurden. Zugleich zeig= ten die Stellung, die Napoleon nahm, und die Bitterkeiten, die sich die Französischen Blätter gegen Preußen und Ruß= land erlauben durften a), daß er belehrt und gefaßt sei. Nur noch eine kleine Hoffnung dämmerte in der Sendung des Herrn von Knobelsdorf, der an Lucchesini's Statt nach Paris ging b), aber Niemand gab sich ihr mit Zutrauen hin.

---

z) Après la mort de Fox, le parti contraire à la France avait pris le dessus dans le cabinet de Londres, et les liaisons entre ce cabinet et celui de Berlin s'étaient renouées par suite d'une ouver- ture qui avait été faite par le cabinet de Berlin à Mr. Thornton, ministre d'Angleterre à Hambourg. Celui de Prusse à Londres reprit son caractère diplomatique. Le 25. Septembre le nouveau sécretaire d'état, lord Howick (plus connu sous le nom de Mr. Grey qu'il portait, lorsqu'il siégait dans l'opposition), annonça par un circulaire aux ministres étrangers que sa court venait de lever le blocus de l'Elbe, du Weser et de l'Embs, qui avait été ordonné le 16. Mai.

a) Man vergleiche unter andern die beiden Aufsätze gegen Ruß= land und Preußen, die aus dem Journal de l'Empire in die Allgem. Z. 1057, 1069 übergegangen sind. In dem letztern heißt Rüchel bereits ein Don Quixote, der mit einigen jungen Preußischen Officieren ein Bedürfniß nach Abenteuern fühle.

b) Er verließ am 22. August (Allgem. Z. 988) Berlin, woselbst Lucchesini (1067) am 18. September eintraf. Napoleon ließ dem Kö= nige durch Lucchesini erklären, daß er, seit dem Bruch der Unterhand= lungen mit Rußland jede Hoffnung, den Frieden auf dem Festlande zu erhalten, vereitelt und den Seekrieg nur um so hartnäckiger gemacht habe, die Vergangenheit gern zur Beherrscherin der Gegenwart machen würde; daß er aber, wenn er sich in die Nothwendigkeit versetzt sähe, mit dem Preußischen Heere handgemein zu werden, entschlossen sei, aus Hochachtung, mit stärkern Streitkräften anzugreifen; daß er überhaupt Alles aufbieten werde, des Sieges noch früher gewiß zu sein, bevor die Vereinigung der Heeresmacht Alexanders und der Hülfstruppen von Frankreichs erbittertsten Feinden denselben unsicherer oder wenigstens blutiger gemacht hätte. Bignon V. K. 63. S. 297.

Fünftes Buch.

———◆———

Der zweite Französische Krieg vom Aufbruch der Preußischen Heeresmacht bis zu ihrer gänzlichen Auflösung.

September 1806 — November.

Dijudicari non potest, quid optimum factu fuerit, quam pessimum fuisse, quod factum est.

TACIT. Histor. II. 39.

Es scheint nicht unschicklich, ehe wir übergehn zur Er=
zählung des Krieges, der Preußens Macht brach, beides der
Hoffnungen und der Befürchtungen zu gedenken, mit denen
die Menschen sich damals schmeichelten und quälten, damit
klar werde, wie ungleich man den Feind würdigte, wie von
allem Anfang an sich Parteilichkeit einmischte, und worin,
einem großen Theile nach), des Kampfes schlimme Wendung
ihren Grund hatte.

Der Meinungen, die in jenen Tagen die Gemüther be=
herrschten, waren eigentlich drei. Die gewöhnlichste und die
nicht bloß in den Preußischen Staaten, sondern in Deutsch=
land vorwaltete, ging auf Sieg. Ihre vernünftige Wahr=
scheinlichkeit entlehnte sie von dem Preußischen Heere, das,
wenn es auch nach Friedrich dem Großen keine neuen Lor=
beern errungen, doch eben so wenig die errungenen eingebüßt
habe; aber das volle Gewicht gab ihr die Art, wie die Heer=
führer sich äußerten, das günstige Vorurtheil, das sie genos=
sen, und der öffentliche Wunsch, der gegen Frankreich sprach.
„Dießmal beginne Preußen allein und werde den Hauptschlag
sicher ausführen, bevor das verbündete Rußland hinzutrete,
vielleicht gar ohne auswärtigen Beistand vollenden. Das
begründe einen wichtigen Unterschied, ob ein braves Heer
unter braven Befehlshabern frei handle, oder, wie in den
letzten Feldzügen in der Champagne und am Rhein, unauf=
hörlich durch anderer Trotz und Mißgunst gelähmt werde.
Ob man denn einen Braunschweig und Möllendorf irgend

141

eines Vorwurfs zeihen könne? Was mißlungen sei, komme
auf fremde Schuld; sie selbst hätten überall Tapferkeit und
Kriegskunde bewiesen. Wie ganz anders sei überdem die
Sache, für die man ausziehe, in Vergleichung mit der früher
vertheidigten. Jetzt kämpfe man nicht mehr, wie vor Jahren,
um Königswürde und Königthum, sondern um gefährdete Volks-
ehre, nicht für die Vergrößerung des Staates, sondern für
dessen Erhaltung, nicht um Beleidigungen zuzufügen, sondern
um Unrecht abzuwenden. Daß dem so sei, lehre schon die
muthvolle Stimmung der Hauptstadt. Gewiß werde man
den Krieg mit derselben Begeisterung führen, mit der man
ihn aufnehme, und, durch Vergangenheit und Gegenwart zugleich belebt, Großes zu Großem fügen."

 Dieser Partei entgegen stand eine gemäßigte, die doch
nicht wagen durfte (so sehr drückte der kriegerische Muth oder
Uebermuth!) sich offen und laut zu äußern. Mit der erstern
kam sie darin überein, daß sie der Tapferkeit der Preußen
ebenfalls keinen geringen Werth beilegte. Aber da sie besonnener, was seit Jahren geschehen war, auffaßte und unbe-
fangener richtete, so entging sie dem Fehler der Ueberschätzung
und beschränkte sich auf die Hoffnung mannhaften Widerstan-
des. „Warum eben das Preußische Heer siegen müsse? Das
Französische habe die lange Uebung voraus und kämpfe unter
so erfahrnen Feldherrn, daß es wohl kaum fürchten dürfe, in
offner Feldschlacht zu unterliegen. Was sich allein als wahrscheinlich empfehle, sei, daß das Preußische, wenn auch weichend, nicht sogleich, wie eine zusammengeraffte Rotte, sich
auflösen, noch die erste Niederlage, wie in dem letzten Oestreichischen Kampfe, entscheiden, sondern der Krieg den Krieg
lehren werde. Auch Magdeburg an der Elbe und die Reihe
der starken Oder-Festungen komme hier in Betracht. Jede
von ihnen biete dem überwundenen Heer eine Stütze dar und
dem verfolgenden ein Bollwerk, das weder füglich zu umgehn, noch leicht zu überwältigen sei. Indeß rücke die Ruf-
sische Hülfe näher und mit ihr die Ergänzungs-Mannschaft

aus Preußen und Schlesien. Vielleicht, daß dann der Sieger, gewohnt die Tapferkeit auch im Feinde zu ehren, und
den Oelzweig auch im Glücke bereit zu halten, sich zur Aussöhnung erbiete, und Preußen, was es etwa an Land ein-
büße, in der Achtung der Menschen und durch die eingesam-
melten Erfahrungen im Felde gewinne." So meinten diese.

Beiden Ansichten widersprachen, doch nur in vertrauten
Kreisen, die wenigen, die den Geist des Preußischen Heeres
und das Innere des Staates genauer kannten, oder auch
wohl nur von Napoleons unüberwundnem Heer auf ein unüberwindliches schlossen. „Für die Vermuthung, Preußen werde
mit Glück kämpfen, spreche nicht die mindeste Wahrscheinlichkeit. Das Heer gelte allerdings für vortrefflich, aber es ent-
behre der Jahre langen Uebungen, durch die das Französische
sich auszeichne, zähle eine Menge Krieger und junger Befehlshaber ohne alle Erfahrung und ziehe, das unbeholfenste
und beladenste, gegen das leichteste und beweglichste. Angenommen indeß, daß ihm mit dem feindlichen gleicher Rang
gebühre, wer denn von den Preußischen Feldherrn — Grei-
sen und Ueberbleibseln alter Zeit — sich mit Frankreichs
Kaiser und dessen rüstigen Waffengefährten vergleichen dürfe?
oder, wenn zwischen Einzelnen eine Vergleichung Statt finde,
wer denn die belebende Seele sei, die das Ganze halte und
richte? Alle beherrsche Neid ohne Zweck und Stolz ohne
Größe. Man werde wohl sehen, wenn es zum Handeln
komme, wie jeder werde befehlen, keiner gehorchen wollen.
Eben so wenig müsse man unter dem gemeinen Volke auf
Einheit und Eifer für Preußens Sache rechnen. Nur die
alten in den Staat verwachsenen Unterthanen dächten redlich; der Süd-Preuße hege immerfort heimlichen Groll und
der neulich einverleibte Westphale und Hannoverer offne Feindschaft. Auf die Bundesgenossen sich zu verlassen, sei vollends
Thorheit. Der Sachse könne es mit Preußen nicht aufrichtig meinen, weil diesem stets nach dem schönen Lande gelüste;
und wann der Russe aus dem fernen Norden und Osten

II. Theil. 9

eintreffe und was, selber an Ort und Stelle, seine rohe Tap=
ferkeit gegen besonnene vermöge, habe unlängst der Erfolg
gelehrt. Endlich zugegeben, das gute Geschick begünstige in
etlichen Treffen Preußens Waffen, — in die Länge müsse
das Mißverhältniß zwischen seinen und Frankreichs Gränzen,
Vortheilen und Hülsquellen sich doch offenbaren; ja der Friede
werde vielleicht um so theurer zu stehen kommen, je hartnäcki=
ger man sich wehre. Wie Napoleon übrigens gegen den
Staat denke, sei längst klar, auch nicht unbekannt, daß sogar
der gemeine Französische Krieger bei seinem Zuge durch die
Fränkischen Länder vor den Preußischen Adlern ausgespuckt
habe."   Es war natürlich, daß dieses Urtheil nur wenigen
einleuchtete; aber bald mehrten sich die schlimmen Vorzeichen
aller Art und verschafften ihm Achtung *).

---

*) Was der Hof, sagt Bignon, was das Volk selbst nicht bemerkte,
das konnten die Staatsmänner sich doch nicht verheimlichen: die künst=
liche Größe, die Friedrich II. Preußen gegeben hatte, war auf die
Schwäche der andern Länder gegründet, oder vielmehr auf die Schwäche,
welche die Unfähigkeit ihrer Regierungen über dieselbe brachte. Jetzt
war das Verhältniß, was wenigstens Frankreich betraf, geändert. Außer
dem daß die Kräftigkeit der republikanischen Regierung die alten Pro=
portionen vernichtet hatte, so hatte auch die Vereinigung aller durch die
Republik geschaffenen Mittel in den Händen des ersten Consuls zwischen
beiden Staaten eine neue Reihe von Beziehungen herbeigeführt, die
gewöhnlichen Blicken entging, welche aber unterrichtete Beobachter täg=
lich anerkennen mußten. Das Preußische Heer war stets brav und gut
in Ordnung gehalten; es war aber von seiner alten Weise nicht herab=
gekommen; aber das Französische Heer hatte sich erhoben, es war um
die ganze Länge größer geworden, die seine physische und geistige Unter=
lage zuließ; das eine dieser beiden Heere lebte so zu sagen von seinem
alten Ruhme, das andre berauschte sich täglich in neuem; in dem einen
war nur noch Friedrichs Schatten, Friedrich selbst war in dem andern.
Die geschicktesten Minister und der König selbst mit ihnen begriffen sehr
wohl, daß, um das Trugbild der Preußischen kriegerischen Macht voll=
ständig zu erhalten, man um jeden Preis den Zusammenstoß zwischen
diesen beiden Heeren vermeiden müsse. Eines Tages werden diese klu=
gen Ansichten weniger Macht haben (Anspielung auf den Krieg von
1806) und die Monarchie wird für ewige Zeit verloren sein. Bignon
B. 2, K. 22, S. 189.

Was die Menschen zuerst über die Lage des Staates unfreundlich belehrte, waren die Maßregeln, zu denen die Geldnoth zwang. Der kleine Schatz, durch die Sparsamkeit des Königs, seit des Vaters Tode, neu gesammelt, war unnütz in zweimaliger Bewaffnung des Heers zerronnen. Jetzt sollte es zum dritten Mal auftreten. Es lag so nahe, von dem Lande zu fordern, was die erste Ausrüstung bedurfte; aber die Gewohnheit sprach nicht dafür und der Einzelnen Eigennutz widerstrebte a). Der Staat, der vormals andern Gelder vorstrecken konnte, nahm selber bei Fremden auf und eröffnete unter verschiedenen Bedingungen beträchtliche Anleihen in Danzig, in Cassel und bei der Bank in Franken. Einige kleinere unterstützten jene größern, und in den alten Provinzen erhöhte man die Verkaufspreise des Salzes. Zugleich ward durch einen königlichen Befehl vom 4. Februar das längst gedrohte Papiergeld, eine Summe von fünf Millionen Schatzscheinen, gesetzmäßig eingeführt und diese bald auf zehn Millionen erhöht b).

Nicht erfreulicher war, was von den Verhältnissen zwischen Preußen, Sachsen und Hessen verlautete. Niemand zweifelte, das Gewicht der anführenden Macht, die Liebe zum gemeinsamen Vaterlande, und die Gefahr, die der Selbstständigkeit aller drohe, werde sie schnell und aufrichtig vereinigen. Besondere Rücksichten schienen da nicht obwalten zu können, wo es das Höchste galt, noch Ausnahmen denkbar, die irgend die Kräftigkeit der Entwürfe lähmten. Allein bald erfuhr man, daß die Zeit mannhafter Beschlüsse für Deutschland vorüber und ein fester Bund selbst zwischen dreien unmöglich sei. Der Sachse wollte nur dann zutreten, wenn Preußen verspreche, ihm das Land zu decken und Dresden

---

a) Materialien zur Geschichte der Jahre 1805, 1806 und 1807, S. 102, 176.

b) Allgem. Zeit. S. 68. Das Edict über die Treforscheine liefern die vertrauten Briefe V. Beilagen S. 170, und Vossens Zeiten Band V. (Febr. 1806) 157.

9 *

nicht als befestigte Stadt anzusehn c); und der Heffe erklärte, wie er keinen Theil an dem Kampfe der Verbündeten nehme, und erhielt von Frankreich die Anerkennung seiner Parteilofigkeit, während er heimlich für Preußen rüstete, es begünstigte, wo er konnte, und Entscheidendes verhieß, wenn das Loos der Schlacht glücklich falle d). Der eine folgte — ungern, aus Furcht vor Preußen, der zweite säumte — ungern, aus Furcht vor Frankreich. Keiner wollte wagen, jeder des Seinen in allen Fällen gewiß sein *).

---

c) Maffenbachs Denkwürdigkeiten II, 2. S. 27 und 40. Vergl. Bignon V. K. 63, S. 306.

d) Man sehe die Note, die der Französische Geschäftsträger St. Geneft dem Kurfürsten vor seiner Abreise am 31. October übergab. Polit. J. von 1806, S. 1117 Vergl. Bignon a. g. O. Der Kurfürst von Heffen, erzählt Bignon, welcher die Preußische Armee gar zu gern rühmte, sagte eines Tages zu dem Französischen Minister: „Mein Herr, dieß ist das schönste Officiercorps, welches ich kenne, und zwar aus lauter Edelleuten bestehend!" Als Napoleon einige Zeit darauf nach Potsdam kam, fragte er denselben Minister, den er zu sich berufen hatte: „Nun! was meint jetzt der Kurfürst von seinen adeligen Offizieren? Er weiß wohl nicht, daß viele meiner Marschälle die Söhne von Handwerkern sind?" S. 306.

*) Als am 4. September 1806 Durchmarsch und Aufenthalt des von Schlesien nach Sachsen aufgebrochenen Heertheils nachgesucht worden war, erhielt am 5. September der Kursächsische Minister Graf von Görtz die Vollmacht zur Abschließung eines Alliantractats nebst dem Gegenentwurfe zu einem norddeutschen Bunde, und am 12. September befahl der Kurfürst, das Sächsische Heer auf den Kriegsfuß zu setzen, ließ aber zugleich durch seinen Gesandten in Paris erklären, daß seine Maaßregeln bloß auf Vertheidigung berechnet wären. Am 20. September genehmigte derselbe den Entwurf zu einer Militär-Convention mit Preußen, ließ jedoch in Paris abermals erklären, daß er auf seinem Defensionsystem beharre, zwar einen Theil seiner Truppen zu dem Preußischen Heere habe stoßen laffen, aber nur unter der Bedingung, daß die Sächsische Gränze nicht überschritten werde und das Sächsische Heer sich von dem Preußischen trennen solle, falls das letztere angriffsweise gegen Frankreich verfahre. Am 22. September forderte und erhielt der Französische Gesandte Durant in Dresden seine Pässe, dem Kur-

Dieselbe Unsicherheit, die in den Rathschlägen der Be=
herrscher Sachsens und Hessens obwaltete, offenbarte sich,
einfließend, auch in den Bewohnern Preußens und in den
Bewegungen seines Heeres. Der Krieg war nach allen An=
zeigen gewiß, einen Fürsten, wie Napoleon, täuschen zu wol=
len, vergeblich, und selbst ein abermaliger Friede nicht wün=
schenswerth, weil er keine Dauer versprach und der Staat
seine letzten Kräfte in der dritten Bewaffnung erschöpft hatte.
Gleichwohl unterhandelte man immerfort in Paris und gab
und empfing Freundschafts=Versicherungen, als ob ernstliche
Ausgleichung gesucht oder Vortheil von ihnen erwartet werde e).
Diese scheinbare Erhaltung der bestehenden Verhältnisse fiel
indeß wenigen auf und ward gedeutet, wie immer. Desto
stärker befremdete dagegen das Zögern im Felde. In großer

---

sächsischen Gesandten in Paris aber ward befohlen, seinen Posten nicht
zu verlassen. Am 23. ward indeß der Graf von Görtz bevollmächtigt,
den Allianztractat mit Preußen abzuschließen, und bald darauf auch, die
Militär=Convention zu unterzeichnen, doch am 6. Oct. ward dem Grafen
die Unterzeichnung des erstern wieder untersagt. Während der ersten
Unterhandlungen nämlich, welche im August über den nordischen Bund
mit dem Cabinet zu Dresden gepflogen wurden, unterzeichnete der Kur=
hessische Minister Baron von Waitz im Namen seines Kurfürsten einen
Allianztractat mit Preußen, in welchem die Grundlagen zu dem Nord=
deutschen Bunde ausgesprochen waren. Allein der Kurfürst von Hessen
ratificirte diesen Tractat nicht und dieß war der Grund zu dem Auf=
trage, welchen der Graf von Görtz am 6. Oct. erhielt. Als es darauf
zum Ausbruche der Feindseligkeiten kam, sah sich der Kurfürst von
Sachsen genöthigt, den Preußischen Forderungen nachzugeben und das
Sächsische Heer unbedingt an Preußen zu überlassen, verfehlte aber nicht,
auch davon durch seinen Gesandten in Paris Anzeige machen zu lassen.
Der Kurfürst von Hessen scheint besonders durch das Französische Aner=
bieten der Neutralität unentschlossen — wenn er je entschieden war —
geworden zu sein und suchte dieselbe auch persönlich bei dem König von
Preußen, doch ohne Erfolg, nach. Pölitz Regierung Friedrichs August I.
285 f.

e) Den ganzen September hindurch, also, während die Preußischen
Völker schon in voller Bewegung waren, wechselte der Herr von Kno=
belsdorf mit dem Prinzen von Benevent hinhaltende Erklärungen

Eile waren die Schlesischen Völker, an deren Spitze der Fürst
von Hohenlohe stand, vereinigt worden. Am 23. August
brach die Vorhut auf. Die andern folgten rasch, und obwohl
erst gegebene und dann zurückgenommene Anordnungen die
Fortschritte um einige Tage hemmten, standen sie doch bereits
am 5. September f) zwischen Bunzlau und Löwenberg. Am
7. rückte die gesammte Macht über den Bober in die Lausitz
und zwischen dem 14. und 18. an sechs Stellen über die
Elbe g). Allgemein war der Glaube, sie werde so forteilen,
um den zerstreuten Feind in Franken zu überfallen und die
einzelnen Heerhaufen aufzureiben: aber der Glaube betrog.
Erst am 24. kam der Befehl, wieder aufzubrechen und vorwärts zu gehn, doch nur bis Chemnitz h). Keiner begriff,
weshalb so spät und nicht weiter.

Auf gleiche Weise, wie in den östlichen Theilen des
Reichs, vereinigten sich in den westlichen, und hier um so
leichter, weil man schon gewaffnet stand, die Hannöverschen
und Westphälischen Krieger unter Rüchel und Blücher i).
Auch die Bildung eines Mittelheers begann nicht minder rasch
unter dem Herzog von Braunschweig, Möllendorf und dem
König. Die Völker aus dem Magdeburgischen und Halber-
städtischen, zusammt denen aus dem Saalkreis, der Mittel-
mark und dem neu erworbenen Thüringen, setzten sich in
Bewegung und die Besatzungen von Potsdam und Berlin
rückten aus k). Dennoch hinderte mehreres auch bei diesen
die Behendigkeit des Vorschreitens, am meisten das Heran-

---

f) Massenbachs Denkwürdigkeiten II. 1. S. 27, vergl. den Bericht
des Augenzeugen von dem Feldzuge der Preußen und Sachsen im September und October 1806, von Rühl von Lilienstern. Zweite Ausgabe.
I. 25. Die hemmenden Anordnungen sind entwickelt von jenem S. 24,
von diesem S. 19 u. f.

g) Massenbach am angez. O. und der Augenzeuge I. 25, 21, 22.

h) Massenbach II. 1. S. 43 und der Augenzeuge I. 49.

i) Der Augenzeuge I. 16.

k) Derselbe I. 16 und die chronologische Uebersicht II. 229.

ziehen der Abtheilung, die unter Kalkreuth gegen Schweden
in Pommern gelagert war l). Die Sachsen ebenfalls sam=
melten sich nur allmählig und spät, weil der Kurfürst mit
seinem Entschluß säumte, die Preußen selbst durch ihr Vor=
rücken ihnen ruhigen und schnellen Verein erschwerten und die
hergebrachten Formen keine Eile begünstigten m).

Eine ganz andere Thätigkeit herrschte bei dem Feinde,
dem diese Rüstungen galten. Während die Deutsche Heeres=
macht gemächlich und ungewiß, welche Richtung sie nehmen
solle, sich im Sachsenlande fortbewegte, strömte die Franzö=
sische, als ob alles versäumt sey, von allen Orten herzu und
alle nach einem Punkt. Um die Zeit, wo die Preußen in
Dresden einrückten, erhielten die kaiserlichen Schaaren in
Franken und in Schwaben Befehl, ihre Standorte zu ver=
lassen. Von Paris aus setzten sich die Garden in Bewegung
und eilten auf Wagen, die Krieger aus dem Innern des
Reichs in beschleunigten Zügen nach den Gränzen. Der
König von Baiern ward unterm 21. September aufgefordert,
seine noch bewaffneten Völker gegen Preußen zu sammeln,
und wenige Tage darauf der Beitritt des Würzburger Groß=
herzogs zum Rheinbunde angekündigt *). Der Kaiser selbst,
der am 25. aus seiner Hauptstadt reiste, traf den 28. in
Mainz ein, und ergriff von da, allbelebend, alles und alle.
Zur Errichtung eines Vortrabs des Nordheers, eines achten
Heerhaufens zu Mainz, und einer Nord=Legion aus Ueber=
läufern durch den Polen Zajonczek in Landau, ergingen Auf=
forderungen und Befehle. Die Feste Forchheim erhielt neue
Werke. Würzburg, von ihm untersucht, ward eilends ver=
stärkt, um dort und zu Kronach mit Sicherheit Kriegsvor=
räthe niederzulegen. In Mainz sprach und gewann er den

---

l) Der Augenzeuge I. 30.

m) Derselbe I. 39, vergl. die Note S. 48 und Massenbach 42.

*) Allgemeine 3. 1109, 1119. Das Schreiben an den König von
Baiern enthalten auch die Europäischen Annalen von 1806. IV. 83.

noch schwankenden Großherzog von Hessen-Darmstadt. Zu
Aschaffenburg empfing ihn mit Unterwerfung der Kurfürst
und Erzkanzler von Dalberg, und in Würzburg fesselte er
den Großherzog an sich und begeisterte den König von Würtemberg, der ihn aufsuchte, für Frankreichs Sache n).

Aber nicht bloß der Einzelne ward gewonnen; auch die
öffentliche Meinung beeiferte man sich zu erobern. Es war
in den ersten Tagen des Octobers, als der Preußische Gesandte von Knobelsdorf die letzte Erklärung seines Königs
von Metz aus an Talleyrand, Prinzen von Benevent, damals

n) Allgem. 3. 1104, 1136, 1121, 1127, 1139, vergl. die chronologische Uebersicht der Begebenheiten aus den öffentlichen Blättern in dem
Berichte des Augenzeugen II. 229. Den merkwürdigen Aufruf des
Königes von Würtemberg an seine Krieger enthalten die Europäischen
Annalen IV. 127, Sehr anschaulich sind die Stellungen und die Richtungen, welche Napoleon die verschiedenen Abtheilungen seines Heeres
in ihren Bewegungen nehmen ließ, dargestellt in M. Dumas Précis etc.,
so daß selbst der Laie in der Kriegskunst mit Hülfe einer Karte sich
vollständig orientiren und den schlagenden Gegensatz wahrnehmen kann,
der zwischen den Maßregeln Napoleons und seiner Gegner Stand fand.
S. B. XV. S. 300 — 304 und S. 311 — 325. Ici se terminèrent,
sagt er am Schlusse seiner Darstellung, les savantes dispositions de
cette ouverture de campagne. Nous avons pensé que d'en pré-
senter pour ainsi dire le journal, était la manière la plus claire
d'expliquer une des plus profondes combinaisons stratégiques dont
l'histoire militaire offre l'exemple. Bei diesen kriegerischen Anordnungen behauptete man zugleich eine verstellte Achtung gegen Preußen,
und nahm den Schein an, als ob man an den Krieg gar nicht glaube.
Vous ferez bien, heißt es in einem officiellen Schreiben vom 15. Sept.
aus dem Franz. Hauptquartier München an den Marschall Bernadotte, de
recommander dans votre armée la plus grande circonspection à
l'égard de la Prusse, d'être aussi bien que possible avec les Prussiens, et de maintenir avec eux la bonne intelligence. L'empereur
a levé cinquante mille hommes de la conscription; il vient d'en
appeller encore cent nouveaux mille; cela n'est pas un mystère,
on en parlera; mais on doit répondre que cette mesure n'a d'autre
but que la juste précaution à prendre dans le cas où les armemens
que l'on fait sans motif seraient dirigés contre la France, ce que
l'on est bien loin de croire. M. Dumas XV. S. 402.

in Mainz, gelangen ließ. Preußen setzte drei Bedingungen
fortdauernder Freundschaft fest, — daß die gesammte Fran=
zösische Macht unverzüglich über den Rhein zurückgehe, daß
Frankreich keinen Fürsten außer dem Rheinbund hindere, an
der Bildung eines nördlichen Vereins Theil zu nehmen, und
daß Wesel vom Französischen Reiche getrennt und die West=
phälischen Abteien, Essen, Elten und Werden, vorläufig ge=
räumt würden. Diese Eröffnung förderte Talleyrand unge=
säumt an den Kaiser nach Bamberg, sie begleitend mit einem
Schreiben vom 6. October, das sogleich im Druck ausging
und, mit Beziehung auf ein früheres (vom 3. October),
Preußens Benehmen als heimtückisch gegen Frankreich und
hinterlistig gegen das Vaterland schilderte o).

„Monate lang habe er geforscht und in Berlin vergeblich
gefragt, was Preußen wolle und wozu es sich rüste. Der
Rheinbund sei von ihm anerkannt und einen nördlichen Staa=
tenbund zu knüpfen ihm nicht gewehrt worden. Wenn sich
Frankreich hierbei für die Unabhängigkeit der Hansestädte be=
stimmt und die völlige Freiheit der eingeladenen Deutschen
Fürsten als Bedingung ihres Beitritts verlangt habe, so
spreche sich hier keine Feindseligkeit, sondern höchste Billigkeit
aus. Gleichwohl sei es durch die Ränke einer verderblichen
Partei nun so weit gekommen, daß ein Preußisches Heer in
Sachsen stehe, dem Rheinbunde drohe, und Krieg ohne Kriegs=
erklärung beginne. Aber gerade der Angriff in dieser Rich=
tung und die schriftliche Erläuterung des Preußischen Gesand=
ten (denn dafür möge man billig sein Schreiben nehmen)
löse das Räthsel vollständig. Von dem Rückzuge des Fran=
zösischen Heers und der Freigebung der Stadt Wesel und
der drei Abteien spreche man, und die reichen Hansestädte

o) Die hieher gehörigen Actenstücke stehen Französisch in den Zei=
ten von 1807, Urkunden-Buch zum Febr. S. 111. Deutsch eben daselbst
Febr. S. 183 und im dritten Anhange zu den Feldzügen von 1806 und
1807, S. 6 u. f. Vergleiche Bignon V. K. 63, S. 311 f.

und das schöne Sachsenland sei gemeint. Der Unterjochung
der einen, wie des andern solle Frankreich geruhig zusehn, und
eigene Erniedrigung sich gefallen lassen. Ob man vor jenen
Geständnissen nicht erröthe und diese Hoffnung im Ernst
hege?"

Dieselbe Sprache redete in einem Aufruf p) an das
Heer und in einem Schreiben an seine Räthe q) der Kaiser.
„Krieger, sagte er zu den erstern, die Anstalten zu euerer
Rückkehr ins Vaterland waren getroffen, als die nämliche
Partei in Berlin, die vor vierzehn Jahren Preußens Völker
in die Ebenen von Champagne trieb, den Kampf neu ent=
flammte. Zwar Paris denken sie dießmal nicht zu verbren=
nen und zu verwüsten; allein in den Hauptstädten unserer
Verbündeten wollen sie ihre Fahnen aufpflanzen, Sachsen sich
zueignen, und die Lorbeern von eurer Stirne reißen. Ich
soll euch aus Deutschland entfernen! Die Unsinnigen! Für
euch gibt es nur einen Weg der Rückkehr, — den Weg der
Ehre. Laßt uns aufbrechen und ihren unbegreiflichen Stolz
zähmen! Das Loos, das sie vor vierzehn Jahren traf, treffe
sie wieder! Mögen sie lernen, daß es leicht sei, seine Macht
durch die Gunst des großen Volks zu erweitern, aber daß auch
seine Feindschaft furchtbarer sei, als die Stürme des Oceans!"
Und den Räthen schrieb er: „Als ich an den Gränzen meines
Reichs anlangte, hatten die Preußen die ihrigen bereits über=
schritten. Ich konnte mir Glück wünschen zu den Maßregeln
vorläufiger Vertheidigung. Sachsen war angefallen, und der
weise Fürst, der es beherrscht, gezwungen, wider seinen Wil=
len und den Vortheil seiner Völker zu handeln. Wohl ge=
leitete Züge haben meine Schaaren in Eile vereinigt; meine
Lager sind gebildet r). Das Herz trauert über den Einfluß,

---

p) Vom 6. Oktober. Polit. Z. 1056.

q) Vom 7. October. Das. 1072.

r) Der rechte Flügel (Soult, Ney und eine Baiersche Abtheilung),
lautete am 7. October Napoleons Befehl, bricht von Nürnberg und

den der Genius des Bösen unablässig gewinnt. Aber der
Krieg ist gerecht. Wir haben ihn nicht veranlaßt." Diese
Worte, mit der Sicherheit Ueberzeugung verkündigt, regten
alle Franzosen auf, wirkten zurück auf die Sachsen und führten
selbst manche der Deutschen irre. Preußen konnte, zuvorkom-
mend, auch hier eingreifen in der Menschen Thun und Lassen
und hatte unzeitig gesäumt.

Doch es war von ihm um jene Zeit noch weit Wichti-
geres verabsäumt worden. Ungeachtet der vielen Hindernisse,
die sich zwischen den Entschluß zum Kriege und dessen Ausführung gedrängt hatten, schien gleichwohl gegen den Ausgang des Septembers im Wesentlichen wenig verloren. Das
Haupt- und Mittelheer war damals aus Norden bereits bis
Naumburg vorgerückt. Der rechte Flügel unter Rüchel wendete sich durch das Hessische und Hannöversche in die Gegend
von Göttingen und Mühlhausen; der linke unter Hohenlohe
stand im Erzgebirge, fähig, binnen vier Tagen Hof im Baireuthischen zu erreichen. Das West-Preußische Unterstützungsheer unter dem Prinzen Eugen von Würtemberg lagerte, von
Fürstenwalde aufbrechend, am linken Elbufer s). Alles zeigte
an, man denke, den Thüringer Wald, ein rauhes unwegsames
Gebirg, das leicht befestigt, leichter noch vertheidigt werden

---

Amberg auf, vereinigt sich zu Baireuth und trifft den 9. zu Hof ein;
das Mittelheer (der Großherzog von Berg, Ponte-Corvo, Davoust und
die Garden) rückt über Bamberg und Kronach den 8. nach Saalburg,
dann über Schleiz nach Gera; der linke Flügel (Lannes und Augereau)
geht über Schweinfurt nach Coburg, Gräfenthal und Saalfeld. Die
Französischen Tagsberichte Nr. 1. (Man findet sie zerstreut in den
Europäischen Annalen, unter der Aufschrift: Codex diplomaticus, und
vereint, aber weniger gut übersetzt, in den Anhängen zu den Feldzügen
von 1806 und 1807.) Die frühern Sammelplätze des feindlichen Heeres
nennt der Augenzeuge II. 233. S. die Bemerkung n S. 136.

s) Der Augenzeuge in der chronologischen Uebersicht II. 234 u. f.
vergl. Operationsplan der Preußisch-Sächsischen Armee im Jahr 1806
von E. v. W. S. 5 u. f. und Beschreibung der Affaire bei Halle am
17. October 1806 von P. A. W. von Hincke, S. 15.

kann, rechts und links zu umgehn, in Franken selbst den
Feind aufzusuchen und sich dort vielleicht am Main die Hände
zu bieten. Für diesen Entwurf sprach so vieles. Er war
auf Angriff berechnet und darum ermuthigend für das Heer;
er erleichterte die Zusage, die man den Sachsen wegen Deckung
des Landes gegeben hatte, da er den Feind von ihren Grän=
zen entfernte; und er gewährte im Unglück eine sichere Zu=
flucht hinter dem Thüringer Walde t).

Desto mehr befremdete die Saumseligkeit, der man sich
hingab, die Verblendung, die überall herrschte, und die Ver=
änderlichkeit, die keine festen Maßregeln ergriff. Während
der gemeine Krieger, aus Fahrlässigkeit und verkehrter Ein=
richtung, am Nothwendigsten Mangel litt, erlustigte man sich
im Hauptlager v). Ueber den nahen Feind hatte man keine
oder dürftige Kunde, weil Späherei für niedrig galt, oder
der Kosten unwerth schien x). Unter den Heerführern offen=

---

t) Man sehe über das, was hätte geschehen können oder sollen,
Massenbachs Denkwürdigkeiten II. I. S. 15, 21; den Augenzeugen I.
44; den Verfasser des Operationsplans S. 6 u. f. und Groß im Mili=
tairischen Handbuche. S. 335.

v) Der Augenzeuge I. 36, vorzüglich II. 89, und Groß Hand=
buch 338.

x) Der Augenzeuge I. 35, 38, vergl. Massenbach II., I. S. 40.
Der Herzog von Braunschweig war der festen Ueberzeugung, Napoleon
werde, um den Vorwurf zu vermeiden, die Preußen absichtlich zum
Kriege gereizt zu haben, vertheidigungsweise verfahren, indem er seine
Truppen in der Wetterau, Schwaben, Baiern und Franken zerstreue,
und daher allem Anschein nach nicht so angelegentlich darauf bedacht
sei, solche mit den Rhein=Bundtruppen zu vereinigen, oder neue Mann=
schaft aus den nächsten Standquartieren am linken Rheinufer an sich
zu ziehen; ja er zweifelte, daß Napoleon seine persönliche Gegenwart
nöthig halten werde, und wiewohl Lucchesini auf seiner Rückkehr von
Paris am 22. Sept. ihm versicherte, daß Napoleon es sehr ernstlich nehme
und erzählte, was er gehört und gesehen, war der Herzog doch nicht von
seiner Ueberzeugung zurück zu bringen. Lucchesini Rheinbund II. 117.
Ein Freund des Herausgebers, der nicht lange vor dem Ausbruche der
Feindseligkeiten in Dresden und Leipzig gewesen war, dort an der Table

barte sich zeitig, wie unglückliche Scheelsucht obwalte, und
Jeder am liebsten für sich und unabhängig gehandelt hätte.
Die Berathschlagungen, die man veranstaltete, führten zu
vielen Worten und zu keinem Beschluß. Entwürfe, die Be=
achtung verdienten, blieben ungeprüft, oder wurden zurückge=
schoben y). Der Ober=Feldherr selbst trug den seinen in ver=
schlossener Brust z), und als er ihn endlich mittheilte, staun=
ten die Verständigern und meinten, er habe den schlechtesten
von allen gewählt.

Bei der Heeresabtheilung, die der Fürst von Hohenlohe
leitete, waren nämlich (am 27. September) alle Anstalten
getroffen, um von Chemnitz nach Hof vorzurücken, als ein
Befehl des Herzogs von Braunschweig die ganze Richtung,
die man jetzt für genehmigt hielt, abänderte. „Der Fürst,
statt seinem Wege südwestlich nach Hof zu folgen, solle un=
verzüglich nordwestlich über Gera und Schleiz gehen, und
seinen Stand zwischen Jena und Saalfeld nehmen. Von da
möge er sich links gegen das Thüringer Gebirg schwenken
und sein Volk zwischen Saalfeld und Ordruf aufstellen, um
(den 10. October) sofort über das Gebirg selbst in die Ebe=
nen Frankens herabzusteigen. Eben er werde dem Feldherrn
von Tauenzien, der sich mit einem kleinen Heerhaufen aus
dem Baireuthischen nach Hof gezogen hatte, Verstärkung sen=
den, damit dieser die Durchgänge bei Saalburg und Adorf
sichern und Amberg und Nürnberg bedrohen könne." Ueber=
einstimmende Aufträge ergingen an Rüchel, daß er mit dem
rechten Seitenheer aufbreche und sich von Mühlhausen nach
Eisenach wende, um den Feind zu bereden, man denke auf

d'Hote eine Menge verkleideter französischer Offiziere gesehen, vieles
von den starken Rüstungen des Feindes und von seinen Stellungen
gehört und davon in Breslau Mittheilungen gemacht hatte, ward vor
den Minister von Hoym gefordert und mit großem Ernst bedeutet, daß
er sich hüten möge, solche Unwahrheiten zu verbreiten.
y) Der Augenzeuge und Massenbach an mehreren Orten.
z) Massenbach 47.

142 1 8 0 6.

Fulda. Das Hauptheer sollte den Thüringer Wald in drei
Abtheilungen über Etterwinden, Altenstein und Schmalkalden
zurücklegen a).

Diesen so unerwarteten Anordnungen des Herzogs lag
eine stolze Hoffnung und eine herkömmliche Kriegsregel zum
Grunde. Jene überredete ihn, es werde Napoleon aus Fran=
ken nicht vorwärts gehen, sondern sich dort in einer starken
Stellung, etwa am linken Ufer der Fränkischen Saale, und
am rechten der Baunach, angreifen lassen, und diese verleitete
ihn zu glauben, es sei alles verfehlt, wenn er das Heer trenne
und nicht mit der Gesammtmasse einen Hauptschlag ausführe.
Daß man dem Feinde durch den Aufbruch die Straße nach
der Elbe eröffne, so wie der Zeitverlust, den der Zug über
das Gebirg koste, auch welche Schwierigkeit der Entwickelung
der einzelnen Heersäulen bei ihrem Austritte drohe, das alles
und mehr ward übersehn oder für klein geachtet b).

Von allen Preußischen Feldherrn verwundete keinen die=
ser Entwurf tiefer, als den Fürsten von Hohenlohe. Nicht
gerechnet, daß die Anordnung seinen Ueberzeugungen wider=
sprach, so beschränkte sie auch die Freiheit und Ungebunden=
heit seines Wirkens. Genöthiget indeß, dem deutlich ausge=

a) Der Augenzeuge I. 50 u. f. vor allen der Brief des Königes
an den Fürsten II. 108, vergl. Massenbach II. 1. S. 44 u. f. Vergl.
M. Dumas XVI. S. 14 f. Si Napoléon lui-même, sagt Dumas, avait
pu prescrire aux généraux prussiens les dispositions les plus con-
venables à ses vues il n'aurait pas tracé un plan de campagne plus
propre à consumer en tâtonnemens le temps et les moyens d'agir,
à lui livrer avec l'appui du flanc gauche le point le plus vulnérable,
à laisser entièrement libres et découvertes les routes de Leipsic,
de Dresde et de Naumbourg, où étaient les principaux magasins de
l'armée prussienne; c'était abandonner les meilleures positions et
les points de retraite les plus sûrs, pour aller affronter les difficul-
tés qu' offrait le passage des montagnes et de la forêt de Thuringe,
par des chemins impracticables et dans la plus mauraise saison.
A. a. O. S. 21.

b) Massenbach II. 1. S. 49 u. f., vergl. 63, und der Augenzeuge
I. 53, 61.

sprochenen Befehl zu gehorchen, führte er sein Volk nach der
Saale und nahm sein Hauptlager zu Jena c). Von hier in
das königliche nach Erfurt gefordert, bot er und so viele ein
besserer Geist beseelte dort (am 5. und 6. October) alles auf,
um das Vordringen in das Thüringer Gebirg abzuwehren
und entweder einen raschen Rückzug, links ab in drei Heersäulen, nach Saalfeld, Saalburg und Hof, oder einen sichern
Standpunkt zwischen Neustadt und Ronneburg zu bewirken,
allein umsonst d). „Es sei thöricht zu wähnen, der Feind
werde von Hof her angreifen. Gerade eine Wendung, wie
die vorgeschlagene, erwarte er, um über Fulda und Eisenach
vorzudringen, wo nicht den berühmten Alpenzug im Kleinen
durch den Thüringer Wald zu wiederholen. Das eben müsse
man ihm vereiteln und sich durch alle vorgespiegelte und nur
scheinbare Bewegungen nicht verwirren lassen e)." Solchen
Ansichten hingegeben und durch Lucchesini's Versicherung noch
mehr in der Meinung bestärkt,*) Napoleon greife nicht an,**)
wich der Herzog um nichts, sondern verharrte bei seiner Lagerung
am Nord-Abhange des Gebirges. Nur die Heeresmacht beschloß er in engere Räume und festere Stellungen zu sammeln.
In dieser Absicht wies er Rüchel auf die Anhöhen von
Craula bei Langensalza, und den Fürsten von Hohenlohe auf
die Hochfläche von Hochdorf zwischen Teichel und Blankenhain, während das Mittelheer den Bergrücken bei der Bien-
städter Warte, westlich von Erfurt einnahm f). So vereinzelt, meinte er, könne und müsse man schon noch einige Tage
ausharren, bis des Kaisers Endantwort, um die man gesandt
habe, eintreffe. Zugleich befehligte er über das Gebirg nach
Coburg, Hildburghausen und Meiningen leichte Reiter auf

c) Massenbach II. 1. S. 54. Der Augenzeuge I. 53 — 60.
d) Massenbach 65. Der Augenzeuge I. 60.
e) Massenbach 69. Der Augenzeuge I. 67.
*) Vergl. M. Dumas XVI. S. 29.
**) Vergl. die Bemerkung S. 140.
f) Massenbach 74. Der Augenzeuge I. 68.

Kundschaft, doch streng warnend, feindliches Gebiet zu betreten, weil der Krieg noch nicht förmlich erklärt sei g).

Während so der Oberfeldherr sich selbst täuschte und
durch Staatskluge, die des Krieges unkundig waren, sich täuschen ließ, der Unwille in dem Fürsten von Hohenlohe stieg,
die gepflogenen Berathschlagungen zu keinem Entschluß führten, und jeder Unbefangene in der unsichern Bewegung der
Heere und dem Durchkreuzen der einzelnen Abtheilungen und
der kärglichen Verpflegung des gemeinen Kriegers den Mangel an Einheit und Kraft spürte, bereitete sich in Franken
der Todesstreich vor, der den Preußischen Staat treffen sollte.
Die zerstreuten Kriegshaufen, die theils in Deutschland gestanden, theils sich aus dem Innern Frankreichs gesammelt
hatten, waren jetzt in große Heersäulen vereinigt, und die
vornehmsten Französischen Marschälle, keiner ohne großen Namen und viele Verdienste, harrten des Befehls ihres Kaisers.
Er, weder von der Bedenklichkeit kleiner Staatsklügler gequält, noch einem andern Rechenschaft schuldig, als sich, dachte
die Antwort, die man in des Königs Lager erwartete, nicht
durch Boten zu senden, sondern mit dem Schwerte zu bringen,
und benutzte unverzüglich die Blöße, die ihm der Feind gab.

Am 7. October, an welchem der Kaiser den Räthen zu
Paris die Unvermeidlichkeit des Krieges meldete, begann er
zugleich dessen Führung. Die Heeresabtheilung unter der Leitung Soults brach an diesem Tage durch das Baireuthische
vor und warf sich auf den kleinen vereinzelten Kriegshaufen,
dem Tauenzien bei Hof vorstand. Da sie von vorn drängte
und eine andere in der rechten Seite von Lobenstein her drohte,
so eilte, erhaltenen Befehlen gemäß, der Preußische Feldherr
sich über Schleiz nach Kahla oder Roda dem Hohenlohischen
Heer anzuschließen, und traf wirklich am 8. October nach
Mittag in der Gegend von Schleiz ein. Aber wenige Stunden nach seiner Ankunft zwangen die Franzosen unter dem

---

g) Der Augenzeuge 60, 76. Massenbach am a. O.

Großherzog von Berg die Brücke bei Saalburg und griffen
am 9. früh selbst lebhaft an. Zugleich erfuhr man, die
Straße von Poseneck sei genommen, und auch von Tanne
herauf ziehe Volk. So in Gefahr, rechts und links umgan=
gen zu werden, faßte Tauenzien den Entschluß, sich auf der
Straße von Auma, der einzigen ihm noch offenen, zu retten,
und vollführte ihn, doch nicht ohne großen Verlust. Ueberall
angefallen und überwältigt, rückten die ermatteten und ent=
muthigten Krieger, ohne Brod und Gepäck, erst mit sinkender
Nacht, in Triptis ein und von da, weil sogar des Morgens
hier zu warten bedenklich schien, nach ·Mittel=Pölnitz, wo sie
sich durch die Sachsen unter Zeschwitz Befehlen deckten h).

Als die Nachricht vom Anfange dieses unglücklichen Tref=
fens, das dem Feinde die aufgehäuften Vorräthe in Hof über=
gab und die Wege nach Leipzig und Dresden öffnete (in der
Nacht auf den 8. October) an den Fürsten und zugleich, nebst
mancher andern Kunde von den unerwarteten Bewegungen
des Feindes, an den Herzog gelangte, faßten beide gar ver=
schiedene Maßregeln. Der Fürst, nachdem er für die Auf=
nahme der Gedrängten gesorgt hatte, kehrte zu seinem frühern
Entwurf wieder und bereitete alles vor, um über die Saale
zurückzugehen und, in Verbindung mit Tauenzien und den
Sachsen, die sämmtlich noch am rechten Ufer standen, bei
Neustadt, oder Mittel=Pölnitz, eine feste Stellung zu nehmen.
Dagegen gebot der Herzog, in einem Schreiben, das den 8.
Mittags eintraf, es solle, was schon geschehen war, Tauenzien
ungesäumt sich auf den Fürsten zurückziehn und der Fürst selbst
seine Völker bei Hochdorf sammeln, um von da aus, längs
dem linken Ufer der Saale, nach den Uebergängen bei Jena,
Kahla, Orlamünde und Rudolstadt vorzuschreiten. Das Mit=
telheer werde am 10. nach Kranichfeld, Tannroda, Blanken=

h) Der Augenzeuge l. 71, 78 — 99, vorzüglich die Beilage II.
34. vergl. Massenbach II. l. S. 76, 87 und die Französischen Tagsbe=
richte. Nr. 2. Vergl. M. Dumas XVI. S. 33 — 38.

II. Theil. 10

hain und Magdala, und das königliche Hauptlager von Er=
furt nach Blankenhain vorrücken. Der Herzog von Weimar
sei befehligt, leichte Völker gegen den Main und die Fränki=
sche Saale zu senden, und in eigener Person mit einem Theile
der Vorhut nach Meiningen vorzugehn. Rüchel solle Eisenach
besetzt halten, doch, zu zweckmäßiger Mitwirkung, sich mit der
Hauptmacht näher an Erfurt ziehen i).

Diese Anordnung fand der Fürst eben so zweckwidrig als
unerträglich. Nicht nur fürchtete er, es werde der Feind
zwischen der Saale und Elbe festen Fuß fassen und das offne
Sachsenland, wo nicht selbst die wehrlosen Marken überschwem=
men; er hielt sich auch zugleich überzeugt, man beabsichtige,
ihn in eine Stellung einzuzwängen, in der sein Heer, in eine
Vorpostenkette aufgelöst, jeder glänzenden Unternehmung ent=
sagen müsse. Ueberwältigt von solchen Empfindungen, theilte
er dem Herzog beides seine Befürchtungen und seine Ansich=
ten mit. „Er wolle am 10. bestimmt in den bezeichneten
Gegenden eintreffen und dort weitere Befehle erwarten. Seine
Vorposten denke er so zu vertheilen, daß sie die Wege nach
Saalfeld, Auma und Triptis beobachten könnten. Sich den
9. erst noch näher bei Hochdorf in gedrängter Masse zu sam=
meln, halte er für unnöthig, da seine Bewegungen die ange=
ordneten des Hauptheers auf keine Weise hindern würden.
Das Unterstützungsheer unter Eugen rathe er die Elbe auf=
wärts zu senden, um Sachsen und vornämlich Dresden zu
decken.“ Von diesen Vorschlägen ward nur der letzte gebilligt.
„An Eugen sei Auftrag ergangen und des Königs Wille, daß
auch Tauenzien sogleich nach Dresden aufbreche. Der Rück=
weg über die Saale scheine allzubedenklich, um ihn zu wa=
gen, da er die Heeresabtheilungen trenne, und zur Aufrei=
bung der getrennten führe. Auch im Hauptlager meine man
keineswegs, den Feind am linken Saal=Ufer zu erwarten,

i) Der Augenzeuge l. 78 — 81, vergl. Massenbach II. I. S.
78 — 81.

vielmehr wolle man ihm entgegengehn, nur nicht mit verein=
zelter Kraft, sondern mit der gesammten. Der Fürst möge
daher, vor Annäherung des Haupttheers, schlechterdings keine
Bewegungen beginnen und was etwa von Volk noch jenseits
stehe, eilends herüberziehn." So die gemessene Antwort des
Herzogs auf die wiederholten Anträge des Fürsten. Hierauf
noch in der Nacht ward der Prinz Ludwig besehligt, sich nicht
von Rudolstadt zu entfernen, viel weniger den Feind anzu=
greifen, sondern, im Fall eines Angriffs, sich an den Heer=
haufen Grawerts in Orlamünde anzuschließen. Der Fürst
aber beschied auf den 10. in der neunten Frühstunde die
Führer der Sachsen und den Grafen Tauenzien zu einer
Unterredung an das Vorwerk Sorge bei Neustadt und brach
in der Nacht von Jena über Kahla dahin auf *). Es lag
am Tage, wie wenig sich die Entwürfe und Wünsche der
Hauptführer begegneten. Der eine wollte unbedingt gebieten,
der andere nicht unbedingt gehorchen. Der erste baute auf
die Wirkung der Massen, der zweite auf eine, so schien es
ihm, gewählte Stellung. Jener fürchtete, es möge sich der
Untergeordnete von dem Ruhm des nahen Kampfes zu viel
anmaßen, und dieser dachte, den Lorbeer, wo möglich, allein
zu verdienen k).

Beider Berechnungen waren jedoch nicht nur, wegen der
Niederlage des Tauenzienschen Kriegshaufens, die man weder
kannte noch fürchtete, und der Fürst erst auf dem Wege von
Neustadt vernahm l), schon in ihrer Anlage unrichtig, son=
dern erfuhren auch, als sie ausgeführt werden sollten, eine
unerwartete Störung. Am weitesten vorwärts, bei Rudol=

---

*) Der Augenzeuge I. 86, 93, 98, 99, vergl. Massenbach I. 1.
S. 86.

k) In der That kann es keinem aufmerksamen Leser der angezo=
genen Werke entgehn, daß der Fürst, sogar nach erneuertem Befehl,
immerfort seine Ansichten verfolgte und zur Ausführung des ihm mit=
getheilten Entwurfs lauter halbe und unvollständige Maßregeln ergriff.

l) Der Augenzeuge I. 100 u. f.

10*

ſtadt, wie eben erwähnt, ſtand Ludwig, der Sohn Ferdinands, Oheims des Königs. Dieſer Prinz, in der Fülle der männlichen Kraft, außer, was früher Genuß ihm geraubt oder gebrochen hatte, brannte vor Begierde hervorzutreten *). Unter denen, die auf Krieg drangen, war er einer der ungeſtümſten, und kein Verzug ihm härter gefallen, als der, welchen der Wiener Vertrag legte. Auch jetzt ging ihm alles zu träge und ſchläfrig. Er wäre am liebſten ſchon drei Tage früher gerade gegen den Feind aufgebrochen und hatte, den Markt von Jena auf- und abgehend, ſeine Ungeduld laut geäußert m). Dabei dachte er, wie die meiſten Fürſtenſöhne, eben nicht gering von ſich ſelbſt, gehorchte ungern fremden Vorſchriften und wagte auf eigene Gefahr hin, im Bewußtſein, daß er ein Prinz ſei. Die ihn kannten, hätten ihn am liebſten bei dem Nachtrabe geſehen, wo raſches Wagen und wilde Wuth oft entſcheiden, aber Rückſichten, die am wenigſten gelten ſollten, wo es alles gilt, brachten ihn an die Spitze des Vortrabs und führten ſo ſein und des Heeres Unglück herbei n).

Gleichzeitig mit den Franzöſiſchen Heerhaufen, die rechts die Saale hinabzogen, waren nämlich andre unter dem Marſchall Lannes links über Coburg und Gräfenthal vorgerückt, und drängten bereits in der Nacht auf den 10. October die Poſten, die jenſeits Saalfeld ſtanden, zurück. Als der Prinz dieß und das erneute Plänkeln am frühen Morgen vernahm, eilte er mit etwa ſechstauſend Mann, von Rudolſtadt aufwärts, dem Feind entgegen. Was ihn hierzu verleitete, ob einzig blinder Muth, oder der Wahn nur mit einer kleinen Schaar kämpfen zu dürfen, oder eine falſche Beurtheilung der obwaltenden Bewegungen bei Freund und Feind, iſt zweifelhaft; darin kommen alle überein, daß er das Gefecht wider

---

*) Vergl. Bignon V. Kap. 62 S. 286.
m) Der Augenzeuge I. 73.
n) Daſelbſt, vergl. Maſſenbach I. l. S. 95.

des Fürsten Wille gewagt habe. Bald, da der zerschnittene Boden der Fechtart des Feindes günstiger und seine Anzahl die bei weitem größere war, entschied sich das Loos des Kampfes. Eine Abtheilung nach der andern wankte oder wich, und die einzelnen Beweise besonnener Tapferkeit, welche vornämlich die Sachsen gaben, waren verloren. Aus dem Gehölze hervor entwickelten sich immer größere Streitmassen, und des Bodens ward je länger je mehr gewonnen. Die Reiterei überflügelte die noch Kämpfenden, und die Fliehenden mußten sich rechts durch die Saale und links durch die Schwarza retten. Innerhalb wenigen Stunden (man focht von der zehnten Frühstunde bis zur dritten nachmittäglichen) hatten die Franzosen den vollständigsten Sieg errungen. Das Geschütz mit allem Gepäck war erobert und die Vorräthe zu Saalfeld fielen in ihre Hand o).

o) Der Augenzeuge I. 105 u. f. nebst der Beilage II. 3 — 34, und Massenbach I. 1. S. 88, 93 — 96 und die französischen Tagsbe-richte Nr. 2. Das bei weitem wichtigste Actenstück zur nähern Kennt-niß des Treffens bei Saalfeld ist die Denkschrift des jetzigen Herrn General-Lieutenants von Valentini, betitelt: Das Gefecht bei Saalfeld an der Saale. Germanien (Königsberg bei Nicolovius) 1807. Ich habe aus guten Gründen von dem, was im Texte sowohl über den Prinzen, als über den von ihm bestandenen Kampf gesagt worden, nichts zurück-nehmen oder ändern wollen. Aber ich fühle mich ebenfalls aus gutem Grunde verpflichtet, nicht zu verschweigen, wie der Verfasser der genann-ten Denkschrift beide ansieht und beurtheilt. Von dem Prinzen heißt es S. 13: Er verband mit den ritterlichen Tugenden der Vorzeit, die lie-benswürdigen Eigenschaften des geselligen Lebens und mißfiel daher denen, die in ihrem beschränkten Kreise nur einem Gegenstande zu leben ver-stehn. Sein leicht fassender Geist ergriff und hielt immer nur das Wesentliche eines Gegenstandes fest und erregte dadurch das Mißtrauen derer, denen das Leichte schwer und das Einfache verwickelt erscheint. Seine glänzende Tapferkeit endlich war aus frühern Zeiten bekannt; aber seine Tadler nannten sie tollkühne Verwegenheit, von der nur im Fall der Noth und unter vormundschaftlicher Leitung Gebrauch zu ma-chen sei, da doch sein richtiges Urtheil über die Lage des Heeres, als man dessen Untergang zu bereiten anfing, hinlänglich bewies, wie fähig er war, die Angelegenheiten selber zu leiten." Was das Gefecht betrifft,

Ueber das Ende des Prinzen, der den Ausgang des Treffens nicht überlebte, sind mehrere Berichte in Umlauf gekommen p), zuerst unsichere, bis die Zeit die Wahrheit enthüllt hat. Eben beschäftigt, einen Haufen zersprengter Fußjäger zu ordnen, warb er von einem Franzosen, Namens Guindet q), an den funkelnden Orden und in den Befehlen, die er rechts und links austheilte, für den Oberfeldherrn erkannt. Jung, lebhaft und nach Auszeichnung begierig, sprengt der feindliche Krieger sogleich hervor und fordert Ergebung. Ein Säbelhieb und eine Schmähung erwiedern den Zuruf. Jener stürzt sogleich auf ihn los, versetzt ihm einen Stich in

so sagt der Verfasser S. 18, 19: „So unwahrscheinlich es war, daß der Feind ein Vordringen im Thal der Saale beabsichtige, so war es doch immer wichtig, sich mit der Vorhut an irgend einem festen Punkt im Saalthale zu behaupten: denn ließ man sich den Fluß hinabdrängen, so konnte das ganze Hohenlohische Heer im Thale fest gehalten und in die Vertheidigung zurückgeworfen werden." „Einen Angriff (S. 25) bei Saalfeld abzuschlagen und dann dem bei Schleiz vorgedrungenen Feinde sich entgegenzuwerfen, — diese Hoffnungen schienen die Seele des Prinzen, die keine Ahnung des nahen Unglücks trübte, zu beleben." Es gehört für Kriegsverständige zu entscheiden, in wie fern diese Rechtfertigung genügt. Der ruhigen Besonnenheit des Prinzen während des Treffens, wie der Verfasser sie schildert, so wie der offnen und doch bescheidenen Rüge der vielen, bei dem Preußischen Heere obwaltenden Mängel, die auch auf den Tag von Saalfeld nicht ohne Einfluß blieben, werden übrigens gewiß Alle das verdiente Lob angedeihen lassen. Ich erlaube mir noch zur Characterisirung des Prinzen die kurzen aber kräftigen Worte des Freiherrn von Hormayr hier einzurücken. „Ein Löwe, lauten sie, an körperlicher und geistiger Kraft, voll Ehre, voll Vaterlandssinn, des Tyrannen Todfeind, Vordermann der Kriegsparthei, durch unaufhörliche kleine Hindernisse erbittert, durch Reaction verwildert." Die biographische Skizze des Prinzen im zweiten Bande der militairischen Blätter von Manvillon, Essen und Duisburg, bei Lüdicke, 1820 kenne ich bloß aus den Göttingischen Anzeigen von 1821 St. 25 S. 244. Vergl. M. Dumas XVI. S. 39 — 57.

p) Man sehe die vertrauten Briefe III. 172, die neuen Feuerbrände St. 16 S. 70 und das Polit. Journal von 1807, S. 1096.

q) Er war Quartiermeister. M. Dumas XVI. S. 54.

die Brust und am Hinterkopf eine Wunde, muß aber flüchten, weil fünf Preußische Reiter ihn angreifen. Indeß eilt
jammernd einer von des Prinzen Leuten herzu und versucht
den Sterbenden, doch vergebens, weil die Feinde eindringen,
aus dem Getümmel zu retten. Etwa sechzig Schritte geführt
und dann verlassen, sinkt auf einer Wiese am Ufer eines
klaren Baches der Prinz zusammen und stirbt. Zwei Französische Husaren berauben ihn seiner Kleider, und der rück-
kehrende Sieger nimmt ihm Papiere und Degen. Als letzterer vor Napoleon erscheint, sagt ihm dieser: „Mein Freund,
ihr habt euer Vaterland von seinem ärgsten Feinde befreit!"
schmückt ihn mit den kriegerischen Ehrenzeichen und ernennt
ihn zum Unterhauptmann (Lieutenant). So nach der Aussage Guindets r) starb ein Prinz, dessen Jugend man bedauern und dessen Geschick man preisen mag. Sein Leichnam,
von den Franzosen nach Saalfeld gebracht, ist vor dem Altar
der Stadtkirche eingebalsamt und, so lange er dort in der
Fürstengruft geruht hat, von vielen Theilnehmenden, und mit
Thränen, begrüßt, das Haupt gar mancher Locke, um ein Andenken von ihm zu haben, beraubt worden s). Jetzt verwahrt seine
Ueberbleibsel die Domkirche zu Berlin *). Den Ort, wo er
fiel, bezeichnet ein einfacher Stein mit einfacher Inschrift.

In eben den Tagen, an welchen das Schwert in den
Engen von Schleiz und Saalfeld den Krieg so unglücklich

---

r) In den Schlesischen Provinzial-Blättern vom Jahr 1808, März,
S. 241 u. f., womit ein Aufsatz über des Prinzen Tod und Bestattung
in der eleganten Zeitung vom J. 1809 St. 218. 219 zusammenstimmt.
Napoleon gab Befehl, den Leichnam des Prinzen in dem Schlosse zu
Saalfeld mit allen ihm gebührenden Ehren beizusetzen, und ihn auszu-
liefern, falls Se. Majestät der König ihn in der Gruft seiner Ahnen
sollte bestatten lassen wollen. Auch ließ er dem Letztern sein Beileid bezeigen. M. Dumas pièces justificatives XVI. 287.

s) Allgemeine Zeitung S. 1318.

*) Sie wurden, auf Befehl des Vaters, am 10. März 1811 durch
den Kammerrath Gieseke aus Saalfeld abgeholt und am 21. Abends
an dem genannten Orte beigesetzt. Allgem. Z. 384.

begann, eröffnete ihn, und nicht kräftiger, die Feder. Schon
längst hatte gerechte Erwartung auf eine öffentliche Erklä=
rung Preußens gegen Frankreich geharrt, als endlich eine
solche unterm 9. October von dem Hauptlager des Königs
zu Erfurt ausging t). Aber weit gefehlt, daß die ausgegan=
gene überzeugte, vermochte sie nicht einmal zu überreden.
Aus den Anklagen, die man wider Frankreichs Kaiser erhob,
entwickelte sich fortlaufend ein bemüthigendes Geständniß
von Fehlern, die man begangen hatte. Die Sprache, die
man führte, war nicht die ruhige der Wahrheit, sondern die
leidenschaftliche der Erbitterung. Das Ganze verrieth mehr

---

t) Ihr Verfasser war der geheime Cabinetsrath Lombard. Sie
steht Deutsch und Französisch im Polit. J. von 1806 II. 1008 u. f.
Eben dasselbe enthält auch S. 1005 den Aufruf des Königes an sein
Heer. Wie richtig man die erste in Paris zu würdigen wußte, lehrt
die scharfe, aber nur allzutreffende Antwort, die daselbst unterm 15.
Nov. ausging. S. die Europäischen Annalen von 1807, 1. 150. Il n'eut
pas de manifeste de la part de France, schreibt Schöll VIII. 379,
wo er dieser Antwort erwähnt, et on prit grand soin de ne pas faire
connaître celui de la Prusse. On n'a su l'existence de ce manifeste que par une espèce de refutation, qui en parut quelques mois
après à Paris. La proclamation, qui fut publiée à Berlin le 6 Oct.
(S. oben S. 133), où Bonaparte reçut les dernières propositions
du roi de Prusse avec une lettre qui n'est pas connue de public,
fut de la part de la France le signal de la guerre. La paix de
Bâle, sagt Jomini N. A. IX. 8. n'avait été en quelque sorte qu'une
transaction provisoire; la Prusse autorisa seulement l'occupation
de ses provinces de la rive gauche du Rhin; mais sans prononcer
definitivement sur leur sort. Les succès des armes républicains le
determinèrent à céder la province de Gueldres au directoire, et à
consentir à ce que les frontières de la république fussent reculées
jusqu'au Rhin. Le cabinet de Berlin recevrait en échange l'évéché
de Munster qui serait sécularisé; d'autres princes ecclésiastiques
devaient être dépouillés pour indemniser le Stadthouder, et l'on
s'engagea à élever le Landgrave de Hesse à la dignité d'électeur.
Qui eût pu croire que neuf ans plus tard la constitution germanique,
ainsi mutilée par Frédéric Guillaume et Rewbel, servirait de pré-
texte à la levéé de boucliers des Prussiens en 1806!!

die schimmernde Rednerei, die der Franzose liebt, als den
würdigen Ernst, der an dem Deutschen gefällt. Was noch
am meisten ergriff, war die Behauptung, man habe Preußen
um Hannover betrügen wollen. Aber diese Anschuldigung
stand beweislos und war damals vielen noch unwahrschein=
lich. Für die entfernten Länder des Staats ging der Ein=
druck ohnehin verloren, weil die Berichte vom erlittenen Ver=
lust mit der Bekanntmachung zusammen trafen und ihnen
bald noch schlimmere folgten. *)

Wohl verbundene Bewegungen und Behendigkeit hatten
jetzt so viel bewirkt, daß an beiden Saalufern das Französi=
sche Heer aufwärts gehen und die einzelnen Streithaufen sich
rechts und links in ihrer Richtung unterstützen konnten. So
unerwartete Vortheile blieben nicht ohne Einfluß auf die An=
ordnungen der Preußen. Nicht nur die Möglichkeit rechts
über die Saale hinüberzurücken war vereitelt; auch von dem
Fürsten von Hohenlohe ward jetzt die Nothwendigkeit drin=
gend gefühlt, zurückzuziehn, was über der Saale stand, und
eine gedrängtere Stellung zu nehmen. Darum sandte er so=
gleich Eilboten aus und befahl den einzelnen Heerhaufen Auf=
bruch. Von Orlamünde ging, nach Besetzung der Saalbrücke,
Grawert auf Magdala, von Neustadt Boguslawski nach
Kahla, und aus Mittel=Pölnitz mit den Sachsen Zeschwitz
über Roda auf Lobeda. Am 11. standen alle in und um
Jena, wo nun das Hauptlager des Fürsten war v).

Welchen Eindruck die erlittenen Unfälle auf das Heer
hervorgebracht hatten, verrieth sich sehr klar in den Folgen
eines blinden Gerüchts, das man mit Recht als schlimme
Vorbedeutung betrachten mochte. Es war etwa drei Uhr
Nachmittags, und die heran= und fortziehenden Abtheilungen
noch in voller Bewegung, als plötzlich, man weiß nicht, wie
und durch wen, die Sage auskam, der Feind sei da. Sofort

---

*) Vergl. Bignon V. K. 63 S. 316 f.
v) Der Augenzeuge I. 103, 107, 108, 109, 113.

bemächtigte sich aller Gemüther eine fast unglaubliche Be=
stürzung. Aus jedem Thore und zu jeder Pforte hinaus
drängten Erschrockene, und so sehr nahm die Unordnung zu,
daß der Fürst, um sie zu stillen, das ganze Heer mußte aus=
rücken lassen. Dennoch konnte auch so die Reiterei nicht ver=
mocht werden, in die nahen Gebüsche und Weinberge vorzu=
ziehn, weil sie überall feindliche Schützen ahnete. Erst nach
einer Stunde endete der beschämende Auftritt. Auf allen
Pfaden und aus allen Sträuchen hervor krochen furchtsame
Landleute, entlaufene Krieger und Nachzügler und Flüchtlinge
von Schleiz und Saalfeld, vielleicht die ersten Urheber des
Lärmens, und in dem Heere herrschte schändliche Verwirrung
und vielfache Einbuße. Das Feld bedeckten weggeworfene
Gewehre, Harnische, Futtersäcke; in den Gräben lagen drei
oder vier Stück schweres Geschütz und mehrere Wagen; Säch=
sisches Gepäck war von den Preußen, Preußisches von den
Sachsen geplündert worden; ein großer Theil fiel am andern
Tage in die Hände des Feindes, weil einige diesen thöricht
von Weimar her erwarteten, und sich nach der entgegenge=
setzten Seite gerettet hatten. Bei Lobeda übermannte der
Troß, der die Brod= und Löhnungs=Wagen der Sachsen
führte, die schwache Bedeckung und jagte davon, oder hieb
die Stränge entzwei. Auf den bestimmten Lagerplatz hinter
Weimar zu kommen, gelang wenigen. Längs dem Mühl=
thale hin zerarbeitete sich oder rastete die Nacht durch der
Zug zwischen müden Pferden und stockenden Fuhrwerken. Das
Heer, ohne geschlagen zu sein, gab das Bild eines zerstreu=
ten und aufgelösten x).

Wenn man, das Mühlthal bei Jena hinter sich lassend,
den Bergsteig, der von seiner Windung die Schnecke heißt,
überwunden hat, gelangt man auf eine weite Hochebene, über
welche die Kunststraße nach Weimar führt. Hier am andern
Tage (den 12. October) lagerte sich das Sächsisch=Preußische

---

x) Der Augenzeuge I. 114—120.

Heer, die Mitte nach eben jener Kunststraße gerichtet, den
linken Flügel anlehnend an die Schnecke, und den rechten
ausdehnend bis Capellendorf, woselbst der Fürst seine Woh=
nung nahm. Wie leicht auch ein Lager geordnet zu werden
pflegt, ward hier gleichwohl das Geschäft durch die Umstände
und verkehrten Anstalten vielfach erschwert. Ein dichter an=
haltender Morgennebel, die Unordnungen der vorigen Nacht,
des Lagerraums Ueberfüllung mit Gepäck und die Abwesen=
heit der Musterschreiber verzögerten die Arbeit bis tief in
den Nachmittag y), und selbst vollendet führte sie nicht zur
Befriedigung. Mehrere Dörfer, welche die bei Saalfeld ge=
schlagenen Sachsen belegt hatten, mußten dem Hauptheer
geräumt werden, das, durch die veränderten Umstände bewo=
gen, um eben die Zeit sein Lager von Blankenhain rückwärts
bei Weimar nahm *). Jene Abtheilungen, die bei Lobeda
um ihr Geräthe gekommen waren, lagen, neben den Preußi=
schen Zelten, unter freiem Himmel, ohne hinlängliches Brenn=
holz und Stroh. In das Dorf Hohlstädt, wo das Sächsische
Hauptlager sein sollte, drängte sich eigenmächtig mit seinen
Husaren der Preußische Feldherr Schimmelpfennig. Ueber=
dem mangelte es dem ganzen Heere, das Hohenlohe führte,
nicht nur an dem nöthigen Schießbedarf, sondern, seit eini=
gen Tagen, und wiederum am meisten den Sachsen, auch an
Brod und Futter z). So wenig vermochte die nahe Gefahr
auf Einigung der Gemüther zu wirken und die Sorge für
das Unentbehrliche zu beleben.

   Gegen den Feind waren folgende Vorkehrungen getroffen.
Dornburg und die Naschhäuser Brücke hielt man, doch nur
schwach, besetzt. In Camburg, Dorndorf und Ziegenhain,
längs dem rechten Saalufer, standen schwere Reiter, in Lobeda

---

y) Der Augenzeuge I. 122, u. Massenbach II, I. 108.

*) Oder bestimmter zwischen Ober=Weimar und Umpferstädt. Ope=
rationsplan der Preußisch=Sächsischen Armee S. 30 u. f

z) Der Augenzeuge 124, vergl. Massenbach II. 1. S. 112.

und Burgau leichtes Fußvolk (Füsiliere) und Jäger. Das Saalthal von Camburg bis Burgau und von da bis Kahla durchzogen ansehnliche Streifwachen. Zur Unterstützung der Vorposten des linken Flügels ward Fußvolk unter Tauenzien in Jena eingelegt. Die Verbindung der Vorposten an der Saale und denen vom rechten Flügel unterhielt Boguslawski a). Allgemein herrschte die Meinung, es würden die Franzosen die Thäler und Schluchten vor und hinter Jena meiden und an der linken Flußseite über Magdala hinauf den Feind im Gesicht angreifen b).

Aber die Absicht ihres Heerführers galt gerade dem entgegengesetzten Ziele. Seit den Siegen bei Schleiz und Auma waren sie mit jener Schnelligkeit, die ihre Unternehmungen auszeichnet, zwischen der Elster und Saale herangezogen und bereiteten jetzt die Schläge vor, die trennen und überwältigen sollten. Nachdem sie, die Fahrlässigkeit der Preußischen Streifer nutzend, noch den 12. October Nachmittags die Gegend von Löbichau und Lobeda durchforscht und Schrecken bis an die Camsdorfer Brücke verbreitet hatten c), kamen sie gegen Abend verstärkt wieder, warfen, über die Saale dringend, die Preußen aus Burgau und faßten daselbst festen Fuß d). Auch der Prinz von Ponte-Corvo, der etwa um die nämliche Zeit mit seiner Abtheilung Dornburg gegenüber stand, setzte den schwachen Haufen diesseits der Saale in bange Furcht und vermochte ihn, sich von Dorndorf über die Brücke zu ziehn und auf den Dornburgischen Höhen aufzustellen e).

Als die Nachricht von diesem Abzuge dem Grafen von Tauenzien, dem die Obhut Jena's und des Saalthals vertraut war, durch sichere Botschaft zukam, gerieth er in nicht

---

a) Der Augenzeuge I. 121.

b) Derselbe I. 133.

c) Derselbe I. 131.

d) Derselbe 133.

e) Derselbe 135, vergl. die Französischen Tagsberichte, Nr. 5.

kleine Besorgniß: denn er bedachte, daß die obere Saale an
Furthen reich sei, steile Anhöhen hinter ihm sich erhoben, und
die leichte Reiterei des Schießbedarfs schon ermangele. Deß=
halb faßte er den Entschluß, sich näher an die Hauptmacht
zu ziehn, und führte ihn unverweilt aus. Noch in der Nacht
auf den 13. October verließ er Jena, den Schlüssel zum
Saalthale, und erreichte auf mehrern Wegen, hauptsächlich
durch das Mühlthal und Rauthal, die Umgebungen von
Closwitz und Cospoda. Die Anhöhe vor dem letzten Orte,
welche die Kuppe des Landgrafenbergs ist, übergab er der
Beschützung eines besondern Streithaufens f). Er selbst stellte
sich zwischen beiden Dörfern auf und sandte die leichte Rei=
terei von Zwätzen über Porstendorf und Neu=Gönne rückwärts
nach Stiebritz, nicht ohne Furcht links umgangen, oder von
vorn angegriffen und geworfen zu werden, wie auch geschah.
Der Vortrab der Franzosen, bereits in Jena, folgte raschen
Schrittes, und da es gelang, die beiden Gehölze zu besetzen,
welche die Anhöhe umfaßten, so mußte man diese gar bald
aufgeben, und Tauenzien eine neue Stellung an dem Fuße
des Dornbergs zwischen dem Pfarr= und Lohholze suchen g).

Dem rückwärts gedrückten Feldherrn entging nicht, was
er in der gewonnenen Anhöhe verloren habe, und wie viel
davon abhänge, sich ihrer wieder zu bemächtigen, da sie es
war, welche die Gemeinschaft mit dem Saalthale allein noch
unterhielt und überdem dem Feind einen freien Ueberblick der
Bewegungen der Preußen eröffnete. In dieser Absicht zog er

---

f) Dem Sächsischen Bataillon Rechten.

g) Der Augenzeuge I. 141, 142, und Massenbach II. 1, S. 121
u. f. (Ihre Verständlichkeit gewinnt die Darstellung durch die, beiden
Werken angehängten, Plane und den Atlas zu Groß militairisch=histo=
rischem Handbuch. Auch die große Karte von Deutschland, die im geo=
graphischen Institut in Weimar erschienen ist, oder, in Ermangelung
dieser, die kleinere Karte des Herzogthums Weimar, die Baldauf 1811
in demselben Verlage herausgegeben hat, gewähren anschauliche Deut=
lichkeit.)

alle die Mannschaft an sich, die eben ausgerückt war, um
eine anbefohlene Futtereinholung zu decken, und meldete zugleich seine Lage dem Fürsten. Plötzlich gewann alles ein
ernstes Ansehn. Preußen und Sachsen, Fußvolk und Reiterei, brachen auf; der Fürst mit seinem Gefolge eilte vorwärts, um die Unternehmung zu leiten, und seine Aeußerungen ließen erwarten, er wolle den Feind in das Saalthal
zurückwerfen. Noch einmal dämmerte die Hoffnung in den
Herzen der Entmuthigten und Unzufriedenen auf, und noch
einmal erlosch sie h).

Es war gegen die Mittagsstunde, als der Oberste von
Massenbach, gesandt nach Weimar, um den Herzog von
Braunschweig über den obwaltenden Mangel an Kriegs- und
Lebensbedürfnissen nachdrücklich zu belehren, von dort mit
Vertröstungen, deren keine erfüllt ward i), und zugleich mit
neuen Befehlen zurückkehrte. Kurz vor seiner Ankunft im
Hauptlager hatte man daselbst die sichere Nachricht überkommen, die Vorräthe bei Naumburg jenseits der Saale und mit
ihnen die Stadt sei in Feindes Hand. Die Bestürzung über
diese Folge unverzeihlicher Fahrlässigkeit ergriff aller Gemüther. Niemand verheimlichte sich, weder, daß zwischen der
Ilm und Saale keine Schlacht mehr zu wagen, noch, wie
große Eile von Nöthen sei, um nicht auch von der Elbe und
den Preußischen Staaten getrennt zu werden: denn so weit

---

h) Der Augenzeuge I. 143—145.

i) Die früher schon erwähnte Sorglosigkeit und Unordnung in der
Verpflegung war nämlich so groß, daß die Gemeinen sich mit der Aus-
beute der Rüben- und Kohl-Felder (der Augenzeuge 144) behelfen mußten, und der Führer der Sachsen Zeschwitz gedroht hatte, mit seinem
Volke abzuziehn, wenn man es länger Mangel an allem leiden lasse
(137). Auf die Anweisungen, die Massenbach zurückbrachte, gingen jetzt
die Brodwagen nach Weimar, und, von da weiter gesandt, nach Apolda,
aber ohne je mit Ladung zurückzukehren. Selbst den nöthigen Schießbedarf erhielt er nur mit Mühe und auf Verwendung anderer (147,
Note).

war es gediehen, daß die, welche nach dem Rhein hin sehen
sollten, das Gesicht der Elbe zuwandten, und die vom Rhein
her kamen, der Elbe den Rücken kehrten. Darum beschloß
der Herzog, es solle das Hauptheer noch am 13. links ab
von Weimar in die Gegend von Auerstädt aufbrechen und
Tags darauf, wenn es die Engen von Kösen besetzt habe,
immer weiter links bei Freiburg über die Unstrut gehn und
auf den dortigen Höhen, rechts den Fluß und im Gesicht den
Saalstrom, sich ausbreiten. Dem Grafen von Kalkreuth gab
er auf, ihm gleichzeitig mit der Ergänzung zu folgen und,
bei Laucha unterhalb Freiburg über die Unstrut setzend, sie in
ein Lager ·zu sammeln. Von Erfurt her möge Rüchel die
verlassene Stellung des Hauptheers einnehmen und der Herzog von Weimar, den er früher des aufgetragenen Zuges entbunden hatte, sich den Abziehenden anschließen. Der Fürst
von Hohenlohe ward bedeutet, seine Stellung bei Jena fort-
zubehaupten, aber unverzüglich einen Streithaufen nach Dornburg und Naumburg zu senden, um dem Hauptheere die
rechte Seite zu decken k). Dieß war, zur Rettung des Ganzen und Gewinnung verlorner Vortheile, der Entwurf des
Herzogs, offenbar löblich und zweckgemäß, wenn er sich
früher in ihm entwickelt oder einen schläfrigen Feind gefunden hätte.

Der Fürst, sobald er den neuen und gemessenen Befehl vernahm, gab seine Aufträge an den Grafen von Tauenzien und eilte sogleich an die Spitze der versammelten Schaaren auf Dornburg, das, nach einlaufenden Nachrichten, eben
von dem Feinde genommen war. Die den Ehrgeiz des Mannes kannten, meinten alle, er sinne auf Ausgezeichnetes, und
die Zurückdrängung der Franzosen ins Saalthal hielten viele
für das wenigste, was sie erwarten durften. Aber so ängstlich

---

k) Der Augenzeuge I. 146, Note, vergl. 112, Operationsplan u.
f. w. 36 und Massenbach I. I, S. 115 u. f. — Das königliche Hauptlager war also den 3. October noch in Naumburg, den 4. in Erfurt,
den 10. in Blankenhain und den 11. in Weimar.

war er entweder in der Befolgung der Vorschrift des Her=
zogs, oder von so großem Gewicht der Rath der Umgeben=
den, oder so verwirrend die Einbringung eines Gefangenen,
die bald erwähnt werden soll, daß es fast das Ansehn ge=
wann, man sei ausgegangen, sich umzusehn, nicht zu han=
deln: denn nachdem die Mannschaft auf den Höhen von Zim=
mern unsern Dornburg angelangt war und den Ort unbe=
setzt fand, begnügte sich der Führer anzuordnen, es solle der
von Holzendorf die Hohlwege dahin, und der von Schimmel=
pfennig die nach Camburg beobachten, nahm, in die Stadt
sendend, die Mahlzeit, die der Feind dort bestellt hatte, an
sich und kehrte zurück nach Capellendorf.   Auch in der übri=
gen Stellung ward nichts abgeändert, noch ein Versuch auf
den Landgrafenberg unternommen. Mitten in großer Gefahr
ruhten die Preußen, wie außer aller Gefahr, und unter ihnen
der Fürst.   Auf ihn hat der 13. October und die folgende
Nacht eine Schuld gehäuft, von der ihm unmöglich gewesen
ist sich zu reinigen l).

Eher mag er es von einer andern, die ihm manche zum
Vorwurf ausdeuten, wie denn die Menschen meist unverzeih=
licher finden, mögliches Unheil nicht verhütet, als wirkliches
veranlaßt zu haben. In den Thälern von Porstendorf herum=
schleichend, ward ein Franzose von einem Preußischen Husa=
ren gefunden und aufgegriffen.   Der Herumschleichende war
der kaiserliche Kammerherr und Hauptmann von Montes=
quiou, erzogen in Dresden und der Deutschen Sprache wohl
kundig m).   Für seine Freiheit bot er Gold, allein umsonst.
Der ihn einfing, brachte ihn, ein rechtlicher Krieger, gegen
vier Uhr zu dem Fürsten. Als dieser den Eingebrachten aus=
fragte, berichtete er, wie er mit wichtigen Briefen unmittel=
bar von dem Kaiser aus Gera komme, und den Marschall
Lannes verfehlt und deshalb keinen Trompeter bei sich habe.

---

l) Der Augenzeuge I. 148 u. f. Massenbach II. I, S. 127 u. f.
m) Jenaische Literatur-Zeitung von 1807, Mai, Nr. 114, S. 300.

Die Briefe zeigte er vor. Der eine von Berthier, deſſen Aufſchrift n) zur Erbrechung berechtigte, enthielt menſchen= freundliche Vorſchläge über die Behandlung der Gefangenen und Verwundeten; die beiden andern waren an den Grafen von Haugwitz und den König ſelbſt überſchrieben. Es iſt un= bekannt, wodurch der Fürſt ſich bewogen fühlte, dem Fran= zoſen, der wiederholt auf ſchleunige Abſendung in das Haupt= lager drang, die Bitte nicht ſofort zu gewähren. Nur ſo viel weiß man, daß der König das kaiſerliche Schreiben erſt am andern Morgen um 9 Uhr empfing o), und der Inhalt, durch Franzöſiſche Blätter verbreitet p), Friede und Freundſchaft ausſprach oder auszuſprechen ſchien. So iſt es gekommen, daß auf dem Fürſten von Hohenlohe die üble Nachrede haf= tet, als habe er das Blutvergießen vermeiden können und nicht vermieden. Aber es iſt weder zu glauben, daß der Kampf, ſchon ſo nahe, abzuwehren war, noch, daß Napoleon ihn abwehren wollte, und vielleicht zu loben, wenn der ſchlaue Geſandte verhindert wurde, was er theils ſchon erſpäht hatte, theils noch erſpähen konnte, ſeinem Kaiſer eilfertig zu hinter= bringen q).

---

n) Sie lautete an den General-Quartier-Meiſter.

o) Polit. J. von 1806, S. 1113.

p) Daſelbſt und im Bericht des Augenzeugen II. 119 in der Urſchrift.

q) Ueber das Ganze der Augenzeuge I. 150 und II. 220 u. f. vergl. Maſſenbach 129, 134 u. f. Bignon, nachdem er vorher geſagt hat, daß ein eigenhändiges, ſehr ausführliches Schreiben des Königs von Preußen vom 25. Sept. an den Fürſten von Benevent gelangt ſei und Napoleon nach Verlauf einiger Tage der Aufregung eine Antwort darauf ſchuldig zu ſein geglaubt habe, erzählt die Sache ſo: „Eugen von Mon= tesquiou, einer der Ordonnanz-Offiziere Napoleons, war beauftragt, die= ſes Schreiben dem Könige zu überbringen. Selbſt wenn dieſer Brief noch an dem nämlichen Tage in die Hände des Königs gelangt wäre, wie es Napoleon dachte, iſt es kaum wahrſcheinlich, daß er an dem ein= mal gefaßten Entſchluſſe etwas geändert haben würde; doch war es noch

II. Theil.   11

Es war nämlich dieser am 13. October nicht mehr in
Gera, wie Montesquiou vorgab, sondern bereits in Jena,
und jeder einzelne Streithaufen entweder da, wo er sein
sollte, oder dem angewiesenen Posten nah. Der Großherzog
von Berg und der Marschall Davoust schreckten von Naumburg aus durch kleine Abtheilungen Leipzig und Halle und
erhielten den Auftrag, die Hohlwege von Kösen zu besetzen,
im Fall der Feind sich nach Naumburg bewege, oder ihn von
Apolda her in den Rücken zu nehmen, wenn er seine Stellung
behaupte. Der Fürst von Ponte-Corvo zog auf Dornburg,
von wo aus er die Preußen von hinten anfallen konnte, sie
mochten sich nach Naumburg wenden, oder nach Jena. Die
letzte Stadt hatte Lannes mit seinen Tapfern inne. Von
Kahla heran eilte Augereau, über Roda der Marschall Ney,
beide gewiß ihre Bestimmung noch in der Nacht zu erreichen.
Gera hatte der Marschall Soult verlassen, um in der Gegend, wo die Straße von Naumburg und Jena sich durchkreuzen, festen Fuß zu fassen, die großen Massen des rechten
und linken Flügels zu verbinden, und nach Erforderniß hier
oder dort zu wirken. Nur die schwere Reiterei und die kai-

---

ungewiß; allein auch dieser Schein von Hoffnung wurde durch eine
übel angebrachte Strenge der Form zerstört. Herr von Montesquoiu
wurde von den Preußischen Truppen als Gefangner angehalten, weil
er versäumt hatte, sich als Parlamentär durch einen Trompeter anmel-
den zu lassen. Man brachte ihn in das Hauptquartier des Fürsten von
Hohenlohe. Dort sah er sich genöthigt die Ankunft des Prinzen abzuwarten, welcher erst am 13. Abends um 10 Uhr ankam. Der Fürst
selbst, als hätte er nicht gewußt, wie wichtig die schnelle Bestellung von
Briefen zwischen zwei Herrschern sei, behielt den Herrn von Montesquiou die ganze Nacht bei sich. Den andern Morgen, als er ihn von
einem Jäger, der mit seinem Bericht an den König versehen war, begleitet weiter ziehen ließ, hörte er die ersten Kanonenschüsse einer Schlacht,
deren baldigen Beginn er nicht geahnet hatte. Der König erhielt daher
den Brief, welcher schon am 13. hätte in seinen Händen sein können,
erst am 14., nachdem die Schlacht schon ihren Anfang genommen hatte.
Bignon V. K. 63, S. 321.

ſerlichen Garden waren noch zurück r). So vertheilt und
die Sichern umgarnend ſtand Frankreichs Macht.

Unter den Führern der ſich gegen über ſtehenden Heere
war keiner thätiger und beſorgter, als Napoleon, der am ruhig=
ſten ſein durfte. Bald nach ſeiner Ankunft in Jena (und er war
dort Nachmittags um 2 Uhr eingetroffen) hatte er den Land=
grafenberg beſtiegen und die feindliche Stellung beurtheilt.
Sogleich faßte er ſeinen Entſchluß. Mit dem Einbruche der
Nacht begann überall Bewegung und Leben. Unter ſeinen
Augen ordnete ſich auf dem Gipfel jenes Bergs der ganze
Streithaufen des Marſchall Lannes, links der Anhöhe in drei
Linien die Abtheilung Gazan, rechts die Abtheilung Suchet,
und die Garden in ein Viereck, um den Kaiſer, der hier
übernachten wollte, in ihre Mitte zu nehmen. Ein lauter
Zuruf grüßte ihn, der bei Fackelſchein von Reihe zu Reihe
zog, ſo oft er an eine neue kam. Zugleich ward in den Ab=
hängen des Saalthals unabläſſig gearbeitet, hier Holz gefällt,
um die Wege auf die Höhen für das Geſchütz zu ebenen, dort
das Geſchütz durch Menſchenhand fortgeſchafft und zwiſchen
den Abtheilungen aufgepflanzt, auch, nach der Angabe orts=
kundiger Männer, von der Stadt und den nahen Thälern
aus, Zugänge eröffnet, um dem Volke, das auf der Berg=
platte keinen Raum fand, ſeine Entwickelung zu erleichtern.
Es war eine wunderbar bewegende Nacht. Das Preußiſche
Heer, in einer Linie über ſechs Stunden ausgedehnt, erleuch=
tete durch ſeine Wachtfeuer den Himmel; das Franzöſiſche
eng und zuſammengedrängt verrieth ſich durch einzelne und
wenig ſichtbare. Die Wachen ſelbſt ſtanden kaum auf Schuß=
weite entfernt. Die von Preußiſcher Seite ſahen den Fackel=
zug des Kaiſers, hörten den Jubel der bewillkommenden Krie=
ger, vernahmen den Holzſchlag in der Tiefe und das Raſſeln
des aufgefahrnen Geſchützes längs den Bergen, und meldeten

---

r) Die Franzöſiſchen Tagsberichte, Nr. 5. vergl. den Augenzeugen
1. 153 u. f.

11*

alles an ihre nächsten Behörden: aber war es schlaffe Sorg=
losigkeit, oder blinde Zuversicht, — zu den Fürsten, wie we=
nigstens allgemein behauptet wird, gelangte von dem Wahr=
genommenen keine Kunde s).

Unter solchen Verhältnissen brach der 14. October an,
schon acht und vierzig Jahre früher bei Hochkirchen den Preu=
ßen verderblich. Rund umher deckte dichter Nebel Wald und
Thal; in dem Hauptlager des Fürsten wohnte die tiefste
Stille, und allgemein herrschte der Glaube, der größere Theil
der Französischen Heeresmacht sei nach Naumburg und Kösen
gezogen und für heute nichts zu fürchten t), als die Folgen
der getroffenen Vorkehrungen Napoleons sich offenbarten. Die
leicht zurückgeworfenen Vorposten Tauenziens verkündigten
beides die Gegenwart und die Absicht des Feindes, und die
Unterstützung, die vom Dornberge herab über Kloswitz und
rechts von Lützerode herzueilte, setzte der begegnenden Gewalt
keine Gränze. Immer heftiger durch Suchet und Gazan un=
ter Lannes gedrängt, floh ein Theil, in lockere Haufen sich
auflösend, über Krippendorf und Vierzehnheiligen, und ein
anderer, mehr zusammengehalten, über Alten=Gönne nach
Hermstädt und späterhin nach Apolda. Noch vor der achten
Stunde war die Vorarbeit zur Schlacht vollendet v).

Den Fürsten in Capellendorf weckte der Donner des
Geschützes aus seiner Ruhe, nicht aus seinen Träumen. Im=
mer noch wähnend, daß ihm keine Gefahr drohe, hatte er
eben auf dem rechten Flügel befohlen, man solle nicht aus=
rücken, sondern sich blos zum Ausrücken fertig halten, und

---

s) Die Französischen Tagsberichte, Nr. 5, vergl. den Augenzeugen
I. 162 u. f. und Massenbach II. 2, S. 141, 163. Nach dem Polit. J.
von 1807 S. 64 war es besonders der Französische Feldherr Denzel, frü=
her einer der gelehrten Mitbürger Jena's, der durch seine Kenntniß der
Gegend hier nützlich ward.

t) Der Augenzeuge 161, 174.

v) Derselbe 166 — 173.

erstaunte nicht wenig, in demselben Augenblick den linken Flü=
gel die Zelte abbrechen und in voller Bewegung zu sehn, als
ihm Grawert, der daselbst anordnete, das Unglück des Tauen=
zienschen Heerhaufens meldete, und wie höchst nöthig ihm
dünke, das Volk gegen Vierzehntheiligen vorzuführen. Jetzt
erst und weil das Herandrängen der Fliehenden die Aussage
bald außer Zweifel setzte, glaubte man an die Nähe des
Feindes, obwohl noch nicht an seine Uebermacht und das
Dasein Napoleons, und rüstete sich zur Begegnung. Das
Fußvolk unter Grawert stellte sich zwischen Klein = Römstädt
und Kötschau, die Reiterei, vom Fürsten selbst herbeigeführt,
eilte vorwärts, um die Tauenzienschen Krieger zu unterstützen,
und an tauglichen Orten legte man Geschützbetten an. Auch
die Sachsen, deren Oberfeldherr sein Hauptlager in Hohl=
städt hatte, brachen auf, als die Gefahr nahte, und nahmen
ihre Richtung, der größere Theil der Reiterei nach Isserstädt,
das Fußvolk, den Weimarschen Hochweg zur Rechten, nach
dem Flohberg. Gegen Magdala, von woher man immer
noch einen Angriff erwartete, standen beobachtende leichte
Haufen. Zugleich ward Holzendorf, der in der Gegend von
Rödichen stand, eilends beschickt, um Dornburg besetzt zu hal=
ten: allein zu spät. Dornburgs Brücken und Höhen, ver=
nachlässigt, wie alles, waren längst in den Händen von
Ponte=Corvo; und Holzendorf, früh durch das Lohholz gewor=
fen und bald über Zwätzen her angegriffen vom Marschall
Soult, flüchtete bereits (man vernahm deutlich das lebhafte
Feuern aus dem großen und kleinen Gewehr) nach den Hü=
geln von Stobra x).

Indeß blickte die Sonnenscheibe blutroth aus dem Dunst=
kreise hervor. Das Sächsisch=Preußische Heer ordnete sich,
ungeachtet der Schwierigkeit, die ihm der Nebel und der

---

x) Der Augenzeuge 174 — 180, vergl. über die unglaubliche Sicher=
heit des Führers einen nicht unmerkwürdigen Brief aus Weimar in der
Allgemeinen Zeit. S. 1406.

Sumpfboden legte, und rückte gegen Vierzehnheiligen an, das die Franzosen bereits besetzt hatten. Bald begann ein mörderischer Kampf, der den Preußen, wiewohl mehrere ihrer Abtheilungen schwankten, sich zerstreuten und wieder gesammelt wurden, einigen Vortheil brachte. Der Feind wich in etwas zurück, ohne übrigens das gewonnene Dorf aufzugeben, und erwartete Verstärkung. In diesem Augenblick schien alles von der Erscheinung des Feldherrn Rüchel abzuhangen, der von den Lehnstädter Höhen bei Weimar herüberkommen sollte. Gleich nach der Anordnung der Schlacht hatte der Fürst an ihn gesandt und ihm die einzuschlagende Richtung bezeichnet; und jetzt in der eilften Stunde des Tages entbot er ihm schriftlich noch einmal, „er möge eilen. Das Gefecht laufe glücklich. Alles beruhe auf zeitiger Unterstützung." Allein, statt der frohen Botschaft von seiner Nähe, auf die man so ängstlich hoffte, hörte man das Feuern auf den Höhen von Stobra allmählig verstummen. Zwei neue Heersäulen unter dem Prinzen von Ponte-Corvo, der von Dornburg aus über Zimmern hervorbrach, hatten die Abtheilung Holzendorfs, nachdem sie durch Soult zwei Stunden lang mehr beschäftigt als gedrängt worden war, zum Rückzug auf Buttelstädt genöthigt. In dieser Lage hielt der Fürst für rathsamer Vierzehnheiligen nicht zu stürmen, sondern ließ es durch eine Brandkugel anzünden, um den Feind zu verjagen. Er selbst beschloß seine Stellung bis zur Ankunft Rüchels zu behaupten und gebot den Sachsen, ihm durch Vertheidigung der Schnecke die rechte Seite zu sichern y).

Desto eifriger stärkten und verbreiteten sich die Franzosen. Von den Höhen von Kloswitz aus senkten sich, was der fallende Nebel deutlich offenbarte, zahlreiche Schaaren in den Isserstädter Forst, warfen, was ihnen entgegenstand, und verderbten ein aufgeführtes Stückbett. Andere stürmten unter

---

y) Der Augenzeuge I. 180 — 188, vergl. Massenbach II. 1, S. 146—156.

Lannes nach dem brennenden Vierzehnheiligen, in deſſen Gär=
ten ihre Waffenbrüder ſich immerfort hielten, und errangen
auch hier Vortheile. Der Heerhaufen Soults, nun frei ge=
worden durch Holzendorfs Abzug, drängte die Reiterei des
linken Flügels nach Hermſtädt, während in der rechten Seite
Augereau immer ſtärker die Oberhand gewann. Allmählig wich
die ganze Abtheilung Grawerts nach Klein= und Groß=Röm=
ſtädt zurück, und das mörderiſche Feuer löſte allen Zuſammen=
hang. Nur hie und da widerſtand noch im Einzelnen die
Tapferkeit, oder bildete ſich um die verlaſſenen Fahnen ein
kleiner Kern z).

In dieſer Verwirrung (es war etwa zwiſchen zwei und
drei Uhr) erſchien, zwiſchen Umpferſtädt und Frankendorf auf
Capellendorf ziehend, und das untergebene Volk auf dem
Sperlingsberge ordnend, der Feldherr Rüchel *), aber nicht,
wie er wähnen mochte, um einen Triumph über den Feind
und den Fürſten zugleich zu feiern, ſondern um die Nieder=
lage zu mehren. Er hatte nämlich ſeine Mannſchaft kaum
aufgeſtellt, als er bereits in die rechte Seite genommen ward.
Ein wohl gerichtetes Stückbett wüthete in den Reihen. Meh=
rere der tapferſten Führer fanden Tod oder Wunden; er ſelbſt
empfing gleich Anfangs eine Schußwunde unter dem Herzen
und mußte ſich nach Frankendorf bringen laſſen. Bald ergrif=
fen einzelne Haufen die Flucht und riſſen die noch Stand=
haften mit ſich fort. Die ganze Abtheilung ſchien gekommen,
um zu verſchwinden, ein nutzloſer Zeuge der verlornen Schlacht
und ſelbſt unfähig ſie herzuſtellen a).

Indeß um und neben Römſtädt ſo unglücklich gefochten
ward, vertheidigten die Sachſen immerfort den ihnen ange=

z) Der Augenzeuge 189—192.

*) Er ſtand, dem Augenzeugen II. 240 zufolge, den 7. October zwi=
ſchen Eiſenach und Vach, den 10. bei Erfurt, den 12. bei Bechſtädt, und
den 13. bei Lehnſtädt.

a) Muſſenbach II. 156. Der Augenzeuge 192 u. f.

wiesenen Posten zwischen Isserstädt und Schwabhausen, zu
beschäftigt, um den Gang des Kampfs oberhalb zu verfolgen
und von Niemand benachrichtigt. Aber es dauerte nicht lange,
so traf das allgemeine Schicksal auch sie. Die Abtheilung
des Marschalls Augereau, noch zeitig genug eintreffend, um
den Sieg zu theilen, brach mit Gewalt hervor und drohte
sie zu umzingeln. Umsonst gewann es kurze Zeit das Ansehn, als ob sie, in Vierecke gesammelt, sich retten würden.
Als sie in der Gegend von Kötschau anlangten, wurden sie,
sammt den Preußischen Schwadronen Bila und Getkandt
und dem leichten Fußvolke unter Boguslawski, das auch auf
seiner Stelle, jenseits des Weimarschen Hochwegs, verharrt
hatte, und nunmehr flüchtete, von der Französischen Reiterei
umstellt und theils niedergehauen, theils gefangen. Nur eine
kleine Anzahl schlug sich an der Spitze ihres Führers, des
Feldherrn Zeschwitz, durch und erreichte den Theil der Sächsischen Reiterei, der unter dem zweiten Zeschwitz, jenes Bruder, mit Rüchel von neuem vorgedrungen war und geschlagen
eben bei Hohlstädt ankam. Von jetzt nehmen beide Haufen
noch einige fliehende Abtheilungen in sich auf, setzen sich nochmals und versuchen den mancherlei Flüchtlingen den Rücken
zu sichern, aber ohne großen Erfolg. Die feindliche Uebermacht gestattet keine Ruhe, sondern zerstreuet sie so sehr, daß
der eine Theil auf der Straße nach Erfurt forteilt und der
andre nördlich durch die Engen von Dennstädt der Ilm zufließt.
Solches waren die Glückswechsel einer Schlacht, die in Sorglosigkeit begonnen, ohne Einheit geleitet, durch zwecklose Kühnheit verschlimmert und mit beispielloser Verwirrung geendigt
ward b).

---

b) Der Augenzeuge 1. 199—208. Daß Augereau hier der Sache
den Ausschlag gab, geht theils aus der Richtung, die er gleich Anfangs
erhielt, theils aus den Zusätzen des Obersten Jomini zum Bericht des
Augenzeugen I. 206. vergl. Situation de l'armée Française à Jena II.
249 hervor. Vergl. die Beschreibung der Schlacht bei Jena in M. Dumas XVI. 72—133.

Zu eben der Zeit hatte auch des Königs Heer ein ähn=
liches Schicksal erfahren.	Es war am 13. October in der
achten Frühstunde, als die erste Abtheilung desselben unter
Schmettau von Weimar aufbrach, die beiden andern unter
Wartensleben und Oranien ihr in stündigen Zwischenräumen
nachzogen, und Nachmittag um drei Uhr die letzte unter dem
Grafen von Kuhnheim folgte, alle in einer Säule auf den
Hochweg nach Auerstädt hin gerichtet c). Dieselbe Unwissen=
heit, die bei dem Hohenlohischen Heere über des Feindes An=
zahl und Absicht obwaltete, herrschte auch hier und, wie bei
jenem, die verderblichste Fahrlässigkeit. Die wichtigen Engen,
die bei Kösen über die Saale führen, standen dem Feinde
offen, und man meinte sie am folgenden Tage zu besetzen d).
Die ermüdeten Krieger wurden angewiesen, unter kaltem Him=
mel zu übernachten, und fanden, wenige ausgenommen, we=
der Speise noch Trank, sich zu erwärmen und die Kräfte zu
stärken e). Ein Kampf auf den folgenden Tag schien gewiß
und man strebte nicht einmal die steilen Hohlwege hinter dem
tief liegenden Auerstädt zu gewinnen, während der Französi=
sche Feldherr Davoust sich noch in der Nacht des Kösner
Berges bemächtigte f).

Am Morgen des 14. Octobers setzte die Abtheilung un=
ter Schmettau, gedeckt von der Reiterei unter Blücher, sich
im dichten Herbstnebel in Bewegung. Die voraufziehenden
leichten Truppen *) stießen zwischen den Dörfern Popel und
Tauchwitz auf die Spitze des Französischen Vortrabs, der bald
zurückwich, und da man immerfort mit einem kleinen Haufen
zu kämpfen wähnte, so rückte ein Theil der Reiterei so hitzig

---

c) Operationsplan der Preußisch=Sächsischen Armee im Jahr 1806
(hier das Hauptbuch) S. 37.

d) Daselbst, Note.

e) Daselbst 162.

f) Daselbst 167, vergl. Groß Handbuch 356.

*) 25 Schwadronen unter Blücher. S. Leben des Fürsten Blü=
cher von Wahlstadt von K. A. Varnhagen von Ense S. 88.

über Haffenhaufen hinaus, daß ihn plötzlich ein Kugelregen
von einem Stückbette zur Rechten faßte und mit Verluſt ſei=
nes berittenen Geschützes zur Flucht zwang g). Jetzt ſchritt
die Abtheilung Gudin vorwärts und beschoß die Schmettaui=
sche von den beherrschenden Anhöhen mit Erfolg h). Es
ward offenbar, daß die Gegenkraft viel zu schwach war, und
der Herzog von Braunschweig sandte Boten auf Boten, um
die Eile der Nachziehenden zu beschleunigen. Endlich über=
wanden die Abtheilungen Wartensleben und Dranien den
Moraſt Auerſtädts und die beschwerlichen Hohlwege, und
erreichten, jene, durch den Grund von Rehhausen, den rech=
ten Flügel, und diese zur Unterſtützung die Mitte i). Als=
bald gewann der Kampf, zumal der Himmel ſich eben auf=
klärte, eine ernſtere Geſtalt und der Streitenden Anſtrengung
wuchs. Das Fußvolk des Franzöſiſchen rechten Flügels, in
Vierecke gesammelt, wies Blüchers Reiter, die über Zechwar
und Spillberg hinaus anrückten, ſtandhaft zurück und verei=
telte wiederholte Versuche k). Dagegen drangen einige Rei=
ter=Schwadronen der Wartenslebenſchen Abtheilung, die dem
Fußvolke voraneilten, in den linken Flügel des Feindes ein
und schienen das Glück hier zu feſſeln l). Schon dachte man
Haffenhaufen zu nehmen. Man erkannte die Wichtigkeit des
Beſitzes.

Aber wie der Sieg das Hohenlohiſche Heer trüglich einen
Augenblick suchte, und schnell und auf immer wieder verließ,
so täuschte er auch das königliche. Während die Preußiſchen
Abtheilungen noch im Vorrücken und Entwickeln begriffen
waren, trafen nicht nur die beiden Franzöſiſchen, Morand
und Friand, zur entscheidenden Stunde ein, und schlossen ſich

g) Operationsplan 38, 169.
h) Daſ. 170.
i) Daſ. 39.
k) Daſ. 170.
l) Daſ. 171, vergl. 41.

rechts und links an die von Gudin; das Verhängniß begün=
stigte selbst noch auf andere Weise den Feind. Der Graf von
Schmettau hatte bereits an der Spitze der Seinigen eine tödt=
liche Wunde empfangen, als auch der Herzog von Braun=
schweig, der im Gewühle der Schlacht Befehle gab, ihr ge=
raubt ward. Eine Kugel, die über dem rechten Auge ein=
drang und das linke aus seiner Höhlung trieb, warf den
Unglücklichen besinnungslos nieder. Das bluttriefende Gesicht
mit einem Tuche verhäugend, brachte man ihn zu Pferde,
vorüber vor der Abtheilung Dranien, die sich eben entfaltete,
nach Auerstädt, wo er in seinen Wagen gehoben und die
Wunde gereinigt ward, und von dort weiter rückwärts m).

Der Verlust des obersten Feldherrn, von dessen Entwurf
außer ihm Niemand wußte, hätte wohl auch einem glücklichen
Kampfe geschadet, wie vielmehr einem zweifelhaften. Schon
drängte des Feindes neu verstärkter rechter Flügel den linken
der Preußen mächtig zurück; die Reihen der Schmettauischen
Abtheilung wurden je länger je dünner; auch die unter War=
tensleben, wiewohl ihre Stelle behauptend, litt nicht wenig,
als endlich die Abtheilung Dranien über Rehhausen und Po=
pel vorrückte. So gekräftigt griff man Hassenhausen aber=
mals an und warf das feindliche Fußvolk hinein, indeß die
Ueberbleibsel des Schmettauischen Heerhaufens sich hinter der
vorschreitenden Linie sammelten. Allein die Abtheilung Mo=
rand, der nichts mehr entgegenstand, zog sich (es war in der
zehnten Stunde) um den linken Flügel herum, errichtete an
dem Kirchhof von Spillberg zwölf Stücke Geschütz und sandte
den Preußen ganze Schwärme von Plänklern in den Rücken n).
Selbst ein kühner Angriff, den der Prinz Wilhelm gegen eilf
Uhr von Sulza her auf das Französische Fußvolk mit der

---

m) Operationsplan 44, Note, vergl. 172 und Biographie des Her=
zogs von Braunschweig 249, 251, vor allen das Asklepieion rom Jahr
1811, December, Nr. 97, 98.

n) Operationsplan 173.

Reiterei unternahm scheiterte an den festen Vierecken, in deren einem sich Davoust aufhielt o). Um diese Zeit traf Blücher den König im Gewühle. Noch sahen mehrere Haufen, zur Unterstützung aufgespart, müßig dem Kampfe zu, und die Reiterei zu sammeln war leicht. Da fragte Blücher, ob er beide heranführen solle: aber der König, unbekannt mit Hohenlohes und Rüchels Schicksalen, wünschte sich zu verstärken und die Schlacht am folgenden Tage zu erneuern p). Von nun an begann des Preußischen Heeres Rückzug. Der rechte Flügel, zuerst wenig verfolgt, (des Feindes linker Flügel ermangelte der nöthigen Reiterei), zuletzt von dem Sonnenberg aus bestrichen, wendete sich über Sonnendorf, der linke, heftiger beunruhigt, allein durch die Rückstehenden gesichert, zog über Rehhausen, beide ohne große Einbuße, auf Auerstädt; aber, durch Wurfgeschütz von den beherrschenden Anhöhen angezündet, mußte der Ort in Eile verlassen werden q). An Anzahl, vorzüglich an Reiterei, waren die Preußen ihren Gegnern wohl überlegen r); der Tapferkeit ermangelten so wenig die Gemeinen, als ihre Führer, deren ein großer Theil todt oder verwundet fiel s). Auch das Unglück des Herzogs von

---

o) Operationsplan 43, 174.

p) Daf. 45 (Leben des Fürsten Blücher von B. v. E. S. 91).

q) Daselbst 46, 47, vergl. 174 u. f.

r) Daf. 42, 46, vergl. die Beilage A zum Operationsplan. Das Heer unter Davoust zählte nach der gewöhnlichen Angabe 36000, das königliche 50000 Mann.

s) Daselbst 177. Im Kriegsberichte über die beiden Siege vom 14. October spricht sich der Moniteur vom 26. October so aus: L'armée ennemie était nombreuse. Elle montrait une belle cavallerie. Ses manoeuvres étaient exécutées avec précision et rapidité. — De part et d'autre on manoeuvrait constamment comme à une parade. Und weiter unten: Ils mirent l'ennemi en pleine retraite. Il la fit avec ordre pendant une heure; — — après elle devint un affreux désordre. In dem nämlichen Blatte vom 8. Nov. aber heißt es unter dem Artikel Wien vom 24. October: „Nie zeigten die Preußen größere

Braunschweig hat schwerlich über des Tages Ausgang entschieden. Was die Schuld der Niederlage trug, war die Verachtung des Gegners und daraus entspringende Sicherheit,
die Anwendung der Truppenmassen, die, vereinzelt ins Treffen geführt, einzeln bezwungen wurden, und die überlegte
Anordnung und ruhige Haltung des Französischen Feldherrn. *)

Der König eilte auf der Straße nach Weimar vorwärts,
um zu neuem Kampf sich zu rüsten, als man plötzlich auf
den Höhen von Apolda Bewegungen feindlicher Massen wahrnahm. Diese unerfreuliche Erscheinung gab die erste Ahnung
von dem, was bei Jena geschehen war, und bestimmte ihn,
mit einem Theil seiner Garden und andern Kriegern sich
links nach Sömmerda abzuwenden. Hier überdachte er sein
Unglück, mit dessen Umfang er unterwegs genauer bekannt
geworden war, und schrieb in dem Hause des Predigers an
den Französischen Kaiser. Der oben erwähnte Herr von Montesquiou hatte ihm dessen Schreiben während der Schlacht
eingehändigt, und die freundlichen Gesinnungen, die es aussprach, erregten Hoffnungen zur Aussöhnung t). Ungewiß
jedoch der Großmuth des Siegers, suchte er unverweilt v)
Sondershausen.

Vielleicht war nie ein besiegtes Heer in einer traurigern
Lage, als das Preußische. Nicht nur überall umgangen, stand
es abgeschnitten von seiner Heimath; seine Siegträumenden
Feldherrn hatten ihm nicht einmal Sammelplätze für den
Fall der Flucht angewiesen. Schon diese Unvorsichtigkeit erschwerte die Vereinigung der Zerstreuten; aber auch von andern Seiten setzten sich ihr gar manche Hindernisse entgegen.

Tapferkeit. — Diese Schlacht ist die ruhmvollste unter allen, welche die
Franzosen seit Chlodowigs Zeiten bis auf den heutigen Tag jemals gewonnen."

*) Vergl. die Beschreibung der Schlacht bei Auerstädt in M. Du-
mas XVI. 134 — 177.

t) Operationsplan 47 u. f. Massenbach II. 2. S. 12.

v) Noch am Nachmittag des 15. Octobers.

Der Rückzug nach Norden hinauf (und er schien der allein
mögliche) mußte die beiden Heere, deren keins von dem andern etwas wußte, nothwendig verwirren, und das endlose
Gepäck, das sie nach sich schleppten, diese Verwirrung mehren.
Die Unkenntniß des Landes und der Herbstnächte lange Dunkelheit trugen das Ihrige dazu bei, die Umherirrenden von
der rechten Straße abzuleiten. Durch die zwei verlornen
Schlachten war das Vertrauen zu den eigenen Heerführern
ganz erloschen und die Achtung vor den feindlichen unendlich
gewachsen. Hierzu gesellte sich das Gefühl des schon empfun-
denen und noch bevorstehenden Mangels, die Entfernung einer
sichern mit Vorrath versehenen Feste, bei vielen die Furcht
vor dem nachdringenden Feinde, bei manchen die niederdrük-
kende Schande, bei allen die getäuschte Erwartung, die schon
allein muthlos macht und die Besonnenheit raubt. Auch der
Gedanke konnte den Kundigen nicht entgehn, daß die Fliehenden einen weiten Bogen zu ihrer Rettung beschreiben mußten,
während ihre Verfolger (die behendesten und ausdaurendsten!)
auf der kürzern Sehne vorschritten x).

Die ersten Folgen der allgemeinen Auflösung erfuhr der
Fürst von Hohenlohe sogleich auf seiner Flucht nach Schloß
Vippach, wo er, unter Begleitung einer zahlreichen Reiterei,
Nachts um zehn Uhr ankam. Das sämmtliche Gepäck des
königlichen Heeres, hier seit dem 13. eingetroffen, sperrte die
schmalen Dämme der Zugänge; Ausreißer und Flüchtlinge,
welche die Botschaft von dem verlornen Treffen bei Auerstädt brachten, verbreiteten Furcht und Schrecken; dem Trotze
der Einwohner mußte man Futter und Brod abpressen; und
die aufgefahrene Beute erregte in allen die Besorgniß, es
werde der Feind ihr zueilen. Um die Unglücklichen noch tiefer
zu beugen, lief gegen Mitternacht die Kunde ein, Sömmerda,
wohin sie mit dem Morgen aufbrechen wollten, werde bereits
geplündert. So nahe Gefahr verbot alles Säumen. Man

---

x) Der Augenzeuge I. 214.

beschloß-sich sogleich nach Tennstädt zu wenden, um der
Straße auf Weißensee zu entgehn, in der das Heergeräth
fortzog. Aber die, welche nach Tennstädt führte, erfüllte das
Gepäck des Königes und der Prinzen. Die Fliehenden wur=
den genöthigt, sich auf Feldwegen in tiefer Dunkelheit fortzu=
stehlen, und als man endlich am 15. früh um sieben Uhr in
der kleinen Stadt eintraf, waren von der großen Begleitung
nicht hundert Mann übrig y).

Es lag dem Fürsten alles daran, sichere Nachricht von
seinem und des Königs Heere zu erlangen. Darum sandte
er Eilboten nach Frankenhausen, Mühlhausen und Liebstädt,
und meinte nach eingezogenen Berichten gemächlich über Ehrich
nach Sondershausen zu gehn: aber diese Hoffnung, wie so
viele, betrog ihn. Er war noch nicht anderthalb Stunden in
Tennstädt, so erhob sich vor dem Thore, das nach Ehrich
führt, ein lebhaftes Plänkeln zwischen Preußischer und Fran=
zösischer Reiterei. Je kleiner die Bedeckung war, die ihn um=
gab, um desto dringender ward die Flucht. Er und sein gan=
zes Gefolg bestiegen augenblicklich die Pferde, und ein kundi=
ger Bote leitete sie alle zum entgegengesetzten Thore hinaus,
in Nebenwegen über Horn=Sömmern, auf die Höhen von
Ehrich, wo sie abermals Sächsisches Gepäck, durch Feinde
gejagt, in der Straße von Weißensee nach Sondershausen
hin flüchten sahn. Umsonst strebten sie diesem zuvorzukommen.
Als sie in Sondershausen anlangten, waren alle Thore, Stra=
ßen und öffentliche Plätze gefüllt und gesperrt. Flücht=
linge aller Art, Bewaffnete und Unbewaffnete Einzelne
und in Haufen, strömten zusammen. Die ganze Nacht
verging unter Getümmel und Sorgen. Wahre und falsche
Sagen durchkreuzten sich wunderbar. Ueber das Schick=
sal des königlichen Heeres und wo es sich sammeln solle,
wußte Niemand Auskunft zu geben z).

---

y) Der Augenzeuge 1. 216 — 218.
z) Der Augenzeuge I. 218 — 221.

Endlich am 16. October früh um neun Uhr traf der
König in Sondershausen ein, und wiewohl seine Gegenwart
die Unordnung nicht aufhob, suchte man ihr doch durch einen
festen Entschluß vorzubeugen. Der gefaßte ging dahin, den
Rest der aufgelösten Heere bei Magdeburg zu versammeln
und vereinigt mit der ersten Preußischen Hülfe (Reserve),
die bei Halle stand, Berlin zu sichern, oder, im Fall dieß zu
spät sei, den Oderstrom zu gewinnen, und sich den Ost-Preu-
ßischen Völkern anzuschließen. Zugleich ward der Graf von
Kalkreuth beauftragt, die ihm untergebene Mannschaft über
die Elbe zu führen und der Fürst von Hohenlohe zum Befehlshaber aller der übrigen Krieger ernannt, die bei Auerstädt und Jena gefochten hatten. Der König selbst reiste auf
der Stelle nach Magdeburg, um auch hier die nöthigen Anstalten zu treffen a).

Mittlerweile hatte ihm die Klugheit des Siegers die
einzige verbündete Macht entrissen. Es war dem Feinde nicht
unbekannt, wie wenig die Sachsen den unternommenen Krieg
billigten. Schon vor Eröffnung des Feldzuges waren Auf-
forderungen, sich von Preußens Sache zu trennen, an sie
ergangen b), und sogar mitten im Kampfe durch heranreitende
Vorposten gedruckte Blätter ausgestreut worden, um zum Ab-
fall zu bereden c). Jetzt nach dem Verlust einer Schlacht,
die einen großen Theil der Sächsischen Streiter in die Hände
des Ueberwinders gab, und das ganze herrliche Land ihm auf-
schloß, schien es leicht, Volk und Herrscher zu den Fahnen
Frankreichs herüberzuziehn, und der Kaiser säumte nicht, die
ersten Schritte zu thun. Die Führer des Sächsischen Fuß-
volks, das an der Schnecke gefangen ward, um sich sammelnd,
erklärte er, „wie sehr er den Kurfürsten schätze, und seine
Lage zu Preußen bedauere. Er sei gekommen, sie von so

---

a) Der Augenzeuge I. 225 — 226, vergl. Operationsplan 49.
b) Polit. J. 1806 S. 1061.
c) Der Augenzeuge I. 186, Note.

unwürdigem Joche zu befreien. Alle Feindseligkeit werde aufhören, sobald ihr Gebieter seine Schaaren abrufe und Dresden und den Königstein zu befestigen unterlasse. Sie selbst, wenn sie sich schriftlich in ihrem und ihrer Untergebenen Namen verbürgten, nicht mehr gegen Frankreich zu dienen, könnten sogleich in ihre Heimath zurückkehren." Jene unterzeichneten hierauf noch am 15. für sich und die Ihrigen, und zogen am 17., mit Pässen versehen, nach Hause d). Es war kein Zweifel, daß solche Schonung in kurzem verderblich für Preußen werden müsse.

Bei weitem verderblicher ward ihm jedoch gleich jetzt die Behendigkeit, mit der die Sieger die neu errungenen Vortheile verfolgten. Wie der eine Theil des geschlagenen Heeres sich hauptsächlich nordwärts nach dem Harz wandte, so flüchtete der andere westlich nach Erfurt e). Dieser Feste, ehedem eine der wichtigsten Thüringens, nahte zu eben der Zeit ein bedeutender Hause Preußen. Der Herzog von Weimar, der ihn führte f), stand am 7. October, da das Preußische

---

d) Der Augenzeuge I. 224, vergl. die Französischen Tagsberichte, Nr. 6. M. d. D. d. Rovigo II. S. 168.

e) Es ist weder nöthig noch möglich, alle Wege der aus einander Gesprengten zu verfolgen. Nur die Nachricht, die der Augenzeuge (I. 222.) von dem Hohenlohischen Heere giebt, mag als Beleg der allgemein herrschenden Unordnung hier stehn. Die Grawertsche Abtheilung hatte sich fast ganz aufgelöst. Nur ein unbedeutender Rest eilte nach Erfurt. Die von der Rüchelschen beisammen blieben, zogen auf Buttelstädt und schlossen sich daselbst an Kalkreuth. Die Preußische Reiterei, obgleich vielfach gespalten, bildete noch am ersten ein Ganzes. Das Sächsische Fußvolk, das sich unter Cerrini am Webicht aufstellte, wandte sich über Buttelstädt und Cölleda nach Frankenhausen, und die Reiterei unter Zeschwitz, die in Buttelstädt auf den Holzendorfischen Heerhaufen stieß und dessen Nachtrab machen sollte, verließ auf die Nachricht, daß Erfurt genommen sey, die dahin führende Straße und wählte die auf Sömmerda. Von den Sachsen, die an der Schnecke gefangen wurden, ist schon die Rede gewesen.

f) Man vergleiche, was vorläufig S. 146 und 159 um des Zusammenhangs willen bereits erwähnt worden ist.

II. Theil. 12

Heer sich zum Vorrücken über das Thüringer Gebirg anschickte, an dessen nördlichem Abhange bei Tambach und zog am 9., dem Auftrage des Ober=Feldherrn gemäß, auf der Straße von Meiningen nach der Werra, entschlossen zu wirken, wenn die Umstände geböten, als das schnelle Vorrücken der Fran= zosen nach Schleiz jeden Entwurf vereitelte, und ein neuer Befehl zur Vereinigung mit dem Hauptheere über Schmal= kalden und Gotha aufforderte. Der Herzog, den Feinden näher und darum vermögend, seine und ihre Stellung richti= ger zu beurtheilen, meldete, wie er, um früher einzutreffen, und zugleich den Feind zu. verwirren, seinen Rückzug über Frauenwalde und Ilmenau nehmen werde, und ordnete alles. Die bis Schweinfurt Vorausgeschickten wurden einberufen, die kleine schon genommene Feste Königshofen verlassen und die Mannschaft in der Gegend von Römhild und Hildburg= hausen versammelt. Indeß waren die Franzosen bei Saal= feld durchgebrochen, und ein zweiter Eilbote, in der Nacht auf den 12. October eintreffend, empfahl dem Herzoge, dessen veränderte Richtung man im Lager des Königs später erfah= ren hatte, von Gotha unverzüglich über Erfurt nach Weimar zu ziehn. Er, der bessern Ansicht treu geblieben, stand am 13. bereits in dem näher liegenden Ilmenau und sandte an Rüchel, um sich über den Ort und Zweck des Hauptheers belehren zu lassen. Am 14. Nachmittags kam Botschaft, Rüchel stehe am Webicht und das Geschütz donnere. Da eilte der Herzog, um Weimar zu erreichen, noch denselben Abend auf Arnstadt; aber ehe er das Städtchen verließ, über= raschte ihn die zweite Botschaft von der Niederlage bei Vier= zehnheiligen g).

Es war beschlossen gewesen, über die Egstädter Höhen zu gehn und von da aus, Erfurt links lassend, sich auf die Kunststraße zu wenden. Jetzt, wo die Besetzung Weimars

---

g) Operationsplan 52 — 64.

so gut wie gewiß schien *), fühlte der Herzog, daß dieser Entwurf ins Unglück führe, und eilte hinter der Gera hinweg nach Erfurt. Als er daselbst am 15. October anlangte und nach Lebensmitteln in die Stadt sandte, erfuhr er, wie innerhalb alles von Flüchtlingen wimmle, der Marschall Möllendorf, der Prinz von Oranien und andere angesehene Kriegsobersten sich dort befänden, und was alles am 14. October verloren gegangen sey. Zugleich ersuchte man ihn dringend, sich zwischen dem Petersberg und der Gera zu setzen und den Abzug der Geschlagenen zu decken, der binnen einer Stunde erfolgen solle. Er, der durch Fernröhre die Heeresmacht der Feinde sich schon heranwälzen sah, sandte sein Fußvolk sogleich unter dem Herzoge von Braunschweig-Oels über Tüttleben und Hochheim nach Langensalza und ordnete seine Reiterei auf den Höhen von Bindersleben. Indeß kam der Feind immer näher; der Abend brach an, und Möllendorf, obgleich oft beschickt und dringend aufgefordert, zögerte immerfort. Plötzlich (die Dämmerung herrschte schon) ließ er melden, „es sei an keinen Abzug zu denken. Die Versprengten, die Erfurt einschließe, wären entweder Verwundete, oder Ermattete, oder vom schlimmsten Willen. Der Herzog sei umgangen. Er möge sich durchschlagen, wenn er könne." Diesen schmerzte nichts so tief, als der Verlust der Zeit, die in Schlachten so wichtig, im Fliehen unschätzbar ist, doch faßte und entschloß er sich augenblicklich, und nahm seine Richtung auf Gotha, wo er, hinter der Stadt gelagert, des Morgens harrte. Sobald es lichtete, rückte er, verstärkt durch einen Preußischen Heerhaufen, den er an sich gezogen hatte h),

---

*) Und, darf man hinzusetzen, das harte Loos, welches seiner wartete, nicht zweifelhaft war. Daß es ein noch härteres erfahren hätte, wenn nicht die kluge und standhafte Gemahlin des Herzogs dem erbitterten Sieger mit eben so viel Ruhe als Würde entgegen getreten wäre, bezeugen alle, die ihr in jenen Tagen nahe standen.

h) Es war (Operationsplan 70) der unter Winnig. Rüchel hatte

seinem Fußvolke nach, holte es in Mühlhausen ein, und ging
von da am 17. auf Heiligenstadt. Hier endlich erhielt er,
wornach ihn so sehr verlangte, bestimmte Nachricht von dem
Schicksale der beiden Heere, und entscheidende Vorschrift.
Ein Schreiben des Fürsten von Hohenlohe aus Nordheim
wies ihn an, nach Magdeburg fortzueilen und, was er auf
dem Wege sammeln könne, mit sich zu führen i).

Noch hatte der Herzog von Weimar Mühlhausen nicht
erreicht, als man bereits in Erfurt über die Hingabe ver-
handelte. Diese Feste, die seit vier Jahren in der Gewalt
der Preußen war und durch zwei starke Schlösser, den Petersberg und die Cyriaksburg geschützt wird, konnte jetzt,
als Zufluchtsort, den Geschlagenen gar bedeutenden Vortheil
gewähren, wenn man ihrer früher gedacht hätte. Aber ver-
nachlässiget, wie sie war, und in den Händen kleinmüthiger
Befehlshaber, kam es keinem in den Sinn sie zu vertheidigen.
Nur wenig Schüsse vom Petersberg fielen zur Antwort auf
die von außen, und mehr ermunternd für den kühnen Herzog
von Berg, der hier befahl, als zurückschreckend. Am 16.
einigte man sich über die Bedingungen. Einzelne Krieger
und kleine Schaaren mit und ohne Gewehr hatten sich Tags
vorher durch den Weimarischen Heerhaufen gezogen und nach
Langensalza gerettet. Die andern alle, an der Zahl acht
tausend, streckten die Waffen und wurden über Eisenach abgeführt k).

Hier angekommen, fanden diese Gefangenen, wessen sich
keine andern während des schmählichen Krieges rühmen dürfen,
— das Glück. Der Graf von Götzen, am 13. aus der

---

ihn am 8. October nach Eisenach befehligt, um den Feind zu bereden,
man wolle die Richtung auf Hamelburg nehmen.

i) Operationsplan 64 — 73.

k) Operationsplan 68, vergl. den Augenzeugen I. 229, die Französischen Tagesberichte Nr. 7 und die Capitulation von Erfurt in Martens Recueil, Suppl. IV. 367. In der Zahl der Gefangenen sind
große Abweichungen. Die Franzosen steigern sie auf vierzehn tausend.

Gegend von Weimar mit zwei hundert Reitern gesandt, um
Erkundigungen einzuholen, traf in Heiligenstadt eine Abthei=
lung Husaren, die, an Rüchels Befehle gewiesen und auf
dem Wege nach Erfurt begriffen, hier das Unglück der Ihri=
gen erfuhren und, nach Gotha umwendend, sich mit Götzen
vereinigten. Er, unterrichtet, es würden unter schwacher Be=
deckung die gefangenen Preußen aus Erfurt abgeführt werden,
trug auf einen Versuch zu ihrer Befreiung an und fand Ge=
hör. Der Unterhauptmann von Hellwig legte sich bei Eichen=
rodt unfern Eisenach in den Hinterhalt, fiel den Geleitenden
in den Rücken und rettete die Bewachten. Aber auch was
hier geschah, sollte dem Ganzen nicht zu gut kommen. Der
Befehlshaber, den der Herzog von Weimar nach Göttingen,
dem verabredeten Sammelort, sandte, um die Befreiten ihm
zuzuführen, kam, ohne Mitbringung auch nur e i n e s Man=
nes, zurück. Alle hatten sich verlaufen, keiner die Fahne,
jeder seine Heimath gesucht l).

Von den Preußischen Heeren war jetzt noch eins unge=
schlagen, das zur Unterstützung aus West= und Süd=Preußen
zusammengezogene und zu sechzehn tausend erwachsene. Die
Kriegsvölker in diesen entlegenen Ländern bewegten sich seit
dem Ende des Augusts in Eilzügen nach der Oder und stan=
den um die Mitte des Septembers zwischen Beeskow und
Cöpenick, ihr Führer, Herzog Eugen von Würtemberg, zu
Fürstenwalde. Von hier wurden sie am 29. des Monats
nach dem linken Elbufer geführt und die noch weiter rück=
wärts stehenden ihnen schleunigst nachzufolgen befehligt. Aber
sie hatten sich kaum um Magdeburg herum enger vereinigt,
als die veränderten Umstände sie nach Halle riefen. Dort
trafen sie, vereinzelt und zum Theil durch die langen Umwege
erschöpft, die meisten am 16. einige erst am 17. October ein
und bezogen ein Lager auf dem rechten Saalufer, südwärts
von Halle.

---

l) Operationsplan 74 — 76, 80.

Nach den unglücklichen Gefechten der Preußen blieb dem
Führer nichts weiter übrig, als entweder sogleich nach Magdeburg umzukehren, oder eine feste Stellung an der Elbe zu
nehmen, die Uebergänge, die der Strom darbot, zu vernichten und sich im schlimmsten Fall die Straße nach der Oder
zu sichern. Da er jedoch von dem allen das Gegentheil that,
der Einziehung bestimmter Nachrichten über das königliche
und Hohenlohische Heer wenig oblag, den einlaufenden schlimmen seinen Glauben versagte, und sogar den Ueberbringern
übel begegnete, so gewann der Prinz von Ponte-Corvo hinlänglich Zeit, über das westlich liegende Eisleben vorzugehn
und sich bei Passendorf am linken Saalufer zu ordnen. Den
Zugang von dieser Seite nach Halle bilden über drei Saal-
Arme drei Brücken, unter denen die äußerste oder hohe Brücke
von Stein, die mittlere oder Schiffbrücke von Holz ist. Es
war leicht, sie zu zerstören, oder wenigstens zu verlegen, oder
auf andere Weise unwegsam zu machen, wenn der Prinz die
Oertlichkeit richtig gewürdigt, oder sie zu nutzen verstanden
hätte. Allein weit gefehlt, die genannten und andere wichtige Posten mit hinreichender Mannschaft und so, daß sie
vortheilhaft wirken konnte, zu schützen, deckte er sie nicht einmal
mit genügender und unzweckmäßig, ja ritt selbst, nach Be-
sichtigung der Brücken, ruhig zur Stadt zurück, um ein Mit-
tagsmahl bereiten zu lassen. Da nutzten die Franzosen die
unglaubliche Sicherheit, überwältigten, was ihnen entgegenstand, und drangen in Halle ein, indeß der Preußische Feldherr Treskow, der sich eben von Magdeburg zur Vereinigung
mit Eugen an des Flusses linkem Ufer herabzog, entschlossen
angegriffen und die er führte theils getödtet, theils gefangen wurden. Noch dauerte der Widerstand der Preußen eine
Zeit lang in den Straßen von Halle, allein ohne den geringsten Erfolg. Von der wachsenden Uebermacht gedrängt,
sahen sie sich endlich zur Flucht gezwungen und eilten in zwei
Heersäulen auf Dessau, und von da am 18. früh über die
Elbe, deren Brücke sie nicht einmal ganz vernichteten, auf

Magdeburg, wo sie den 19. eintrafen. An fünf tausend gemeine Krieger mit vier und siebenzig Führern wurden gefangen, vier Fahnen und vier und dreißig Stücke Geschütz erbeutet. Den Kampfplatz füllten drei hundert Todte, das Kranken= haus fünf hundert Verwundete m). Die mit Augen gesehen hatten, wie alles lief, fanden es so unbegreiflich, daß sie den Herzog lieber des Verraths als der Unklugheit anklagen woll= ten, gewiß ohne Grund. Da er die ersten Anzeigen vernach= lässigt hatte, so fand kein heilsamer Entschluß weiter Statt, und so mußte wohl geschehen, was für Sterbliche das Empfind= lichste ist, daß der Zufall das Ansehn der Schuld gewann und der Argwohn, der ihn traf, ihn billig zu treffen schien n).

m) Die besten Nachrichten über diese Begebenheit liefern die Be= schreibung der Affaire bei Halle vom Premier=Lieutenant P. A. von Hincke, und ein Aufsatz über die Schlacht bei Halle in Vossens Zeiten Band XII. (Nov. 1807) S. 259, — eigentlich eine scharfe aber im Ganzen wahre Kritik zweier Aufsätze in der Minerva von 1807 Band II. S. 262 und 483 zu deren letzterm sich Eugen selbst bekannt hat; vergl. eine Beilage zum Bericht des Augenzeugen II. 47 — 71 und die Französischen Tagsberichte, Nr. 11, auch M. Dumas XVI. 210 — 223.

n) Sed obstabant jam fata consiliis omnemque animi eius aciem praestrinxerant. Quippe ita se res habet ut plerumque for- tunam mutaturus Deus consilia corrumpat efficiatque, quod miser- rimum est, ut, quod accidit, id etiam merito accidisse videatur et casus in culpam transeat. Vellejus II. 118, 4. Daß der Herr von Montesquiou (ein schon genannter und am Schlusse des Buchs wieder vorkommender Name) am 16. in Halle eintraf, beim Herzog übernach= tete, am andern Morgen sich zu den anrückenden Franzosen verfügte, und mit ihnen zurückkehrte, hierauf die Wohnung des Herzogs in dem Hause des Ober=Bergrath Reils für den Prinzen von Ponte=Corvo in Besitz nahm und dem erstern sein zurückgelassenes Feldgeräth unversehrt nachschickte (s. die Zeiten S. 373, Note), hat freilich hie und da Be= denklichkeiten erregt. Aber abgerechnet, daß jene Beschuldigungen sich in dem Berichte des Augenzeugen (I. 227. Note) anders gestalten, so scheint auch die Unkunde und Sorglosigkeit, die der Herzog von allem Anfange verrieth, und die Verzweiflung am Staate, die ihn offenbar, wie so viele andere Heerführer, überwältigte, vollkommen hinreichend, um sein Benehmen zu erklären und den Ausspruch des Textes zu recht= fertigen.

In Berlin ahnete man, indeß die letzte Stütze der Preuß-
sischen Macht bei Halle zertrümmert ward, wenig oder nichts
von dem Unglücke des Staats. Die Nachricht von dem Tode
des Prinzen Ludwig hatte die Gemüther gebeugt, nicht gebrochen, und falsche Siegesbotschaft, die ihr folgte, sie wieder aufgerichtet. Im Schauspielhause erhitzte man sich immerfort durch Wallensteins Lager und den staatsklugen Zinngie-
ßer, und an öffentlichen Orten durch Lästerung des Feindes.
Dichterlinge sangen Kriegslieder für alle Ereignisse im Felde,
und Zeitschriften befehdeten die Französischen Blätter. Das
Haus des Grafen von Schulenburg, der, seit Möllendorfs
Abreise, für die Ruhe der Stadt sorgte, war täglich von
Menschenhaufen umlagert, die auf fröhliche Kunde harrten.
Noch am 15. October, dem Geburtstage des Kronprinzen,
herrschte überall lauter Jubel und kecke Sicherheit. Desto
tiefer wurden die Bewohner erschüttert, als am 17., von
dem König gesandt, der Rittmeister von Dorville eintraf,
und ein Anschlag an Schulenburgs Palast die Niederlage
bezeugte und zur Ergebung ermahnte. Seitdem versank ganz
Berlin in Betäubung, Irrthum und Rathlosigkeit. Die königlichen Behörden reisten ab und eine Menge begüterter Bürger folgten. Das schreibende Völkchen, wenig Tage zuvor
noch in vollem Krieg gegen Frankreich, zerstiebte dahin und
dorthin. Auch der Graf von der Schulenburg überließ seinem Schwiegersohne, dem Fürsten von Hatzfeld, die Obhut
Berlins und schied von dannen. Ausharrend blieb von dem
königlichen Hause die Familie Heinrich und Ferdinand. Den
Menschen nach zogen Wagen mit Geld, Kostbarkeiten, wichtigen und unwichtigen Schriften, keine mit den Schätzen des
gefüllten Zeughauses und den reichen Kunstsammlungen, die
man, eine willkommene Beute, dem Feinde hingab. Wenige
Stunden reichten hin, um ganz Berlin umzustimmen. Die
auf den Muth und die Einsicht der Preußischen Heerführer
getrotzt hatten, schalten sie Feige, Verräther und Kenntniß-
lose. Die eben noch den Staat unter die ersten stellten,

betrachteten ihn als ausgetilgt aus der Reihe der übrigen.
Die vor wenigen Augenblicken mit ihrer Vaterlandsliebe sich
brüsteten, hätten sie lieber gar verläugnet. Verständig allein
bewies sich die kleine Zahl derer, die das Zeitalter begriffen
hatten; gleichgültig, wie überall, das Gesindel, dem jede
Veränderung zusagt, weil es bei keiner verliert und an Neuig-
keiten gewinnt o).

Auch in Sachsen offenbarte sich augenblicklich, wie nicht
Vertrauen und Freundschaft, sondern einzig Furcht an Preußen geknüpft hatte. Mit lauter Beistimmung vernahmen nicht
nur die Unterthanen, daß ihr Kurfürst nach den Umständen
gewählt und durch einen Vertrag mit Napoleon sich am 23.
October von der obwaltenden Verbindung losgesagt habe p);
in gar mancher Brust erwachte zugleich das Andenken an die
erlittene Unbill der alten Zeit und paarte sich mit der Erinnerung an den Uebermuth der Preußischen Kriegsobersten und
die schlechte Obhut, die sie für die Sachsen in dem eben geen-

---

o) Eine lebendige, obwohl allerdings mit sichtlicher Schadenfreude
abgefaßte Schilderung der damaligen Lage Berlins enthalten die vertrauten Briefe von Cölln I. 205 — 259. Der behutsame Geschichtschreiber läßt dergleichen farbenreiche Gemälde, wie billig, auf ihrem
Werth oder Unwerth beruhen und hält sich bloß an die einfachen und
durch Zeugnisse beglaubigten Umrisse.

p) Allgemeine Zeitung 1230 vergl. 1219. vergl. die Französischen
Tagsberichte Nr. 14. Ein solcher Vertrag ist nicht geschlossen worden.
Am 17. October ward in einem Ministerrathe zu Dresden beschlossen,
daß, da Preußen Sachsen nicht mehr schützen könne, die Allianz und die
Militär-Convention noch nicht unterzeichnet sei, auch Kurhessen nicht
mehr beitreten könne, man auf Selbsterhaltung denken müsse. Gleichwohl wollte der Kurfürst seine Truppen noch nicht von den Preußen zurückrufen. Dieß erfolgte erst, nachdem der Major Thielemann mit der
Erklärung Napoleons erschien, daß, wenn die Sächsischen Truppen nicht
augenblicklich von den Preußen getrennt würden, das Land feindselig
behandelt werden würde. Darauf ertheilte der Kurfürst den Befehl zum
Rückzuge, und meldete dieß dem Fürsten von Hohenlohe. Der Graf
von Görz aber mußte dem König von Preußen folgen, um ihn zu überzeugen, daß der Kurfürst nicht anders habe handeln können. Pölitz Regierung u. s. w. 1. 294.

digten Feldzuge getragen hatten. „Ein Nachbar, wie Preu=
ßen, gehöre immer zu den gefährlichen. Wie Gutes man
ihm auch zutraue, — die Besitznahme Hannovers sei und
bleibe ein abschreckendes Beispiel. Was es überdem helfen
könne, wenn man in seiner Verbindlichkeit jetzt noch beharre?
Im Bunde mit Frankreich liege wenigstens für die Gegen=
wart Rettung und für die Zukunft eine starke Gewährung
der Fortdauer." Solche Aeußerungen fielen überall, schmerz=
liche allerdings, doch zu verschmerzende, weil sie von Aus=
ländern kamen und unverdient schienen.

Bei weitem kränkender war der Undank mehrerer Ein=
gebornen. Wie allenthalben, so gab es auch in den Preußi=
schen Landen eine Menge eingebildeter Klugen, vermeintlich
Zurückgesetzter und von ihren Obern Beleidigter. Diese, den
allgemeinen Unwillen gegen die Führer des Heeres nutzend,
und sich zu Rächern begangener Schuld aufwerfend, traten jetzt
keck hervor und deckten in Druckschriften die Gebrechen wie
die Geheimnisse des Staates auf. Was man sonst nur in
engern Zirkeln sich vertraute, ward jetzt öffentlich kund ge=
than. Die Menge, in dem Wahne, sie erfahre hier die Ur=
sachen von Preußens Fall, las unersättlich und der Erfolg
munterte die Schreibenden auf. Wahres und Falsches, in
bunter Mischung (es mangelte zum Sondern Zeit und Wille),
stürmte auf die Gemüther ein, und damit die Schadenfreude
ihren Triumph feiere und die Leselust nicht erkalte, ward, un=
ter der Larve unbestechlicher Vaterlandsliebe, hauptsächlich
der Einzelne angefallen und selbst die edelsten Namen mit
bitterm Hohngelächter getödtet. Kaum zwei oder drei jener
abtrünnigen Staats=Verläugner sind, wohl geprüft, für die
Geschichte brauchbar. Einige, die ihre Feder offen dem Feinde
widmeten, haben späterhin ihren Lohn in seiner Verachtung
gefunden q). Alle erinnern an das schensliche Geschlecht der

---

q) Wie der so genannte Professor Carl Julius Lange, eigentlich
ein geborner Jude, Namens Alexander Davidson, der Verfasser des

Angeber unter Roms Kaisern und sind nur darum der Ver-
wünschung ihrer Mitwelt entflohn, weil sie keinen Tiberius
fanden, manche sogar wieder zu Staatsämtern gelangt.

Seit der Niederlage bei Halle erwarteten die Einwohner Berlins zu jeder Stunde den Feind. Sie erwogen, wie
Napoleon gern die Hauptstädte der Reiche besetze, um den
Zusammenhang mit den Provinzen zu lähmen, und irrten
nicht. Schon am 18. October rückte der Marschall Davoust
in das bange Leipzig, das doch mehr fürchtete, als erlitt,
und am 21. über die bald hergestellte Elbbrücke — die Sorglosigkeit hatte sie nur obenhin zerstört r) — in das enge beschränkte Wittenberg, das die Menschenmenge kaum fassen
konnte. Von hier aus lag die Straße nach dem erschrocke-
nen und unverwahrten Berlin so offen, daß sie den Sieger
gleichsam einlud und dieser ihr ungesäumt folgte. Den 24.
zog eine ansehnliche Reiterei, den 25. früh Davoust selbst
durch die Stadt *). Tiefe Betrübniß ergriff alle, die, ohne

Telegraphen, einer politischen Zeitschrift, die Anfangs (man sehe die
merkwürdigen Actenstücke in den Neuen Feuerbränden, St. 5, S. 141)
dem Dienste des Preußischen Hauses und der Beförderung seiner Absichten gewidmet sein sollte, aber bald genug die entgegengesetzte Richtung
verfolgte. Welche Sprache der Mann sich erlaubte, zeigen schon hinlänglich seine Anmerkungen zu dem nicht genehmigten Waffenstillstande,
die auch in die Allgemeine Zeitung (S. 1399) übergegangen sind.

r) „Der Lieutenant Solenz, sagt der Augenzeuge II. 64. Note,
steckte sie in Brand, als die Französischen Truppen sich näherten; das
Feuer wurde aber sogleich durch die Bürger wieder gelöscht." Dasselbe
giebt auch der 14te Französische Tagesbericht zu verstehn.

*) Davoust erhielt aus dem Hauptquartiere zu Wittenberg für sei-
nen Einzug in Berlin die genauesten Verhaltungsbefehle. Er sollte
sein Armee-Corps eine oder anderthalb Lieues von der Hauptstadt lagern
lassen und sein Hauptquartier hinter demselben in einem Landhause auf
der Straße nach Cüstrin aufschlagen und jeder der übrigen Offiziere,
hohe und niedrige, sollten ihr Quartier im Rücken ihrer Divisionen auf
dem Lande, keiner in der Stadt, nehmen. Sämmtliche Bagage und
insonderheit cette queue si vilaine à voir à la suite des divisions
sollte den Weg nicht durch die Stadt, sondern um sie herum nehmen.

Leichtfinn, den Wechfel der Dinge würdigten. Sie bedachten,
wie hoch die Stadt bisher über allen anderen geftanden, wie fie
feit dem October 1760 keinen Feind mehr gefürchtet, gefchweige
gefehn, und wie ein Jahr früher ihre Einwohner gerade an
dem nämlichen Tage Alexandern aus Rußland mit Jubel in
ihren Thoren empfangen hatten. Aber bald follte ihnen noch
gerechterer Anlaß zur Trauer werden. Zugleich mit Davouft
traf ein zweiter Heerhaufe, der unter dem Marschall Lannes
bei Deffau über die Elbe gegangen war, vor Spandau ein s).
Auf den Wällen diefer Fefte ftand kein Geschüt, in ihr eine
Befatzung von nicht mehr als fechs hundert Mann, die ftei=
nerne Bruftwehre der Bergfefte unbekleidet, wie vor funfzig
Jahren. Als nun ihr Befehlshaber von Beneckendorf aufge=
fordert ward, ergab er fich, ohne nur einmal eine dreifte
Antwort zu wagen, und öffnete, feine Entschuldigung in der
Schuld der Obern findend, die Thore t).

Der Einzug felbft follte in der größeften Ordnung gefchehen, fo daß in
Zeit von einer Stunde eine Division der andern, jede von ihrer Artille=
rie begleitet, folge. Nie follte mehr als ein Drittel der Soldaten die
Erlaubniß erhalten, die Stadt zu befuchen, damit immer zwei Drittel
im Lager blieben. Der Marschall follte darauf halten, daß die Magi=
ftratsbeamten und die Notabeln ihn mit allen gebührenden Formen am
Stadtthore empfingen und daß alle feine Offiziere in der beften Haltung
erfchienen, welche die Umftände nur möglich machen würden u. f. w.
M. Dumas XVI. 346.

s) Französische Tagsberichte, Nr. 18.

t) Die neuen Feuerbrände St. 4, S. 31, womit jedoch die Anga=
ben des 18ten und 19ten Tagsberichtes nicht ganz zufammenftimmen.
Die Bedingungen der Uebergabe liefert Martens Recueil, Suppl. IV.
370. Vignou wurde gleich nach erfolgter Capitulation von Napoleon
nach Spandau gefchickt und dieß machte ihn, fagt er, zum Zeugen eines
Auftritts, der die gewiffenlofen Capitulationen der Preußischen Feftungs=
befehlshaber erklärt. Major von Beneckendorf ftritt fich nämlich mit einem
Französischen Offizier lebhaft um Hühner und Gänfe eines Hühnerhofes,
von denen er behauptete, fie wären unter den Gegenständen begriffen,
welche die Uebergabsurkunde mitzunehmen erlaube. B. VI. K. 65, S.8.

Ein anziehenderes Schauspiel und eigene Leiden verdräng=
ten jedoch schnell genug auch diese Empfindung. In Pots=
dam, wo einst der große Friedrich geherrscht hatte, wohnte
bereits der übermüthige Besieger seines Hauses und seines
Heeres. Dahin eilten die gedemüthigten Bürger Berlins und
empfingen die harte Antwort: „Ihr habt sehnlich nach Krieg
verlangt. Er ist euch geworden." Von daher seinen Einzug
in die Hauptstadt erwartend, sahen sie am 27. October (das
Wetter war milde und der Himmel freundlich), was ihnen,
einige Tage zuvor geweissagt, eine Thorheit gedünkt hätte.
Nachmittags um vier Uhr verkündigte der Donner des Ge=
schützes die Nähe des Kaisers und in die Straßen ergoß sich
hin und her wogendes neugieriges Volk. Der Zug selbst
trat durch das Brandenburger Thor, dessen Sieges=Göttin
heute in einer ganz andern, als der bisherigen Beziehung zu
denken war, in die Stadt, und wurde von der kaiserlichen
Garde und einer unter diesem Himmelsstriche nicht gesehenen
Schaar von Mamelucken eröffnet. Aber weder die glänzende
Rüstung, noch die kriegerische Haltung der Einziehenden be=
schäftigte die Aufmerksamkeit so sehr, wie der Kaiser und
seine Marschälle, deren jeder große Erinnerungen weckte und
sich von dem errungenen Ruhme zueignete. So in einer
langen unübersehbaren Reihe bewegten sich die Sieger unter
den Linden langsam hinauf nach dem Schlosse, wo Napoleon,
von dem Freudenrufe der Seinigen unaufhörlich begrüßt, ab=
stieg und von Duroc empfangen wurde. Wie der schöne Tag
der Schaulust der Einwohner günstig gewesen war, so war
es auch die heitere Nacht. Im Lustgarten, dem Schlosse ge=
gen über, lagerte ein Theil der Garde bei hell lodernden
Feuern, die eine schöne Ansicht gewährten. Eine ähnliche
bot die erleuchtete Stadt, vorzüglich in der Gegend des
Schlosses, weniger in den entfernten v).

---

v) Französische Tagsberichte Nr. 21, und die Allgemeine Zeitung
S. 1264.

Die ersten Stunden in Berlin brachte der neue Gebieter denen, die ihm ihre Ehrfurcht zu beweisen eilten. Kalt und streng empfing er die obern Staatsbehörden, die geistlichen, wie die weltlichen, und die sie ihm vorstellten, der Mäßigung im Gespräch oft vergessend *). Die zurückgebliebenen Glieder des königlichen Hauses besuchte er jedoch, hier wenigstens den Anstand ehrend und den Ruf französischer Sitte aufrecht haltend x). Auch Verzeihung zu üben fand er Gelegenheit und ergriff sie. Ein eigenhändiger Brief des Fürsten von Hatzfeld, worin er seine Sendung an Napoleon in Potsdam und die dort gefundene gute Aufnahme dem Fürsten von Hohenlohe meldete, zugleich aber auch die Stärke der in Berlin eingerückten, feindlichen Heeresmacht und welche Truppen er unterweges angetroffen habe, berichtete, ward aufgefangen und zum Kaiser gebracht. Die Gesetze sprachen den Tod. Aber der Richter ließ sich durch den Fußfall der schwangern Gemahlin des Schuldigen, die Verwendung Ferdinands und das Zureden Durocs besänftigen und vergab y). Nur die Einmischung der Berliner Frauen in die Angelegenheiten des Staates rügte er gegen die Fürstin nicht ohne Bitterkeit. Sein ganzes übrige Benehmen verrieth den Mann, der seine Umgebungen zu würdigen wußte. Der neugierigen Menge der Hauptstadt gewährte er täglich den Anblick einer glänzen-

---

*) In einer öffentlichen Audienz im königlichen Schlosse zu Berlin drohte er den Preußischen Hofbeamten „er wolle sie dergestalt herunterbringen, daß sie künftig ihr Brod betteln müßten." Lucchesini Rheinbund II. 173.

x) Französische Tagsberichte Nr. 22.

y) Daselbst. Am unverdächtigsten erzählt die vielfach entstellte Thatsache der mit der Vollziehung des Urtheils von Napoleon selbst beauftragte General Rapp in seinen Denkwürdigkeiten, Heft 1, Brief 13, S. 56, deutsche Uebersetzung. Wie das Ereigniß in der Eleganten Zeitung vom Jahre 1814, Nr. 226, S. 1808 erzählt wird, hat es sicher nicht Statt gefunden. Vergl. Bourienne B. 7, K. 13 und Bignon B. 6, K. 65, S. 9.

den Wachtschau und der Musterungen durchziehender Krieger. Die Schriftsteller, die gegen ihn gestimmt waren, übersah er, oder schien sie zu übersehn. Den berühmtesten von ihnen, den Geschichtschreiber der Schweiz, den Mann von Freiheits= sinn, und der seine Empfindung nicht verheimlicht hatte, ent= bot er zu sich, entfaltete in vielseitiger Unterhaltung mit ihm so reiche Kenntnisse, seine Beobachtung und umfassende Ueber= sicht, daß er ihm Hochachtung einflößte, ohne doch (die Folge hat es bewiesen) das Gemüth des schmerzlich Getäuschten dem Vaterlande zu entwenden. Wo er öffentlich erschien (und er vermied es nicht) zeigte er sich ruhig und sicher, sei es aus natürlicher Furchtlosigkeit, oder aus richtiger Beur= theilung derer, mit welchen er lebte z).

Zum Befehlshaber erhielt die Stadt den Französischen Feldherrn Hulin. Für ihre Sicherheit sorgte, nächst der Be= satzung, eine neu errichtete Bürgerwache zu Fuß und zu Pferde, zu der jedes der zwanzig Stadtviertel sechzig wohlhabende Männer stellte. Um dem Mangel an Lebensmitteln vorzu= beugen, war der Landmann angewiesen, Korn in die Vor=

---

z) Franz. Tagsberichte Nr. 22. Der Unterhaltung Napoleons mit Müller erwähnt letzterer ziemlich umständlich in den Briefen an seinen Bruder (Werke Th. VII. S. 243). Auch die allgemeine Zeitung spricht von ihr S. 1431. Einer andern nicht minder merkwürdigen mit dem Fran= zösischen Prediger Ermann wird S. 1336 gedacht. So ruhig und sicher er sich zeigte, vernachläßigte er doch keine Vorsichtsmaßregel. Es durfte in Berlin kein Depot angelegt, es durfte kein Verwundeter, Kranker oder Gefangener dahin gebracht werden. L'empereur veut — ließ er aus dem Hauptquartier zu Potsdam unter dem 25. Oct. an den General Songis schreiben — que les choses soient arrangées de manière que, si les circonstances le mettent dans le cas de ne laisser qu'un escadron à Berlin, qui se retirerait à Spandow, si des forces supérieures se présentaient, l'ennemi ne pût prendre aucun magasin, ni dépôt, à Berlin; car il peut arriver telle circonstance où l'empereur, en manoeuvrant, laisse l'ennemi courir le pays, et qu'il n'y ait que Spandow, Wittenberg et Erfurt, de sûr. Vous connaissez assez la manière de faire la guerre de Sa Majesté, pour entendre ce que je veux vous dire. M. Dumas XVI. 363.

rathshäuser zu liefern, um so die Hauptstadt immer auf drei Monate mit Getreide zu versehn. Dem sinkenden Vertrauen begegnete der Sieger dadurch, daß er die Schatz- und Staats-scheine vollgültig in den königlichen Cassen anzunehmen gebot. Allen, welche Besoldungen und Gnadengehalte bezogen, blieb, was sie erhielten, ungekränkt. Die Beamteten wurden auf-gefordert, zu schwören, daß sie die Befehle des fremden Ober-herrn anerkennen und keine Verbindung mit seinen Feinden unterhalten wollten, und leisteten am 9. November den Eid a).

Aber ungeachtet so mancher Milderung augenblicklicher Leiden, erinnerte doch alles (und wie konnte es anders sein?) an den Wechsel der Herrschaft und des vormaligen Glücks. Die Bedürfnisse der bleibenden und durchziehenden Schaaren waren groß und erforderten starke Anleihen. Ihre Ansprüche auf Kost und Wohnung beeinträchtigten der Bürger Einkünfte und Bequemlichkeit und fielen ihnen um so schwerer, da sie die Last nicht kannten b). Was des Königes war, die ver-nachlässigten Schätze des Zeughauses, die Kammern mit Kriegskleidern angefüllt, die Vorräthe an Holz und andere gingen auf den Feind über, oft durch schändlichen Verrath, der die Eingebornen betrübte und sogar die empörte, die er bereicherte c). Von dem Brandenburger Thor ward die Sie-gesgöttin genommen, an deren Anblick sich das Auge seit Jahren gewöhnt und geweidet hatte d); aus den Zimmern

---

a) Allgemeine Zeitung. S. 1319, 1324, 1330, 1346, 1399, vergl. Vertraute Briefe 1. 231, 235, 240. Bignon B. 6, K. 65, S. 33.

b) Sed vulgus et communium curarum expers populus sentire paullatim belli mala, conversa in militum usum omni pecunia, in-tentis alimentorum pretiis; quae haud perinde plebem attriverant, secura antea urbe et provinciali bello, quod inter legiones Gallias-que relut externum fuit. Tacitus in Histor. 1. 89.

c) Vertraute Briefe 1. 230, 231.

d) Es geschah im November. Im Frühjahr 1807 wurde sie zu Schiffe nach Magdeburg und von da weiter nach Paris gebracht. Die Franzosen hegten die Meinung, man habe durch diese Victoria sich der

Friedrichs des zweiten wanderten sein Degen, seine Schärpe, sein Ringkragen und sein Ordensband nebst einer Menge eroberter Fahnen und Standarten nach Paris, um dort im feierlichen Aufzug, auf einem Triumphwagen und unter Ge= schützes-Donner in dem Palaste der Ausgedienten niedergelegt zu werden e), und aus den königlichen Schlössern führte man die besten Kunstwerke hinweg f), — eine herbe Einbuße für alle Freunde des Schönen, die herbste für die Aufseher, die vormals lehrten, was allenthalben vorhanden, nun an= zeigten, was dahin war g). Am meisten beurkundete, daß man ganz in fremder Gewalt sei, die Eintheilung des Lan= des, welche der Kaiser gleich nach seinem Einzuge beschloß. Was dem Könige in Ober=Sachsen gehörte, wurde von nun an in drei Bezirke gefaßt, so daß der von Berlin die Mittel= Mark, Ucker=Mark, Priegnitz und Alt=Mark, der von Cüstrin die Neu=Mark, der von Stettin Pommern begriff. In Nie= der=Sachsen bildete das Herzogthum Magdeburg nebst dem Saalkreise und Mansfeld den vierten, später Hildesheim und

---

Großthaten in Elsaß, Lotbringen und Belgien berühmen wollen, allein sie irrten. Es ging aus dem Vertrag mit den Gebrüdern Wohler und dem Kupferschmidt Jury deutlich hervor, daß das Werk 1791 bestellt und 1792 aufgestellt worden war.

e) Allgemeine Zeitung S. 1365. Die eben so tief empfundene als kräftig ausgesprochene Rede, die H. von Fontanes am 17. Mai 1807, als dem Tage der Uebergabe, hielt, liefert das Polit. Journal des genannten Jahres I. 570. Das Vorgeben des General=Majors Hinrichs im Polit. Journal II. 751, als ob der mitgenommene Degen Friedrichs nicht der echte, von ihm getragene, sei, ist in demselben Journal S. 855 durch den Gouvernements=Auditeur Wischke in Neiße hinlänglich entkräftet worden.

f) Wie immer, war auch hier, ab= und zureisend, der Kunstkenner Denon geschäftig. Ich entsinne mich, ein geschriebenes Verzeichniß aller aus Deutschland damals entführten Werke und Seltenheiten durchblät= tert zu haben, weiß aber nicht, ob es in Druck ausgegangen ist.

g) Nam ut ante demonstrabant, quid ubique esset, ita nunc quid undique ablatum sit, ostendunt. Cicero in Verrem IV. 59.

II. Theil. 13

Halberstadt zusammt dem Herzogthum Braunschweig einen fünften h). So wollte es der Sieger. Zwar stand, als er eintheilte, noch nicht alles unter seiner Botmäßigkeit; aber es war so gut als gewiß, daß ihm das Uneroberte und in kurzem weit mehr zufallen werde: denn schon hatte sich zu dem großen Unglück, das über den Staat ergangen war, das größte, das ihn treffen konnte, gesellt, — eine Reihe von Hingebungen in Gefangenschaft und die Uebergabe unbezwing= barer Festen, in dieser Art einzig und unerhört in der Welt= geschichte, und eben darum nun ausführlicher zu erzählen.

Nachdem der Fürst von Hohenlohe bei der Ankunft des Königs in Sondershausen, am 16. October die Führung der Geschlagenen, mit Ausschluß des Haufens, der unter Kalk= reuth zog, überkommen hatte, gab er ihnen noch an demselben Tage die Richtung nach Nordhausen, entschlossen, dort das Volk aus der Zerstreuung zu sammeln und neu zu ordnen. Wie sehr ihm beides schon der Geist, der sich der Fliehenden bemächtigt hatte, erschweren würde, zeigte sich gleich nach der Ankunft in jener Stadt. Hunger und Ungemach hatten alle Bande des Gehorsams gelöst, und die Erinnerung an die alte Strenge und den harten Druck der Befehlshaber entzün= dete den gemeinen Krieger. Die ausgestellten Schildwachen wurden nicht geachtet und die Bäckerläden und Vorrathshäu= ser erstürmt. Da man weder wußte, welche von den einzel= nen Heeres=Abtheilungen gerettet waren, noch in welcher Ord= nung sie anlangen würden, und gleichwohl jeder einen be= stimmten Ort anweisen wollte, so geschah es, daß die nähern Dorfschaften um Nordhausen aufgespart, die entfernteren belegt wurden, und während Haufen, die man erwartete, nicht ein= trafen, die eintreffenden dahin zurückkehren mußten, von wo= her sie eben kamen. Das alles und ähnliches mehrte den obwaltenden Widerwillen. Die Untergebenen höhnten die Gebietenden laut und bitter und verriethen deutlich, daß die

---

h) Den kaiserlichen Befehl liefert die Allgemeine Zeitung S. 1319.

sklavische Furcht ein Ende habe. „Ob der Gemeine etwa
darum lebe, daß er in der Schlacht blute und auf der Flucht
verhungere? Zum Siege habe man sie zu führen geprahlt
und in Tod und Schande geführt. Im Frieden und in lusti‐
ger Gesellschaft den Feind zu schlagen sei leicht; ob einer ein
Mann sei, bewähre die Schlacht. Wie sie zum Gehorsam
gegen die Führer, so wären diese zur Sorge für sie ver‐
pflichtet. Wer der letztern sich entziehe, habe kein Recht an
den erstern." So tobte die Menge, ungerecht im Einzelnen
und zwecklos im Allgemeinen, wie meist. Es bedurfte des
ganzen Ansehens des Fürsten, um die Erbitterten zu beruhi‐
gen und den Geist des Aufruhrs niederzuhalten i).

Aber um wie vieles wuchs seine Bekümmerniß während
der Nacht und am andern Morgen. Man erhielt nicht nur
die sichere Nachricht, daß Erfurt über sei und Ponte‐Corvo
auf Halle losrücke; man erfuhr zugleich, was weit mehr
schreckte, wie man selbst von dem Feinde gedrängt werde k).
Es war in Sömmerda, wo der Graf Kalkreuth, am Tage
nach der Auerstädter Schlacht, übernahm, die Garden und
was sich sonst nach der Flucht dort gesammelt hatte, weiter
zu führen. Als er bereits in Weißensee auf Feinde stieß,
täuschte er diese durch List. Drei Abgeordnete von ihm,
Tauenzien, Blücher und Massenbach, überredeten die Franzö‐
sischen Feldherrn Klein und Lasalle l), man sei in Weimar
übereingekommen, die Waffen ruhen zu lassen, um friedliche
Unterhandlung zu pflegen, und bestimmten sie, die Preußen
nicht anzugreifen. Aber kaum hatten diese, links ab sich wen‐
dend, Greußen erreicht, so bedrohte sie der Marschall Soult,

---

i) Der Augenzeuge 1. 225 u. f.

k) Der Augenzeuge I. 229 vergl. II. 216, Operationsplan 49 u. f.
und Massenbach II. 2. S. 14.

l) Napoleon unterließ nicht ihnen öffentlich seine Unzufriedenheit
zu bezeigen. „Seit wann, lautete der ausgehende Verweis, läßt der
Kaiser seinen Generalen die Befehle durch den Feind zukommen?" Mas‐
senbach II. 18, vergl. den Augenzeugen II. 216.

13*

der mit einer starken Abtheilung von Erfurt herüberkam und
des vorgeblichen Stillstandes nicht achten wollte. Mit dem
Einbruche der Nacht begann zwischen ihm und Blücher, der
den Nachzug befehligte, ein lebhaftes Feuer, während welchem
die Angegriffenen nach Sondershausen gelangten, ohne daß
jedoch Soult abließ, sie zu verfolgen. Wenige Stunden nach
Kalkreuths Ankunft in Nordhausen — er traf dort den 17.
gegen Mittag ein — erschien der Feind abermals und beun=
ruhigte die Fliehenden bis. tief in die Nacht, wo sie sich auf
das Städtchen Sachsa, das nordwestlich über Nordhausen
liegt, zurückzogen m).

Diese Ereignisse überzeugten den Fürsten, daß Nordhau=
sen der Ort nicht sei, wo er ein aufgelöstes Heer wieder ord=
nen und binden könne, und bestimmten ihn, unverzüglich nach
Magdeburg aufzubrechen. In dieser Absicht wies er sogleich
dem Geschütz, so wie den schon gebildeten Massen und den
kleinen meist unbewaffneten Haufen, ihre Sammelplätze und
Richtungen an n) und verweilte nur darum noch, weil er die
Kalkreuthische Abtheilung, die, wie gedacht, mit dem Feinde
verwickelt war, außer Gefahr wissen wollte. Aber das Un=
glück, welches wohl auch erbitterte Gemüther aussöhnt, ver=
fehlte seines Einflusses auf die Preußischen Heerführer und
das Vergessen ihrer gespannten Verhältnisse. Während der
Fürst harrte, war Kalkreuth rechts von Sachsa über Stiege
und Hassenfeld abgezogen o). Jener hierauf, tief fühlend,
was er verloren und einzuholen habe, eilte sofort, doch un=
verfolgt, auf Stolberg. In Quedlinburg, wo er den 18.
eintraf, fand er freundliche Aufnahme p) (die Einwohner
waren gut gesinnt), und schickte nach Magdeburg, um auf

m) Der Augenzeuge II. 219, vergl. Massenbach II. 18 und die
Französischen Tagsberichte Nr. 10, vor allen den Oper. Plan 51.

n) Der Augenzeuge I. 229 u. f.

o) Derf. 230 vergl. die Note 238 und den Oper. Plan 52.

p) Der Augenzeuge 234 und Massenbach II. 2. S. 20.

feinen Empfang vorzubereiten q). Die nächste Nacht ward
ihm ein Schreiben vom König, welches ihm den Oberbefehl
über alle Völker diesseits der Oder ertheilte, ein gefährliches
Geschenk, selbst unter den günstigsten Umständen, wie viel=
mehr in so bedenklichen. Dennoch schmeichelte es der Ehrbe=
gier des Fürsten und belebte ihn sichtbar r). Immer wälzt
der Mensch, der in Gemeinschaft mit andern unglücklich ist,
die Schuld auf diese und traut sich alles zu, wenn er unab=
hängig gestellt wird.

Wie wenig sich Hoffnung und Erfüllung begegneten,
erfuhr der Fürst schon am 20. October, als er Mittags bei
Magdeburg vor dem Sudenburger Thor erschien. Er rech=
nete darauf, dort Kalkreuth und Blücher mit ihren Abthei=
lungen an sich zu ziehn, aber der erste, ihm den Oberbe=
fehl beneidend und von dem Könige nach Cüstrin gerufen,
hatte seine Leute angewiesen, unterhalb Magdeburg s) auf
Fähren über die Elbe zu setzen, und der letzte seinen Weg
westlich von Nordhausen auf Osterode genommen t). Von
Halle, wähnte er, werde ihm Eugen von Würtemberg ein
ungeschlagenes Heer zur Unterstützung zuführen und er fand
am rechten Elbufer in gedrängten Einlagerungen ein geschla=
genes, das der kränkelnde, oder unzufriedene, oder sich selbst
mißtrauende Herzog unter die Aufsicht Ratzmers gestellt hatte v).
Von dem kleinen Haufen, den der Herzog von Weimar führte,

---

q) Der Augenzeuge I. 235 und Massenbach a. a. O.

r) Der Augenzeuge I. 235 und Massenbach II. 2. S. 21, 22.

s) Der Augenzeuge I. 238.

t) Ders. I. 240, vergl. den Operat. Plan 51, 52. „Mit dem
schweren Geschütz, welches von dem Haupttheer gerettet war, über den
Harz zu ziehn, heißt es daselbst, schien fast unmöglich. Es wurde be=
schlossen, es um den Harz herum und bei Tangermünde über die Elbe
zu führen. Blücher übernahm mit einer unvollzähligen Halbschaar und
fünf bis sechs hundert Pferden dieses schwierige Geschäft und ging von
Sachswerfen (Sachsa) links ab."

v) Massenbach II. 2. S. 38 vergl. den Augenzeugen I. 239.

war nichts zu erfahren und eben so vergebens die Nachfrage
nach einer Menge von Abtheilungen, deren die Tageslisten
gedachten.   Aus Magdeburg, wo man, einem frühern Auftrage zufolge, die Elbbrücke sperren und die Fliehenden auf-
fangen sollte, zogen sie noch, als der Fürst eintraf, ungehindert hinans.   In der Festung Thoren und Straßen, die jeder
frei glaubte, stand eine solche Menge Wagen und Gepäck
aufgehäuft, daß nur einzelne Fußgänger sich durchdrücken
mochten, und sogar die Rechnung auf die dortigen Vorräthe
betrog.   Der Befehlshaber von Kleist erklärte, „wie er von
seinen sechzig tausend Broden eine bedeutende Anzahl, auf
königlichen Befehl, an die voraneilenden Flüchtlinge vertheilt
habe.   Das Hohenlohische Heer müsse für sich selbst sorgen.
Die Besatzung, die der Fürst überdem mit zwölf tausend
Mann verstärken solle, könne sich der Gefahr des Mangels
nicht aussetzen."   Zu so vielem Mißgeschicke gesellte sich noch
der Andrang des Feindes, der einzelne Reiterhaufen, die in
entferntern Dörfern lagen, aufhob, die Widerspänstigkeit der
Krieger, die ihre Lagerorte eigenwillig veränderten, die Muth-
losigkeit der Führer, und, wenn man sich in Magdeburg
überraschen lasse, das Schreckbild von Ulm, das vielen vor-
schwebte x).

Der Fürst, getäuscht, wie er war, da er wohl einsah,
er könne in solcher Lage keinen seiner Zwecke erreichen, und
durch Verzug alles einbüßen, beschloß hierauf sich schleunigst
nach der Oder in Bewegung zu setzen und hatte bereits alle
Anstalten getroffen, als noch ein unerfreulicher Antrag von
dem Sächsischen Feldherrn Zeschwitz an ihn gelangte.   Nach
der unglücklichen Schlacht bei Vierzehnheiligen war dieser mit
seinen Sachsen, unter mancherlei Verlust und Gefahr, über
Weißensee, Frankenhausen und Mansfeld, längs der Saale,
herabgeflüchtet und eben bis Barby gekommen, als die Kunde
von der Entlassung des Rieselmenselschen Streithaufens und dem

---

x) Der Augenzeuge I. 236 — 239 und Massenbach II. 2. S. 35 u. f.

Vergleiche zwischen Napoleon und dem Kurfürsten ihn erreichte.
Hierdurch bewogen, sandte er an den Fürsten, und ließ um
Trennung der Sächsischen Völker anhalten. Letzterer, obgleich
amtlich noch nicht unterrichtet, erkannte doch leicht beides die
Veranlassung der Forderung und die Unmöglichkeit sie abzuwehren, und verwilligte das Gesuch. Nur einige Reiterschaa-
ren, die man nicht auffinden konnte, folgten am linken Elbufer den Preußen bis Rathenau, wo Soult sie einholte, so
wie dem Herzoge von Weimar eine kleine Abtheilung Fußvolk, das man später erst abrief. Was sonst von Sachsen
in Magdeburg eingetroffen war, zog noch am Abend und in
der Nacht des 20. Octobers von dannen y).

Am Morgen des 21. Octobers rückte der Fürst durch
Magdeburg über die Elbe, langsam sich fortwindend in den
immer noch nicht geräumten Straßen z), und gelangte am
23. über Genthin nach Rathenau. Von hier sollte der Feldherr von Schimmelpfennig, die rechte Seite ihm deckend, und
die Brücken hinter sich abwerfend, seine Richtung über Nenn-
hausen und Alt-Frisack und von da zwischen Zehdenick und
Liebenwalde auf Schwedt, oder, würde ihm dieß versagt, auf
Stettin nehmen a). Der Reiterei ward angedeutet, sich über
Jericho und Havelberg vorläufig nach Kyritz und Wittstock
zu wenden *). Der Fürst selbst gedachte den geraden Weg
nach Ruppin einzuschlagen: allein so weise auch diese Maßregel sein mochte, so wenig begünstigten sie die Umstände.

y) Der Augenzeuge 1. 243.

z) Derselbe 1. 246.

a) Massenbach II. 2. S. 57, vergl. den Augenzeugen 1. 239 u. f.

*) Sie bestand, wie der Augenzeuge 1. 239 meldet, aus den Bri-
gaden Schwerin, Katt und Wobeser, die man in ein Ganzes vereinigte.
- Von der Schaar, die Kalkreuth geführt hatte, gesellte sich ein Theil
noch in Magdeburg zu dem Fürsten, ein anderer, meist Reiterei, ging
wirklich, dem erhaltenen Befehle gemäß, unterhalb der Stadt, in der
Gegend von Werben und Sandau, über den Strom. Der Augenzeuge 1.
249 vergl. II. 245, 246, und Massenbach II. 2. S. 60.

Nicht nur die Brücke bei Fehrbellin war durch ein Versehn zu voreilig abgebrochen worden, man erfuhr auch, der Feind sei in Brandenburg, und fürchtete, auf dem Zuge von ihm angefallen und in die Moräste von Rhinow geworfen zu werden. Ueberdem schien nöthig, sich der Reiterei bei Kyritz zu nähern und zugleich die Verbindung mit Blücher zu suchen b), der den Harz in weiter Krümmung über Osterode, Seesen und Braunschweig umgangen hatte, und nun wieder, nördlich aufsteigend, der Elbe zueilte, um bei Tangermünde oder Sandau überzusetzen c).

Von dieser Ansicht geleitet, wendete sich der Fürst, die kürzere Linie verlassend, am 24. nördlich mit seinem Volke nach Neustadt an der Dosse, wo Abends auch Blücher für seine Person eintraf d). Beide Feldherrn schienen sich zu verstehn und zu einigen. Blücher übernahm die Führung des Natzmerschen vormals Würtembergischen Heerhaufens e), der, seit dem Ausrücken aus Magdeburg, den Nachtrab gebildet hatte f), und übergab, die unter ihm standen, der Aufsicht Wobesers g). Man verabredete mehr an einander zu halten und höchstens einen Zwischenraum von wenigen Meilen zu lassen h).

Als der Fürst am 26. October von Neu-Ruppin aufbrach, ereilte ihn auf dem weitern Wege eine Botschaft, die zwar allerdings in dem Augenblick, wo sie eintraf, zu voreilig war, aber nach zwölf Stunden wirklich in Erfüllung ging, — die, daß Schimmelpfennig bei Zehdenick überwältigt und seine Schaar zersprengt worden sei. Schon an sich

---

b) Massenbach am angez. Orte, vergl. den Augenzeugen I. 249.

c) Operationsplan 77—79 und Massenbach am a. O.

d) Massenbach II. 2. S. 64.

e) Der Augenzeuge I. 250. Die Zahl der Mannschaft erhellt aus II. 171.

f) Der Augenzeuge I. 240.

g) Operat. Pl. 90.

h) Massenbach II. 2. S. 64 und aus ihm der Augenzeuge II. 266.

beunruhigend, ward sie es noch mehr durch eine frühere und
gewissere, welche des Feindes Ankunft in der Gegend von
Potsdam und Berlin meldete. Keinem, der die Schnelligkeit
der Verfolgenden kannte, ahnete Gutes. Es schien gleich
gefährlich zu bleiben, wie einige wollten, und sich zu ordnen,
oder, wie andere riethen, fortzueilen. Dabei waren alle be-
troffen, daß Blücher, der höchstens drittehalb Meilen bei
Ganzer stand, sich nicht nähere und das Fußvolk ohne Reiterei dahin ziehen müsse i).

Am Morgen des 26. sandte ihm der Fürst den gemessenen Befehl zur Vereinigung und sollte es einen Nachtzug
kosten. Er selbst verfolgte die Richtung nach Schönermark
unweit Gransee, wo er sein Volk zur Ertragung der wenigen
Beschwerden, die noch bevorständen, ermunterte und drei
Stunden fruchtlos auf Blüchern harrte. Indeß ward die
Niederlage Schimmelpfennigs und daß der Feind von Berlin her in Bewegung sei, immer wahrscheinlicher und der
Mangel an Reiterei desto bedenklicher. Man beschloß daher,
sich dem zweiten Reiterhaufen zu nähern, der über Wittstock
kam, und noch höher gegen Norden hinaufzusteigen. Nicht
ohne Anstrengung erreichte man Abends das kleine und arme
Fürstenberg. Die bei den Einwohnern übernachteten, erhielten Brod, die unter freiem Himmel froren und hungerten.
Zugleich verschwand auch die Hoffnung zu Blüchern immer
mehr. „Das höchste Ziel, schrieb er *), das seine Völker
heute erlangen könnten, sei Alt-Ruppin. Er fürchte die
Nachtzüge mehr, als den Feind, und müsse die Ermüdeten
alle vier und zwanzig Stunden einlagern und sie ausruhen
lassen. Möge man ihn lieber jeder Gefahr Preis geben, als
ihn durch übertriebene Anstrengung aller Kräfte aufreiben k).‟

<hr>

i) Der Augenzeuge 253 und Massenbach II. 2. S. 69, 74.

*) Am 26. Oct. als Erwiederung auf den Befehl des Fürsten.
Leben des Fürsten Blücher v. V. v. E. S. 103.

k) Der Augenzeuge I. 253 — 257, vergl. II. 265 und Massenbach
II. 2. S. 73 — 78.

Der Fürst hatte dem zweiten Reiterzug, der auf Meck-
lenburger Boden stand *), seine Richtung bestimmt. Die
nächsten Abtheilungen sollten sich noch in Fürstenberg mit
ihm vereinigen, die entferntern unter Bila über Cüstrinchen
und Herzfelde nach Mittenwalde gehn, um ihn, falls Schimmelpfennig geschlagen sei, die rechte Seite zu decken, die übrigen unter Schwerin, statt Pasewalk zu suchen, die Straße
über Naugarten wählen. Die Entfernung war jedoch groß,
und sogar die nächsten trafen erst in später Nacht zu Fürstenberg ein. Den andern Morgen (es war der 27. October)
erreichte der Fürst Lychen und harrte abermals drei Stunden
der Ankunft Blüchers **). Da er nun mehrere Halbschaaren
von der eingetroffenen Abtheilung Beeren verwenden mußte,
um den nachziehenden, wie er hoffte und von neuem besoh-
len hatte, die Durchgänge zu sichern, und eine ganze Schaar
zum Verein mit Bila bestimmt wurde, so geschah es, daß sein
Fußvolk den Weg auf Boitzenburg wieder ohne Reiterei fortsetzte 1).

---

*) Er nahm seinen Weg über Wittstock, Mirow, Alt-Strelitz und
Hasselförde. Massenbach II. 2. S. 86.

**) Blücher war am 26. Abends spät unter großen Anstrengungen
bis in die Gegend von Ruppin gekommen, brach am 27. in aller Frühe
auf, zog, unterwegs bei Mentz einen Angriff des Fürsten von Ponte-
Corvo auf den Nachtrab zurückweisend, ohne Aufenthalt nach Fürstenberg und von hier, fast die ganze Nacht hindurch marschirend nach Lychen, wo sein Nachtrab wieder mit dem nemlichen Erfolge angegriffen
wurde. Seine Leute waren so entkräftet, daß mehre vor seinen Augen
todt niederfielen und so konnte er erst gegen zehn Uhr Abends die Gegend von Boitzenburg erreichen. Nach vierstündiger Rast um zwei Uhr
Morgens war schon alles wieder in Bewegung und um fünf Uhr den
29. wurde der Marsch nach Prenzlau fortgesetzt, dem Ziele der Vereinigung mit Hohenlohe, als die Nachricht der Tages vorher erfolgten
Kapitulation des Fürsten einlief. Blücher war also außer Schuld und
handelte anders, als er nach seinem Schreiben handeln zu wollen schien.
Leben des Fürsten Blücher a. a. O. vergl. S. 133. Zögern in schlimmer Absicht widerspricht überhaupt dem Charakter dieses Feldherrn.

1) Massenbach II. 2 S. 78, vergl. den Augenzeugen I. 256—259.

Aber noch stand es diesseits der Stadt, als schon un-
trügliche Merkmale von der Nähe des Feindes zeugten. Der
thätige Herzog von Berg hatte den Tag zuvor bei Zehdenick
die Abtheilung, die Schimmelpfennig führte, geworfen und
sich sofort über Templin nach Hasleben gewandt. Von hier
aus eilten seine Unterfeldherrn, Lasalle ihm voraus rechts
nach Prenzlau, und Milhaud links über Wichmannsdorf, wo
er die Preußische Reiterschaar, die zu Bila stoßen sollte m),
überraschte und in die Flucht trieb. Seine Krieger waren es,
die sich jetzt theils einzeln auf der Höhe von Boitzenburg
zeigten, theils in dem Orte selbst plünderten. Es war ein
Glück für den Fürsten, daß die Feinde seine Lage und den
Mangel an aller Reiterei nicht erriethen. Getrennt von
Blüchern, fruchtlos harrend auf Bila, von dem Schicksale der
bei Wichmannsdorf Geschlagenen nicht belehrt, und immer
noch der längst herbeigerufenen Reiterschaar von der Abtheilung Schwerins entbehrend, mußte er endlich unter Tauenzien durch Fußvolk und reitendes Geschütz die Stadt angreifen lassen. Auch hier siegte die Täuschung. Die Franzosen,
ein ernstliches Gefecht fürchtend, räumten nach kurzem Widerstande den Ort, nicht ohne Einbuße etlicher Gefangenen, die
einstimmig aussagten, der Herzog von Berg sei mit seiner
siegreichen Reiterei nach Boitzenburg vorgerückt, Templin in
seiner Hand, und die Preußen von Prenzlau abgeschnitten.
Je mehr die Furcht die Gemüther beherrschte, um so größer
erschien ihnen die verkündigte Gefahr. Alle kamen überein,
man dürfe die gerade Straße nicht länger verfolgen, und

Der erstere weicht von dem letztern in einigen Stücken ab, erzählt aber
offenbar richtiger und zusammenhängender.

m) Fünf hundert Gensd'armen nach Französischer Angabe. Beiläufig: Schütz (im Handbuch der Geschichte Napoleons) und Wedekind
(im chronologischen Handbuch vom Jahr 1812) irren beide, wenn sie die
Gefangennehmung dieser Preußischen Gensd'armen auf den 31. October
verschieben. Sie gehört dem 27., wie der Französische Tagsbericht ausdrücklich sagt und der ganze Zusammenhang lehrt.

Verständige meinten, ob nicht, wenn man über Rieben gehe, der Locknißer Paß, der Stettin öffne, erreicht werden könne. Indeß war der Tag gewichen und die sehnlich erwartete Reiterei von Schwerin eingetroffen. Müde und hungrig (das Brod in Templin hatte der Feind verzehrt) raffte man sich noch einmal auf und wandte sich, nachdem Blücher von der Veränderung des Weges benachrichtiget worden war, links ab von Boißenburg über Arendsee und Schönermark n).

Die Dunkelheit der Nacht, die Ermüdung nach so langer Beschwerde und (kaum glaublich!) als man an einen leicht zu durchwatenden Bach kam, das Aufsuchen eines bequemen Steges verzögerte die Ankunft in Schönermark. Erst um zwei Uhr erreichte es der Vortrab und um vier Uhr der Fürst mit dem Nachtrabe. Früher schon hatten feindliche Feuer, die man gegen Prenzlau hin bemerken wollte, die Ausfendung von Streifwachen veranlaßt. Jetzt sandte man ihnen neue nach und rathschlagte indeß auf den Fall, daß sich die Wahrnehmung bestätige. Es war häufig die Rede von einem Zuge längs der Ucker nach Uckermünde und der Uebersetzung auf Wollin und Usedom. Selbst an Stralsund ward gedacht. Die Furcht vor den Hohlwegen in der Nähe von Prenzlau und einer Umgehung ward immer herrschender, und auch der Muthvollste zweifelhaft, als auf einmal die rückkehrenden Kundschafter berichteten, die Gegend um Prenzlau sei frei und sicher. Augenblicklich zogen alle, durch die Aussicht auf Speise und Trank erheitert, in Jubel vorwärts. Aber noch hatte man nur eine kleine Strecke zurückgelegt, als man zuerst unbestimmt, wegen des Frühnebels, und darauf bestimmter sich Feinde auf den entlegenen Höhen bewegen sah. Zugleich erschien der Hauptmann Hugues von Seiten des Herzogs von Berg und forderte Ergebung. „Man sei von beiden Seiten umgangen, der Kaiser selber in Templin,

---

n) Massenbach II. 2. S. 86 u. f. Der Augenzeuge I. 259 – 263. vergl. die französischen Tagsberichte Nr. 20, 21, 22.

Lucchesini unterhandelnd bei ihm, der Friede so gut, wie ge=
schlossen o)."

Während der Fürst läugnete, die Feinde behaupteten,
hatte sich der größte Theil der Preußen durch Prenzlau ge=
zogen, und schon wollte der Rest folgen, als mit der Entlas=
sung des Abgeordneten ein lebhaftes Feuer anhob. Die noch
diesseits standen, beantworteten es eine Zeit lang lebhaft und
wehrten sich männlich: aber die Uebermacht siegte bald über
lobenswürdige Tapferkeit ob. Mit verhängtem Zügel in die
Stadt jagend, überritt die Reiterei von Prittwitz das Fuß=
volk, auf das sie traf, und ehe letzteres sich aufrichten konnte,
schwangen die Feinde, die rasch nachstürzten, über seinen
Häuptern die Schwerter und nöthigten es, die Waffen zu
strecken. Dasselbe Schicksal erfuhren alle, so viele noch dies=
seits des Ortes standen, mit ihnen auch Ferdinands Sohn,
der Prinz August. Was jenseits gekommen war, ordnete sich
auf der Straße, die nach Pasewalk führt, in einen Halbkreis p).

In diesem Augenblick kehrte der Oberste Massenbach, der
den Hauptmann Hugues auf Befehl des Fürsten begleitet
und mit dem Marschall Lannes gesprochen hatte, wieder zu=
rück. Er meinte, sonderbar sich täuschend, von dem rechten
Ufer der Ucker und über die Brücke von Seehausen gekommen
zu sein, ohne doch das eine oder die andere betreten zu ha=
ben, und hielt sich daher für überzeugt, man sei aller Orten
umstellt, oder werde es doch in kurzem sein. In dieser Stim=
mung kam er zu dem Fürsten, an welchen so eben der Fran=
zose Belliard eine neue Aufforderung· zur Uebergabe ergehen
ließ. Man rathschlagte, man erwog. Die Besetzung der
Stadt Prenzlau, die sieben Meilen Wegs von da nach Stet=
tin, die Ueberlegenheit des Feindes an Zahl und Güte der
Reiterei, die falsche Voraussetzung, er dringe am rechten Ufer

o) Massenbach II. 2. S. 88 — 100. Der Augenzeuge I. 263 — 269.
p) Der Augenzeuge I. 269 — 276. — Der Prinz kehrte, von
Napoleon entlassen, zu seinem Vater zurück. Französische Tagsberichte
Nr. 22.

der Ucker vor, — alles drückte und ängstigte. Schon unter=
lag die belebende Erinnerung an Preußens Kriegsruhm dem
einschläfernden Gedanken, was denn durch freiwillige Auf=
opferung für das Vaterland und den Staat gewonnen werde,
als der Oberste Hüser feierlich hervortrat und aussagte, er
habe für jedes Stück Geschütz nur fünf Schüsse und auch
dem Fußvolk mangle der Schießbedarf q).

Eine Nachricht, wie diese, erschütterte um so mehr, da
bald darauf der Herzog von Berg den Fürsten um eine münd=
liche Unterredung ersuchte und drohend und schmeichelnd in
ihn drang. „Er spreche jetzt zum letzten Male freundschaft=
lich mit ihm. Die Entscheidung möge verzögert, nimmer ver=
mieden werden. Abzug mit klingendem Spiel (man verlangte
es) könne er, wie die Sache nun stehe, nicht mehr verwilli=
gen. Indeß wolle er gewähren, was er zu verantworten
denke. Die Führer entlasse er auf ihr Ehrenwort in ihre
Heimath. Der Gemeine werde kriegsgefangen, doch ohne
Verlust seiner Habe. Der Garde solle aus Achtung für den
König gestattet sein, ohne Französische Bedeckung, doch unbe=
waffnet, nach Potsdam zurückzukehren. Uebrigens erwarte er
schleunigen und bestimmten Entschluß r)."

Nach dieser Zusammenkunft berief der Fürst nochmals
Feldherrn und Hauptleute zu sich, schilderte umständlich die
Lage, in die sie gerathen wären, und forderte auf zu reden:
aber keiner gab einen Rath. Spannung war in aller Mie=
nen und auf alles hingewendet ihr Ohr. Es herrschte weder
Getöse noch Ruhe, sondern eine Stille, wie in großer Angst
oder in großer Wuth s). Als nun nach wiederholter Auf=
forderung Niemand ein Wort der Kraft sprach, alle an sich
und ihrem Arm verzweifelten, eröffnete der Fürst die Be=

---

q) Massenbach 107 — 114, vergl. 120. Der Augenzeuge 1. 276 — 282.

r) Der Augenzeuge 1. 282 — 284 und Massenbach 115.

s) Non tumultus, non quies, quale magni metus et magnae
irae silentium est. Tacitus in Histor. 1. 40.

binungen des Herzogs und wie er sie anzunehmen gedenke und
mit heute die kriegerische Laufbahn verlasse. Darauf löste sich
unter widerstreitenden Empfindungen der Kreis und die
Schreckensbotschaft lief um. Der gemeine Krieger verwünschte
die Führer, diese ihr Schicksal. Man redete von verrätheri-
scher Hinterlist, fruchtloser Anstrengung, unauslöschlicher
Schande, wenige, und auch diese nur in vorübergehender
Aufwallung, vom Durchbrechen mit Gewalt. Endlich stellte
man die Gewehre in Haufen, mit stummen Schmerz, während
die Sieger frohlockten, und zog zurück nach der Stadt. Von
da brach noch am 28. die Garde auf, ohne Bedeckung, wie
verheißen war, doch bald, als von ungefähr, beobachtet, zuletzt wirklich geleitet. Bei ihrer Ankunft in Potsdam ward
den Gemeinen Entfernung nach Frankreich angekündigt und
nur die Führer nach den Orten, die sie selber wählten, mit
Ausschluß der beiden Hauptstädte und Charlottenburgs und
Spandaus, entlassen. Die andern, die nicht zur Garde gehörten, sammelten sich am 30. um den Fürsten, den Feldherrn
von Tauenzien und den Obersten von Massenbach und suchten jeder die Heimath. Also endigte dieser Versuch zur
Rettung t).

Ueber das Benehmen des Fürsten bildete sich in Kurzem
nur eine Stimme unter den Menschen, und die weder durch
seinen Bericht an den König v), noch durch Massenbachs
Rechtfertigung beschwichtiget worden ist x). „Das Vaterland
sei zu bedauern, nicht er, wie sehr ihn auch der Untergang
seiner Kriegsehre schmerzen möge. Ueberall offenbare sich Sorglosigkeit und Säumniß. Ob er denn läugnen möge, daß der
Feind um alles, er um nichts gewußt habe, oder behaupten,

---

t) Der Augenzeuge I. 282 — 291, Massenbach 115 u. f. und die
Französischen Tagsberichte Nr. 22.

v) Im zweiten Anhange zu den Feldzügen von 1806 und 1807
S. 20 und in dem Bericht des Augenzeugen II. 146.

x) In seinen Denkwürdigkeiten, deren Zweck klar vor Augen liegt.

die Mittel zur Rettung wären von ihm erschöpft worden.
Nichts sei thörichter, als die Klage über die Schwierigkeit
zu Lebensmitteln zu gelangen.   Wo später der Feind finde,
könne früher der Freund auch finden, wenn er nur, wie jener,
die nöthigen Anstalten voraus treffe und die Vorräthe in
Beschlag nehme.   Man wolle Blüchers Ungehorsam weder
vertheidigen, noch beschönigen, allein die Masse mehre die
Kraft nicht.   Betrachte man vollends den Ausgang, so ergebe
sich die Verwirrung und Rathlosigkeit des Fürsten und seiner
Umgebungen in entscheidenden Augenblicken auf's deutlichste.
Die Uckerufer habe man verwechselt, der Feinde Zahl über=
schätzt, den vorgeblichen Mangel an Schießbedarf ohne die
mindeste Untersuchung für wahr genommen, und eben so
leichtgläubig sich den Vorspiegelungen des Herzogs von Berg
hingegeben.   Daß es überdem leicht gewesen sei, die Feinde
vor und in Prenzlau aufzuhalten, sobald man vier und zwan=
zig Stunden früher die erforderlichen Maßregeln gewählt
hätte, müsse jedem Kriegsverständigen, der die Lage des Or=
tes kenne, einleuchten y)."   Solche Urtheile liefen um und
wurden um so bitterer, je mehr sie sich durch genauere Kunde
bestätigten z). Der Fürst selbst eilte zuerst nach Oehringen a),
später auf seine Güter nach Schlesien, Breslau, wo er vor=
mals geglänzt hatte, vorüber, und von dem König keines
weitern Andenkens gewürdigt.
    Nach Vernichtung des Hohenlohischen Heerhaufens fiel
es nicht schwer, auch die schwächern ihm zur Seite ziehenden

---

y) Man sehe Sendschreiben an den Obersten von Massenbach von
einem unbefangenen Patrioten, S. 146 u. f. und Vossens Zeiten Band X.
(Junius 1807) S. 308 und Band XI. (Julius 1807) S. 59, wo die
Handlungsweise des Fürsten und seines Rathgebers vom Ausbruche des
Krieges an und vornämlich die Uebergabe bei Prenzlau scharf, aber der
Wahrheit gemäß, beurtheilt wird.

z) Auch die Anzeige Hüsers ist vielfach bezweifelt worden, und man
muß gestehn, daß selbst die Art, wie Massenbach von ihr redet, eben
nicht geschickt ist, den Glauben an den Berichterstatter zu stärken.

a) Posselts Annalen von 1807 I. 277.

zu überwältigen. Der erste, den dieß Loos traf, war der,
mit welchem der Oberste von Heugel links ab flüchtete. Schon
am 29. October ereilte ihn unter Milhaud der Vortrab des
Herzogs von Berg zu Pasewalk und zwang ihn die Waffen
zu strecken b).

Eben so unglücklich war die Kriegsschaar des jüngern
Bila c). Begriffen auf dem Zuge nach Prenzlau, erfuhr er,
der Feind sei bereits über Hasleben bis dahin vorgedrungen
Diese Botschaft, die natürlich die Furcht, umgangen und abgeschnitten zu werden, aufregte, bewog ihn sogleich, sich links
ab nach Straßburg zu wenden, um die Oder, sein und aller
Ziel, mit Sicherheit zu erreichen. Als er nach Falkenwalde
unweit Stettin kam, sandte er, in der Ueberzeugung, Hohenlohe sei glücklich in die Festung gelangt d), einen seiner Leute
dahin, um weitere Aufträge einzuholen, und erhielt die nie-
derschlagende Antwort, daß der Fürst sich ergeben habe, und
der Befehlshaber der Festung (kaum glaublich, wenn nicht
mehrere und unverdächtige Zeugnisse sich vereinigten!) ihm
selbst die schon geschlossenen Thore, wegen der Nähe der

---

b) Französische Tagsberichte Nr. 23. Es waren sechs tausend
Mann, die ihre Richtung ebenfalls über Kyritz und Wittstock erhalten
hatten und, als Hohenlohe sich ergab, bei Schaapow, unfern Schönermark, eingetroffen waren. Massenbach II. 2, 94. Die Capitulation findet sich bei Martens Suppl. IV. 375.

c) Die Erzählung der Schicksale der beiden Bila und ihrer Mannschaft, die ihre vollständige Aufklärung noch erwartet, folgt den Frag-
menten zur Geschichte der Capitulation beider, die sich im April-Stück
der Minerva von 1807 S. 907 finden und aus ihr dem Berichte des
Augenzeugen II. 260 einverleibt worden sind. Von einer andern Darstellung in den Neuen Feuerbränden B. 1, St. 3, S. 85 u. f. wird
beiläufig in den Noten geredet werden.

d) Einige Versprengte aus der Gegend von Prenzlau, die sich in
Falkenwalde einfanden, behaupteten zwar das Gegentheil: aber man
meinte, sie verwechselten die Uebergabe Hohenlohes mit der Gefangennehmung des Prinzen August. Letztere hatte man früher schon durch
Reiter von Quitzow, die, etwa hundert und achtzig an der Zahl, ebenfalls von Prenzlau herüberkamen und sich an Bila schlossen, erfahren.

II. Theil. 14

Franzosen, nicht öffnen könne. Jetzt dachte er darauf, sich
mit Blücher zu verbinden, und zog auf Uckermünde, in der
Meinung, daß jener die Straße nach Demmin und Anklam
einschlage. Aber zu nicht geringer Befremdung vernahm er
in Uckermünde, der Herzog von Berg stehe seitwärts in Friedland und sein Vortrab in Ferdinandshof. So zum zweiten
Mal in seiner Erwartung getäuscht, wählte er, nach Anklam
zu gehn, um hinter dieser Stadt die Ueberfahrt auf die Insel
Usedom zu versuchen, und sandte zur Erkundigung einen seiner Untergebenen ab.

Eben war am 30. Abends der ältere Bila, der königs-
liche Gelder geleitet hatte, um sie nach Usedom zu retten e),
mit dem Fußvolke von Grävenitz f) in Anklam eingetroffen.
Sobald dieser daher die Absicht seines Bruders vernahm, so
ließ er ihm antworten, „er möge nur eilen; die Anstalten zum
Ueberschiffen würden eifrigst betrieben werden." Der jüngere
Bila eilte und zog sich noch dieselbe Nacht mit der Reiterei
jenseits Anklam, während das Fußvolk die Stadt besetzt hielt.
Kaum hatte jedoch die erstere den Peene=Damm hinter sich,
als ein Feuer am jenseitigen Stadtthor, die Ankunft des Feindes, der sich in der Dunkelheit herangeschlichen hatte, verkündigte. So überrascht, befahl man der Reiterei zu halten,
zog das Fußvolk aus der Stadt heran und ließ bloß eine
starke Abtheilung zur Vertheidigung der Peene=Brücke zurück.
Allein sei es nun, daß mangelhafte Anstalten, oder kraftlose
Vollziehung, oder wirkliche Unmöglichkeit eintrat g), genug

---

e) Er stand (Operat. Plan 73) in Hannover und nahm (Feuer-
bränbe S. 87) seinen Weg über Zelle, Uelzen, Cenzen und Mirow.
Die Summe, die er mit sich führte, betrug (nach den Feuerbränden
S. 92) eine Million und gelangte glücklich durch eines Herrn von Prittwitz Bemühungen über Swienemünde nach Colberg.

f) Oder (nach den Feuerbrändrn S. 87) mit dem ersten Bataillon
von Grävenitz, den Füselier=Depots, den Bataillonen Wedel und Carlo-
witz und hundert und zwanzig Cuirassieren vom Regiment Bailloz.

g) Die Feuerbrände werfen die Schuld hauptsächlich auf den äl-

die Ueberfahrt konnte nach den einlaufenden Berichten erst in vielen Tagen bewirkt werden, und so endete man hier, wie bis jetzt überall. Am 31. October legten die Preußen die Waffen nieder und überantworteten sich einem Streithaufen, der viel schwächer, als sie, war h) und unter den Befehlen des Französischen Feldherrn Becker stand i); unstreitig ein bedeutender Verlust, doch zu ertragen, wenn er nicht von größerm begleitet gewesen wäre.

Es hatte nämlich der Preußische Staat gleichzeitig mit der Einbuße bei Pasewalk und Anklam eine andere in zweien seiner wichtigsten Festungen erfahren. Die eine, Stettin, wurde mit Recht für den Schlüssel zu Pommern und West-Preußen gehalten. Obgleich aus Ersparniß und blinder Zuversicht sie so wenig, wie die übrigen Festen des Landes, sich in ganz wehrhaftem Stande befand, so gehörte sie doch keineswegs zu den ganz vernachläßigten, oder dem Ueberfall hingegebenen. Die Besatzung zählte sechs tausend Mann; von den Wällen drohten hundert und sechzig Stücke Geschütz; die Werke wa= ren von Schanzpfählen umzäunt; auch mangelte es nicht an Vorräthen für längere Zeit k). Sogar im schlimmsten Falle

---

tern Bila und rügen bitter die Langsamkeit, mit der er gegen die Elbe vorrückte, die Unentschlossenheit, die ihn schon in der Nähe von Anklam bestimmte, nach Uckermünde zu ziehn und so einen ganzen Tag zu ver= lieren, die Unterlassung, sichere Nachrichten einzuholen, den Mangel an aller Ortskenntniß und die Sorglosigkeit, mit der der bejahrte Mann die wichtigsten Angelegenheiten betrieb. Allein der ganze Aufsatz verräth gehässige Leidenschaft und enthält noch überdem Widersprüche, die ihm seine Glaubwürdigkeit rauben. So, um nur eins anzuführen, kommt Bila den 30. October Nachts um zehn Uhr nach Anklam, wird um neun Uhr von dem Feind angegriffen, vertheidigt sich bis gegen fünf Uhr des Abends und ergiebt sich am Morgen des 30. Was soll der prüfende Leser zu solchen Ungereimtheiten sagen?

h) Die Feuerbrände (S. 96) geben ihn zu sechs hundert Mann an, was sie verantworten mögen.

i) Französische Tagsberichte Nr. 25.

k) Französische Tagsberichte Nr. 24. In Nr. 27 wird gar te=

14 *

durfte man hoffen, sie werde die Thore unter Monaten nicht
öffnen. Aber so groß war die Feigheit der dort Befehlenden
(ihre gebrandmarkten Namen sind Romberg und Knobelsdorf),
daß beide, ohne nur einmal einen Schuß abzuwarten, gleich
der zweiten Aufforderung wichen, und so unglaublich beider
Schaamlosigkeit, daß sie in den Bedingungen der Uebergabe l)
sich der einmaligen Abweisung rühmten. Auf so unwürdige
Weise fiel eine der wichtigsten Stützen des erschütterten Reichs,
ein Handelsort voll Reichthum und Güter, eine Niederlage
vielfältiger Kriegsbedürfnisse, ein beträchtlicher Theil des Oder=
stroms, und ein Standpunkt, von wo aus vorwärts zu wir=
ken leicht war, in Feindeshand. In Empfang nahm das
weggeworfene Unterpfand Lasalle. Gezeichnet ward die Ueber=
gabe bereits am 29. des Octobers.

Zwei Tage später ergab sich auch Cüstrin, schimpflicher
noch, als seine Schwester. Nicht bloß die Wichtigkeit des Ortes
mußte ihren Befehlshaber, den Obersten von Ingersleben, auf=
fordern, für die Erhaltung das Aeußerste zu wagen; es traten
hier selbst eigenthümliche Umstände ein, die ihn an seine Pflicht
mahnten. Die Stadt, am Zusammenflusse der Oder und
Wartha gelegen und von Morästen umfangen, schützte sich
halb schon durch ihre Lage. Die Besatzung, aus Berlin und
Frankfurt verstärkt, konnte ihre Bestimmung leicht erfüllen,
weil der Werke Umfang nur klein war. Lebensmittel und
Schießbedarf fehlten nicht. Ueberdem lebte hier eine frische
Erinnerung, die auch Feige begeistern mußte. Auf den Wäl=
len Cüstrins hatten so eben der niedergeschlagene König und
die trauernde Gemahlin gewandelt und zu treuer Beharr=
lichkeit ermuntert. Endlich war nicht abzusehn, was man
zunächst von einem Feinde zu fürchten habe, der kein schwe=
res Geschütz mit sich führte.

____

hauptet, man habe fünf hundert Stücke Geschütz in der Festung ge=
funden.

l) Der Tagsbericht Nr. 24 und Martens Recueil. Suppl. IV.
372 enthält sie.

So viele Antriebe zur Vertheidigung vermochten jedoch nichts über das Gemüth des ehrlosesten aller Befehlshaber. Den ersten Argwohn gegen ihn erregte, gleich nach der Abreise des Königspaars (am 26.), ein Französischer Abgeordneter, der einige Gefangene, Reiter von der Schaar der Königin, in die Stadt brachte, und sie ihm, Niemand errieth, warum, übergab. Weil er indeß die Anstalten zur Gegenwehr scheinbar fortsetzte und auch die Oberbrücke anzünden ließ, so beruhigte man sich leicht. Aber als am 31. October ein Streithaufe von der Abtheilung, die Davoust führte, auf der Frankfurter Straße gegen den Ort anrückte, begannen alle Nachdenkenden aus mancherlei Vorzeichen zu ahnen, was Schandbares beschlossen sei. Der Feind, in die lange Vorstadt sich werfend, neckte durch kleines Gewehrfeuer und blieb unangetastet. Die Vorstadt in Brand zu setzen, wie Sachkundige wollten, ward untersagt. Von den Wällen erhielt die Besatzung am andern Morgen die Erlaubniß abzuziehn, und noch denselben Vormittag trug ein Kahn den Befehlshaber an das jenseitige Stromufer. Dort, außerhalb der Festung, unterhandelte er mit dem Feinde, nicht aufgefordert zur Uebergabe, sondern einladend zur Besitznahme. Sogleich, nachdem er zurück gekommen war, befahl er den Seinigen sich auf dem Markte zu stellen und die Waffen niederzulegen. Ein namhafter Kriegshaufe von vier tausend Mann überlieferte sich in die Hände von höchstens funfzehn hundert Feinden und wurde nach Spandau und von da nach Frankreich gebracht. Die ehrliebenden Sieger selbst sprachen in ihrem Tagsbericht einzig von dem Werthe, nicht von der Art der Eroberung. Neunzig Stücke schweres Geschütz, Schießvorrath für Monate und die Herrschaft über die Oder bis tief hinab in Schlesien wurde gewonnen m).

---

m) Französische Tagsberichte Nr. 25, 26, vergl. die Vertrauten Briefe III. 323 u. f. hier beachtungswerth, weil ein Augenzeuge spricht. Uebrigens verdient noch bemerkt zu werden, daß die Bedingungen, auf

Von den großen Einzelmassen, in welche Preußens Hee=
resmacht sich zersplittert hatte, schweifte jetzt keine mehr un=
eingefangen umher, als die Blücherische, mit der nun noch
die Mannschaft des Herzogs von Weimar verbunden war.
Dieser Fürst, der, nach früherer Meldung, kurz vor der Ueber=
gabe von Erfurt, auf der Höhe der Stadt erschien, und fast
zu lange für seine Sicherheit dort verweilte, hatte, umsichti=
ger und besonnener, als seine Mitfeldherrn, sich über Heili=
genstadt, Clausthal, Wolfenbüttel, Oebisfelde und Stendal
nach der Elbe gewandt und am 26. October, im Angesichte
der Feinde bei Sandau über den Strom gesetzt n), als ihn
ein Schreiben vom Könige der bisherigen Obliegenheit, dan=
kend, entband o), und zugleich ein Abgeordneter seiner Unter=
thanen dringend zurückrief. „Napoleon wolle des Landes
schonen, wenn der Beherrscher auf der Stelle umkehre und
sein Hülfsvolk, die Weimarschen Jäger, von Preußen trenne.“
Dieß Anerbieten, wie billig, ergreifend, übergab der Herzog
den Befehl an den Feldherrn von Winning, als den nächsten
nach ihm, und der Heerhaufe zog, wie mehrere, über Kyritz
und Wittstock auf Mirow, hoffend, den Fürsten von Hohen=
lohe und mit ihm Stettin zu erreichen, allein vergebens. Noch
vor Mirow kam Botschaft von Blücher, meldend, was in
Prenzlau geschehen sei, und wie er auf Malchin ziehe und
Vereinigung wünsche p). Dieser Anschlag lag nicht außer
der Absicht Winnings, der, abgeschnitten, wie er war, auf
Einschiffung in Rostock und Landung in Colberg oder Danzig
dachte q). Er brach daher unverzüglich auf und traf bereits

---

die sich Cüstrin ergab, niemals durch den Druck bekannt geworden sind.
Wenigstens habe ich mich vergebens um sie bemüht.

n) Oper. Plan 72 — 89.

o) Das. 89 vergl. 141.

p) Das. 91, vergl. im Anhange Blüchers Bericht an den König 152.

q) Oper. Plan 92.

in Kratzenburg Blüchern, der von da an auch die Führung
dieser Abtheilung übernahm r).

Blücher, der, auf dem Wege nach der Oder, immer in
einer Entfernung von mehrern Meilen (ob absichtlich oder
genöthigt, ist zweifelhaft) hinter dem Fürsten von Hohenlohe
herzog s), traf in Boitzenburg ein, als jener sich in Prenzlau
ergab, und eilte sogleich (am 29. October) links ab nach
Strelitz. Da er am folgenden Tage sich durch den Weimarschen Kriegshaufen ansehnlich verstärkte, so verwarf er den
Entschluß nach Rostock zu gehn und faßte einen kühnern. ‚Es
liege alles daran, daß der König Zeit gewinne, die Ost-
Preußischen Völker und Schlesiens Streitkräfte in Gemeinschaft mit den Russen an die Oder zu führen. Dieß werde
bewirkt, wenn man den Feind von dem Strom ablenke und
ihm sodann eine Schlacht anbiete. Gesetzt, sie falle unglücklich aus, so könne man dieß verschmerzen, weil man die
Hauptabsicht erreicht habe. Seine Meinung sei, bei Lauenburg über die Elbe zu setzen und dem Glück und den Umständen das andere zu überlassen.‘ Diesem Entwurfe gemäß,
sandte Blücher sichere Leute, um das Nöthige anzuordnen,
voraus und wandte sich über Wahren, Alt-Schwerin und
Kladrum nach Kreewitz. Aber unablässig von den Marschällen Soult und Bernadotte und dem Großherzoge von Berg
verfolgt, immer mit Verlust angefallen und endlich in Gefahr
umgangen zu werden, erkannte er, daß die Erreichung der
Elbe unmöglich sei und warf sein Auge auf Lübeck. Hier in
der reichen Stadt hoffte er seine hungernden Krieger zu sät-
tigen, sie mit allen Bedürfnissen, wie sich selbst mit Geld, zu
versehn und den Feind um einige Tage aufzuhalten t).

---

r) Oper. Plan 94. Winning für seine Person verließ bald nachher das Corps, weil er das Schlüsselbein brach. Das. 107.

s) Es war nämlich am 26. October Hohenlohe zu Fürstenberg und
Blücher zu Ruppin, am 27. jener zu Boitzenburg und dieser in Lychen,
am 28. der erste in Prenzlau und der letzte zu Boitzenburg. Vergl. die
Anmerk. S. 196.

t) Oper. Plan 94—113, vergl. in der Allgem. Zeitung (Nr. 837,

Am Abend des 5. Novembers traf er über Gadebusch
ein und eilte sogleich auf das Gemeindehaus. Der versam=
melte Rath flehte, weigerte, widerstrebte; Blücher versprach,
betheuerte, drohte. Jener verlangte, Abgeordnete an die Fran=
zösischen Feldherrn zu senden; dieser schloß alle Thore und
vertröstete. In wenigen Stunden ward eine Stadt, die im
tiefsten Frieden lebte und seit Jahren an der Ebenung ihrer
Wälle arbeitete, ein furchtbares Lager. In den Straßen
drängten sich stehende und durchziehende Krieger, in den Häu=
sern herrschten die Feinde; auf dem noch übrigen Walle reihte
sich Geschütz an Geschütz; überall traf man Anstalten zum
Empfang der Verfolgenden. Die Bürger zitterten und sahen
dem nächsten Tage bang entgegen, nicht ohne Grund.

Schon früh gegen sieben Uhr erschienen die drei Fran=
zösischen Heerhaufen, und vor allen Thoren am rechten Trave=
ufer begann ein lebhaftes Feuer. Die Preußischen Vorposten
wurden gedrängt und geworfen, und die Stadt füllte sich
mit Flüchtlingen und Verwundeten. Das Toben von außen,
das Getümmel im Innern, die Menge Kugeln, die durch die
Luft zischten, und die Furcht, es werde alles in Feuer und
Rauch aufgehn, erschütterte alle Gemüther und verbreitete
dumpfes Entsetzen. Indeß dauerte der Widerstand hartnäckig
fort bis zu Mittag, wo einige Stille eintrat. Es war nur
eine kurze und trügliche. Kaum hatte man sich ein wenig
gesammelt, so erhob sich das Feuer stärker, als je, und in
den Straßen entstand ein wildes Geschrei. Die Franzosen
hatten das schlecht vertheidigte Burgthor gesprengt, und stürm=
ten, die Ueberwältigten vor sich her treibend, so behend in
die Stadt, daß sie den Obersten von Scharnhorst und den

S. 1346 u. f.) und in Grassens historisch=militärischem Handbuch S. 378
u. f. die Bemerkungen eines Französischen Offiziers zu Blüchers Bericht
an den König, aus denen sehr bestimmt hervorgeht, daß auch dieser
Preußische Feldherr die Stärke und Lage der feindlichen Heerhaufen kei=
neswegs richtig beurtheilte und die Gelegenheit, sie mit Vortheil anzu=
greifen, mehr denn einmal verabsäumte.

Rittmeister von der Golz und wer sonst noch in Blüchers Wohnung war, gefangen nahmen. Blücher selbst, so sicher, daß er mit Befehlen für den folgenden Tag sich beschäftigte, erreichte nur mit Mühe den Markt, sammelte Volk und versuchte den Feind zurückzudrängen. Dieser aber mehrte sich zusehends, schlug jeden Angriff tapfer ab, besetzte alle öffentlichen Plätze und Gassen und beschoß die Travebrücke. Um nicht gänzlich abgeschnitten zu werden, mußte Blücher eilen, sie und das Holsteiner Thor zu gewinnen. Vor der Stadt entdeckte man erst die Größe des erlittenen Verlustes. Von ganzen Schaaren und Halbschaaren waren nur Reste übrig und von Geschütz wenig gerettet v).

Nach der Einbuße Lübecks hatte Blücher hinter sich und zur Rechten den Feind, links die Dänische Gränze, die er zu betreten nicht wagen durfte, vor sich die See. So auf das Weichbild einer einzigen Stadt eingeschränkt, mußte er entweder die aufgegebene wieder erstürmen, was nicht zu hoffen war, oder unter dem Schutze der Travemünder-Burg, die er besetzt hielt, mit seiner zahlreichen Reiterei sich vertheidigen, was keinen großen Gewinn versprach. Wirklich beschäftigten ihn beide Gedanken, während er nach Ratkau abzog; aber der Feind folgte ihm auf dem Fuße und vereitelte beide. Kurz nach Einbruch der Nacht erhielt er die Nachricht von der Ueberwältigung seiner Leute in Schwartau, und um Mitternacht die bedeutendere, daß Travemünde genommen sei. Zugleich ward er von dem Prinzen von Ponte-Corvo und am Morgen des 7. Novembers von dem Großherzog von Berg aufgefordert, einem unnützen Widerstande zu entsagen. Dieß und der Mangel an Lebensmitteln und Schießbedarf bestimmten endlich den Hartnäckigen, zu Ratkau, wo er am

---

v) Oper. Plan 112—123, Villers Brief an die Gräfin F. v. B. enthaltend eine Nachricht von den Begebenheiten, die zu Lübeck den 6. November 1806 und folgende Tage vorgefallen sind, Amsterdam, 1807, 1—35, und das Gefecht bei Lübeck, Lübeck bei Bohn, 1806, mit einem Plan.

Fieber erkrankt lag, eine Uebereinkunft zu unterzeichnen und seine abgematteten und geschwächten Krieger dem Feinde zu überantworten. Sie waren die letzten Preußen diesseits der Oder und endeten, wie alle, schmerzlich für den Führer, und unglücklich für den Staat, aber zugleich, was keine andern sich vorwerfen durften, verderblich für eine schuldlose Stadt x).

Die Bewohner Lübecks, nachdem die ersten Schrecknisse der Einnahme überwunden und die Preußen vertrieben waren, athmeten wieder frei und hielten sich für geborgen, als sie mit dem Einrücken der Sieger (den 6. November Nachmittags gegen drei Uhr und den ganzen folgenden Tag hindurch) in namenloses Elend versenkt wurden. Die gänzliche Unkunde des gemeinen Kriegers über die Verhältnisse der Stadt, die herrschende Meinung, daß sie, eine Pflegerin der Feinde, im Sturme genommen sei, das Gefühl lang erduldeter Beschwerde, die zur Belohnung berechtige, die Sorglosigkeit der Bürger, die an keine Gewalt dachten, endlich die Unbekanntschaft der meisten mit der Sprache des erobernden Volkes bereitete hier allen Ständen, Geschlechtern und Altern ein Schicksal, das die Geschichte, geschrieben in einem gesitteten Zeitalter und für Gesittete, sich billig nachzuerzählen scheut. Es genügt zu bemerken, daß der Wohlstand vieler Jahre in drei schrecklichen Tagen unterging, daß das Heiligste keine Schonung fand und, wie in der Stadt, so in ihrem kleinen Gebiete gewüthet ward. Auch endeten damit die Leiden nicht. Was jene Tage übrig gelassen hatten, erschöpfte späterhin die Beköstigung der Führer, der Unterhalt und die Bekleidung der Völker und die Versorgung von zehn Krankenhäusern. Die den Verlust gering schätzen, berechnen ihn auf

***

x) Oper. Plan 123 — 132, nebst den Beilagen, vergl. die französischen Tagsberichte Nr. 26, 29. Die Capitulation hat auch Martens seinem Recueil Suppl. IV. 376 einverleibt. Einzelne kleine Haufen von Blücher, welche die Elbe gesucht hatten, wurden ebenfalls aufgehoben. Französische Tagsberichte Nr. 32. Vergl. M. Dumas XVI. 302 — 342.

zwölf Millionen Franken. Und das alles erlitt eine fried=
fertige Handelsstadt, ohne Haß gegen Frankreich, ohne Theil=
nahme am Kampfe, ohne Verpflichtung für Preußen, selbst
ohne den Trost, dem Vaterlande durch ihr Unglück zu nutzen.
Die das Geschehene auf sittlicher Wage würdigen, werden ewig
ungewiß bleiben, was sie mehr verabscheuen sollen, ob die
erbitterte Stärke, die kein Gesetz achtet, oder die falsche
Kriegsehre, die einer zwecklosen Gegenwehr alles aufopfert y).

Indeß so dem Französischen Kaiser der Besitz aller Lande,
der Preußischen wie der Sächsischen, zwischen der Elbe und
Oder durch die Thätigkeit seiner Feldherrn gesichert ward,
gewannen andere, was dem Könige und seinen Bundesgenossen
zwischen dem Rhein und dem Elbstrom gehörte. Schon am
24. October wurden Münster, Osnabrück und die Grafschaft
Mark von Holländischen Völkern eingenommen und an eben
dem Tage die Preußischen Wappen in Hannover abgerissen
und die Brittischen angeheftet. Braunschweig hörte am 26.
auf das Erbe der Guelfen und Fulda am 27. ein Eigenthum
der Fürsten von Oranien zu seyn. Am 29. gingen die Ab=
teien, Essen, Werden und Elten, um die man sich nicht
gütlich hatte vertragen können, an den Großherzog von Berg,
und am 30. Ost=Friesland und Jevern an den König von
Holland über. Am wenigsten versah sich seines Schicksals der
Kurfürst von Hessen. Er glaubte sich durch sein vorsichtiges
Betragen gerettet; aber Napoleon, ihn durchschauend, hatte
seinen Untergang festgesetzt. In einem amtlichen Schreiben
vom 31. October machte ihm der Französische Geschäftsträger

---

y) Siehe Villers oben angezogenen Brief S. 135. und drei Briefe
in Posselts Annalen von 1807, II. 315. (Vergl. Leben des Fürsten
Blücher, S. 117 und besonders S. 130, wo man Blüchers Erwiederung
auf die Verunglimpfungen eines Ungenannten, wahrscheinlich des Obersten
von Massenbach, in den Lichtstrahlen, findet. Er hatte den Zweck, die
Feinde so lange zu beschäftigen, bis die Russische Armee herankäme, und
dadurch Preußen und Schlesien, wo möglich, zu retten. Nicht ungünstig
beurtheilt Blüchers Unternehmen auch M. Dumas XVI. 340.

Geneſt des Kaiſers ſtrengen Willen bekannt; und nur mit
Mühe entfloh der Ueberraſchte den Kriegern, die am folgen=
den Tage unter Mortier einrückten und, nach Entwaffnung
der Eingebornen, das Land als erobert behandelten z).
Daſſelbe Schickſal erfuhr Hannover, nachdem es nicht volle
drei Wochen ſich der zerbrochenen Adler Preußens gefreut
hatte. Am 10. November erſchien ebenfalls Mortier und
ernannte eine vollziehende Behörde, der er die Verwaltung
anvertraute a). Auch das Herzogthum Oldenburg, die
Mecklenburgiſchen Lande b), und die Reichsſtädte Hamburg,
Bremen c) und Lübeck erkannten fremde Befehle. Binnen
zwei Monaten war das ganze nördliche Deutſchland, mehr
als zehn Millionen Menſchen, und über tauſend zum Theil
herrliche Städte in den Händen des Siegers d). Nur einige
Feſten trotzten noch und bewahrten Preußens Namen und
Anſprüche, allein auch ſie ohne Beſtand und Kraft.

Das meiſte Vertrauen ſetzte man auf Magdeburg. Zwar
hatte dieſe Feſte unter der allgemeinen Sorgloſigkeit ebenfalls
viel gelitten und der Krieg den unternommenen Beſſerungs=
bau geſtört e); dennoch war ſie ſelbſt in unvollkommener
Bewaffnung ein ſtarkes Bollwerk. Weder Lebens= noch Ver=
theidigungs=Mittel fehlten. Die Vorräthe an Getreide und
Mehl reichten für Monate hin. Auf den Wällen und in
den Zeughäuſern lagen acht hundert Stücke Geſchütz. Das
vorhandene Pulver betrug über zehn tauſend Centner, und
die Beſatzung, die Hohenlohe bei ſeinem Durchzug verſtärkte,

---

z) Polit. J. von 1806. S. 1117. Vergl. Bignon B. 6. Kap. 65.
S. 20 f.

a) Daſſelbe 1173.

b) Daſſelbe 1251. Bignon a. a. O. S. 24.

c) Daſſ. 1188.

d) Daſſ. 1162. vergl. Schützens Handbuch der Geſchichte Napoleons S. 471.

e) Maſſenbach II. 2. S. 46. und der Briefſchreiber in Poſſelts
Annalen von 1807, IV. 114, vergl. die Vertrauten Briefe V. 90.

an zwei und zwanzig tausend Mann f). Ueberdem knüpften sich an Magdeburg die erhebenden Erinnerungen des dreißigjährigen Krieges und beruhigte der Gedanke, daß der Feind zu ernster Belagerung fürs erste schwerlich gerüstet sei.

In der That stand der Marschall Ney, der Magdeburg seit dem 25. October mit etwa zehn tausend Kriegern ohne schweres Geschütz einschloß g), müssig vor den Thoren. Die wenigen unbedeutenden Angriffe, die er versuchte, wurden leicht abgewiesen, und selbst nachdrücklichere durften furchtlos erwartet werden, wenn die wichtige Sorge für die Gegenwehr nicht hier, wie überall, in sorglosen Händen geruht hätte. Von Kleist, der Befehlshaber der Festung, trug einen edlen Namen, ohne innern Adel. Nie durch etwas anders ausgezeichnet, als durch Kleinlichkeit im Dienst und beleidigende Verachtung der Niedern, in frühern Zeiten sogar der Feigheit bezüchtigt, jetzt gelähmt an Kraft und vor Alter fast kindisch, achtete er, schon am Grabe, Leben und Genuß gleichwohl höher, als Gewissen und Ehre, und gestattete Französischen Unterhändlern täglichen Zutritt und selbst in der Festung zu übernachten. Nicht lange so begannen seine verderblichen Anschläge sich zu entwickeln. Der Aufseher über die Festungswerke erhielt Befehl, die Arbeiten einzustellen, die er während der Einschließung immer noch fortsetzte, und das Handwerksgeräthe abzuliefern. Dem gemeinen Krieger wurde die scharfe Ladung abgenommen. Gegen bessere Ansichten machte man die Niederlage bei Prenzlau und den Uebergang Stettins und Cüstrins geltend. Am 10. November Nachmittags besetzten die Franzosen das Ulrichsthor und am 11. streckte die Be-

---

f) Nach dem 31. Französischen Tagsbericht. Die Angaben mögen vielleicht in der Wirklichkeit (Schöll VIII. 387. vermindert sie um 6000.) viel geringer ausfallen. Aber selbst um die Hälfte vermindert, bleibt, was im Texte behauptet wird, wahr.

g) Französische Tagsberichte Nr. 17. und Allgemeine Zeitung S. 1367, vergl. den schon angezogenen Aufsatz eines offenbar wohl unterrichteten Mannes in den Vertrauten Briefen V. 109.

satzung die Waffen h). Als die Bedingungen der Uebergabe
kund wurden, erstaunte man, wie die Obersten, Hauptleute
und Führer für sich gesorgt, die in Magdeburg blieben, sich
ihre Amtswohnungen und Freiheit von allen Kriegslasten,
und die nach den besetzten Provinzen gingen, sich die Aus=
zahlung ihrer Löhnungen durch die Verwaltungs=Behörden
bedungen hatten i). Am unbegreiflichsten schien, wie unter
so vielen Kriegern von Rang und Ansehen keiner der feigen
Niederträchtigkeit widerstrebt, keiner ein entscheidendes Wort
gesprochen, keiner eine kräftige That gewagt hatte. Wer
irgend noch Geist und Entschlossenheit in dem Preußischen
Stabe vermuthete, gab den Glauben von nun an auf und
verzweifelte an der Rettung durch eigene Kraft.

Das bestätigte denn auch bald der Fall von Hameln und
Nienburg, den Preußischen Waffenplätzen an der Weser.
Unter den Festen des Staats war vielleicht keine in besserem
Stande, als Hameln. Ihre Werke hatten, seit Hannover
den Herrn wechselte, an Umfang, wie an Stärke, gewonnen.
Die Vorrathshäuser waren durch abgeschlossene Lieferungen
zeitig gefüllt worden. Den Wall vertheidigte zahlreiches
Geschütz, und da der Feldherr Le Coq, der aus Westphalen
zur Verbindung mit dem Herzog von Weimar heraneilte,
durch die Schnelle der Franzosen gehindert ward, ihn zu
erreichen k), und deshalb bei Hameln stehen blieb, so fehlte
es auch nicht an tapfern Armen, über die man gebieten
konnte. Aber kaum erschien der Feind vor den Thoren, so

---

h) Vertraute Briefe V. 105 u. f. und die mehr auf= als zudeckende
Entschuldigung Kleists in den Neuen Feuerbränden St. 12. S. 88.

i) Man sehe die Capitulation von Magdeburg in dem 30. Französischen Tagsbericht, auch bei Martens Suppl. IV. 378. und den in Posselts Annalen von 1807 B. 1. S. 209. mitgetheilten Nachtrag.

k) Oper. Plan 73. 83. Feuerbrände St. 17. S. 56. Eine nicht
unbeträchtliche Anzahl von Le Coqs Leuten vereinigte sich indeß gleichwohl, fortziehend, bei Gadebusch mit Blüchern und nahm an der
Besetzung Lübecks und der Uebergabe zu Ratkau Theil.

beschickte er sogleich, und mehr denn einmal in einem Tage, den Befehlshaber von Schöler und dieser ihn. Allmählig ver=breitete sich das Gerücht von angesponnenen Unterhandlungen, und es leidet kaum einigen Zweifel, daß sie auf der Stelle zum Abschluß gediehen wären, wenn nicht mehrere besser Gesinnten sich ermannt und gedroht hätten. Ihre Entschloß=senheit allein setzte der Verabredung Gränzen, wiewohl auch nur um Tage. Früh am 20. November ritten von Schöler und Le Coq zum Französischen Feldherrn Savary in das Lager, und als sie Abends zurückkehrten, verkündigten sie die Unterzeichnung der Uebergabe und mahnten ernstlich, die Ahndung des Feindes nicht durch dreiste Reden zu reizen. Diese Mahnung verfehlte jedoch ihres Zwecks. Noch einmal traten die redlichen Unter=Befehlshaber auf gegen den Treu=losen, erneuerten ihre Beschwerden, und trugen, da die nächsten im Range nach Schöler sich weigerten, den beiden Obersten Oerthel und Caprivi die Vertheidigung an. Zugleich erwachte der Geist der Widersetzlichkeit und des Aufruhrs in den gemeinen Kriegern. Wüthend über ihr Schicksal brachen sie in die Vorrathshäuser, berauschten sich in starken Getränken, spotteten der Obern, die zur Ordnung verwiesen, plünder=ten und zerstörten. Ueber vierzig tausend Schüsse fielen die Nacht durch. Mehrere Krieger und Bürger, auch Weiber, büßten ihr Leben ein oder wurden gemißhandelt und ver=wundet. Alles schwebte in großer Angst und Gefahr. Schöler, rathlos, wie er war, sandte an Savary, um durch bessere Bedingungen die Erbitterten zu besänftigen, und erhielt, was er verdiente, eine zurückweisende Antwort l). Erst am Morgen des 21. Novembers endete der Sturm mit der Zerschlagung der Gewehre und dem Einzuge der Holländischen Besatzung durch die längst verlassenen und geöffneten Thore. Welche Denkungsart Schölern beseelte, sagten die Bedingungen

---

l) Der Briefwechsel beider ist dem 35. Französischen Tagsberichte beigefügt.

der Uebergabe m). Ehrloser, denn seine Vorgänger, hatte er im voraus bedacht, daß Preußens Länder in fremde Ge= walt übergehen konnten, und den Befehlshabern, die ihnen zugehörten, auf solchen Fall Gnadengehalte sichern wollen. Außerdem mußte die übergebene Stadt, was keiner andern widerfahren war, tausend Thaler in Golde aufbringen, zum Reisegeld für die Unter=Befehlshaber, ein schändlicher Auftrag an sich, und noch schändlicher dadurch, daß wenige das Bestimmte voll erhielten n).

---

m) Siehe die Capitulation in der Beilage zum 34. Französischen Tagsberichte.

n) Lüders Bericht in Archenholz Minerva von 1807, October S. 1. Gegen ihn gerichtet ist ein Aufsatz in den Feuerbränden St. 17. S. 42 u. f., der aber jenen gar nicht widerlegt. Dort (S. 80) steht auch, daß jeder Unter=Befehlshaber vier Louisd'or erhalten sollte, aber nicht erhielt. Noch vor der Erscheinung des dritten Bandes dieser Geschichte erhielt ich von dem nun verstorbenen General Le Coq einen Aufsatz, der, wenn nicht Rechtfertigung der Uebergabe Hamelns, so doch Mil= derung des von mir ausgesprochenen Urtheils zur Absicht hatte und dem Verlangen des Einsenders gemäß, in den Zusätzen abgedruckt worden ist. Er hat zwar weder bei mir, noch bei andern, was er bewirken sollte, bewirken können. Da er indeß am Besten zeigt, aus welchem Stand= punkte die Preußischen Befehlshaber jener Tage ihre Stellung und Verpflichtung gegen König und Staat ansahen, und mir seine Auslas= sung überdem etwas Gehässiges zu haben scheint, auch manche Kleinig= keiten im Texte durch ihn berichtiget worden, so lasse ich ihn hier nochmals folgen. Er lautet wörtlich also: „So, wie in der Geschichte des Preußischen Staates seit dem Frieden von Hubertsburg die That= sache von der Uebergabe von Hameln nach den Journalen der damaligen aufgeregten Zeit, dargestellt ist, darf man sich nicht wundern, wenn der Leser gegen mehrere der genannten Personen aufgebracht ist und ihnen alle Achtung versagt, so lange er nicht bemüht ist, in den Gegenstand tiefer einzugehen und den andern Theil anzuhören. Noch mehr bestärkt wird er in seiner vorgefaßten Meinung, wenn er erfährt, daß eben diese Personen durch ein Kriegsgericht schuldig befunden wurden.

Es kann nicht in meiner Absicht liegen, mich gegen dieses Urtheil zu erheben und mich hier zu rechtfertigen: noch mehr, ich würde an der Stelle meiner Richter wahrscheinlich eben so gesprochen haben; aber

Der Einnahme von Hameln folgte die von der Feste Nienburg
an der Weser und von Plassenburg bei Culmbach, deren

vielleicht darf ich auch annehmen, daß der Billige die Frage — wie würdest
du an des Angeklagten Stelle gehandelt haben? — zweifelnd an sich
gerichtet haben werde. Wie dem auch sei, so geht meine Absicht nur
dahin, meine damalige Ansicht zu entwickeln, um wenigstens das harte
Urtheil der Mit- und Nachwelt, welches jene Erzählung der Thatsache
nothwendig erzeugen muß, zu mildern, und den Leser in den Stand zu
setzen, meine wahren Bewegungsgründe und somit meinen Character·
als Mensch und als Bürger des Preußischen Staats zu beurtheilen.
Weder der Verfasser des Werks, noch der Leser, werden es dem Angeklagten verdenken, daß er, da er es noch kann, dahin trachtet, wenn
auch nicht ohne Tadel nach der persönlichen Ansicht des Lesers, doch
als rechtschaffener Mann auf die Nachwelt überzugehen. Errare huma-
num est, das mögen sie denken und weiter nichts.

Von welchen Gesinnungen gegen König und Staat eben die
Männer, welche am 20. November Hameln übergaben, beseelt waren,
möge der Umstand sogleich ins Licht setzen, daß schon am 10. November
eine ganz andere Verhandlung durch Abgeordnete der gesammten Besatzung im feindlichen Hauptquartier Statt gefunden, nach welcher der
Besatzung ein freier Abzug nach Preußen zu dem Ueberrest des
Preußischen Heeres und zum König bewilligt war, auf die Nachricht
vom Falle Magdeburgs aber von dem damaligen, die Einschließung
befehligenden Könige von Holland am 12. zurückgenommen wurde. Wer
nur einiger Maßen von den unglücklichen Folgen der Schlachten von
Jena und Auerstädt unterrichtet war, hatte die volle Ueberzeugung
eines rettungslosen Zustandes der Besatzung, der eine Gefangenschaft
unvermeidlich machte und diese Ueberzeugung bewog alle Generale und
alle Befehlshaber der Regimenter in einem Kriegsrathe den einzigen
Entschluß zu fassen, durch welchen die treue Besatzung ihrem Könige
zugeführt werden konnte — Uebergabe durch freien Abzug und
ungehinderten Marsch nach Preußen. Eine verlängerte Vertheidigung Magdeburgs nur von wenigen Tagen hätte diesen heißen
Wunsch unfehlbar in Erfüllung gebracht. Wenn einige achtungswerthe
Officiere, welche diesem Kriegsrathe nicht beiwohnten, bei dem Gerücht
von Uebergabe ihre Unzufriedenheit laut werden ließen, so geschah es
wahrscheinlich, weil sie entweder von dem Umfange der Folgen jener
Schlachten nicht unterrichtet waren, oder nicht wußten, daß man einen
freien Abzug beabsichtige, der sie in die Reihen ihrer in Preußen
kämpfenden Waffenbrüder und Bundesgenossen versetzen sollte, und
ihnen einen wichtigeren Wirkungskreis versprach, als die, bei der

II. Theil.   15

erſtere unter Strachwitz ebenfalls an Savary und die letztere
unter Uttenhofen an den Baierſchen Oberſten, Grafen von

---

höchſten Anſtrengung nur auf einige Monate zu berechnende, Vertheidigung von Hameln gewähren konnte.

Als nun, nach der völligen Auflöſung der Armee bei Prenzlau,
Lübeck, und mehrern andern Orten, als nach dem Falle der Haupt-
waffenplätze an der Elbe und Oder — Stettin, Cüſtrin und Magdeburg — bei dem unaufhaltſamen Vordringen des feindlichen Heeres
nach der Weichſel, keine andere Ausſicht übrig blieb, als Gefangenſchaft,
dann erſt entſtand in mir die Frage, ob unter ſolchen beiſpielloſen
Umſtänden und in der vollen Ueberzeugung, daß durch eine hartnäckige
Vertheidigung von Hameln weder König noch Staat geholfen war, es
erlaubt ſei, Menſchenblut zu ſchonen, Belagerungs-Elend vor und
in der Feſte zu ſparen und den Platz gegen die damals nur noch
möglichen Bedingungen, freilich hart genug, zu übergeben, und meine
Vernunft entſchied dafür. Dieß alſo war meine Stimmung, als es am
20. November darauf ankam, mich der Uebergabe zu widerſetzen, und
es ſcheint, daß dieſe meine Anſicht, als der dritte General im Range,
eben ſowohl die des Commandanten, als des auf ihn folgenden zweiten
Generals von Hagken und einiger andern noch gegenwärtigen Befehlshaber geweſen ſei. Keiner von allen, welche an der Verhandlung Theil
nahmen, hat eignen Vortheil berückſichtigt und wenn Menſchenliebe,
Abſcheu gegen nutzloſes Morden, Schlachten und Verwüſten bei
einem Krieger, in andern Fällen als Tugend, hier aber als Schwäche
erſcheinen mögen, nun ſo habe auch ich dieſer Schwäche unterlegen,
welcher eine ſieben und dreißigjährige Dienſtleiſtung, nicht ohne einigen
Kriegsruhm und nicht ohne Nutzen für die Geſellſchaft, ſtets der Pflicht
hingegeben, zur Seite ſtehen mag. Man wird mir dieſe durch die
Umſtände abgenöthigte Zuſammenſtellung verzeihen.

Wäre es meine Abſicht, die Quellen, aus welchen der Verfaſſer
ſchöpft, kritiſch zu beleuchten, ſo ließe ſich manches anführen, was die
grellen Farben, womit das Gemählde aufgetragen iſt, mildern und das
hie und da verzerrte Bild in eine beſſere Geſtalt verwandeln würde.
Quellen aus jener Zeit muß der Geſchichtſchreiber ſorgfältig prüfen und
ſichten, ehe er ſie, um dem Menſchen nicht Wehe zu thun, aufnimmt.
Der Verfaſſer hat allerdings dieſen Geſichtspunkt ins Auge gefaßt, aber
dennoch ſind bei der Thatſache, von der hier die Rede iſt, einige Umſtände
angeführt, die ganz unrichtig, andere die aus zu großer Kürze oder
Mängeln an Quellen in einem falſchen Lichte erſcheinen.

Zu jenen gehört die Beſchickung zwiſchen dem Commandanten von

Becker, beide an einem Tage (den 25. November) über=
gingen o). Wie überall so lauteten die Bedingungen auch hier.

Hameln und mir, der ich im Lager stand, woraus von meiner Seite
eine Ungeduld zur Uebergabe hervorgehen würde, welche durchaus nicht
Statt fand. Die Wahrheit ist, daß der Commandant mir die Ankunft
eines feindlichen Abgesandten zur Aufforderung anzeigen und ersuchen
ließ, mich deshalb bei ihm einzufinden.

Zu diesen gehört der Umstand der 1000 Thaler, welche die Stadt
nach erfolgter Uebergabe zahlen mußte, — eine Zumuthung, welche
lediglich vom General Savary, in einem von ihm an den Magistrat
gerichteten Schreiben ausging und aus Menschlichkeit angenommen wurde,
um die Summe unter die auf Ehrenwort entlassenen Officiere zu ver=
theilen, welche von ihrer zum Aufenthalt gewählten Heimath am meisten
entfernt waren; daß aber nicht alle gefangene Officiere daran Theil
nehmen konnten und von den Befehlshabern der Regimenter eine Aus=
wahl getroffen werden mußte, leuchtet hiemit von selbst ein.

Ferner ist der Umstand, daß ein Commandant unter Escorte in
des feindlichen Heerführers Hauptquartier sich begiebt, um zu unter=
handeln, nicht ohne Beispiel: ich führe hier nur das von Massena aus
dem Jahr 1799 an, der aus Genua in eben der Absicht sich in das
Hauptquartier des Oestreichischen Heerführers begab. Uebrigens war
der Ort, wo der General von Schöler nebst mir und andern, unter
Begleitung eines Detaschement Cavallerie, mit dem General Savary
zusammenkam, nicht das Hauptquartier des letztern, sondern ein
einzelnes Haus zwischen diesem und der Festung.

Daß hiernächst bei der Verhandlung, alten zur Penssion (nicht
Gnadengehalt) berechtigten Officieren aus den Westphälischen
Provinzen (an diese wurde nur gedacht) ihre Penssionen bedungen wer=
den sollten, kann als eine schädliche Neuerung und als ein unerlaubtes
Vorgreifen zwar betrachtet werden, dem aber Menschenliebe und der
Wunsch, dem geschwächten Preußischen Staate wenigstens diese Last
abzunehmen, wohl zur Entschuldigung dienen möchte.

Endlich muß ich noch bemerken, daß es nicht in meiner Absicht
lag, als ich von Münster nach der Weser marschirte, mich in Hameln
zu werfen, vielmehr wurde ich von mein m Vorsatz, über Nienburg
die Elbe zu erreichen, durch die dringenden Anmahnungen des Obersten
von Scharnhorst, aus dem Hauptquartier, der sich nach Magdeburg
zurückziehenden Armee, worin mein Corps als abgeschnitten betrachtet
wurde, abgelenkt und mir Hameln als Zufluchtsort angewiesen. Nur
ein Dragoner=Regiment, 3 bis 400 Mann stark, eine Compagnie
Jäger und ein Füselier=Bataillon setzten, mit meiner ausdrücklichen

15 *

Die Befehlshaber trennten, schädlich für den Staat und
schimpflich für sich selbst, wenn sie die Wahrheit hätten
erkennen wollen, ihr Schicksal von den Gemeinen, und diese,
mit kriegerischen Ehrenzeichen (so barg man die Schmach)
abziehend, wanderten augenblicklich nach Frankreich. Tief
gebeugt schauten die vaterländisch Gesinnten auf die Trüm=
mer des zerrütteten Staates. Von dem Heere, das man
fähig hielt, Frankreich zu trotzen, standen kaum noch etliche
tausend gerüstet. Alle Waffenplätze diesseits der Oder, die
Schlesischen ausgenommen, waren in Feindes Hand, und
mit ihnen ein unermeßlicher Vorrath von Kriegsbedarf, die
Arbeit vieler Jahre und der Gewinn großer Ersparnisse.
Aus der Hauptstadt sandten Fremde Befehle, und die sie
empfingen gehorchten demüthig. Selbst eine Französisch=
Preußische Legion ward bereits geworben, um Preußen gegen
Preußen zu führen p). Und das alles hatte nicht ein lang=
wieriger Kampf, sondern wenige Wochen, ja man darf sagen,
ein Tag bewirkt. Was hierbei noch besonders schmerzte,
war, daß man auch nicht einer Großthat, obwohl so
mannigfaltig beschimpft, sich rühmen und unter so vielen
Feldherrn kaum einen besonnen nennen konnte. Die einzige
Aussicht gewährte die Hülfe der Russen, die in starken Zügen
heraneilten, und die Freundschaft zwischen ihrem Herrscher

Genehmigung, den Marsch nach der Elbe fort, ersteres weil es in
der Festung nur eine Last gewesen wäre, letztere, weil sie leichter und
schneller sich bewegten, als das gesammte Corps und nach den Umständen
bei eintretenden unübersteiglichen Hindernissen wieder nach Hameln
zurückkehren konnten, und so erreichten sie, durch die unerwartetsten
Umstände begünstigt, den sich noch sträubenden Helden Blücher, ein
Loos, das freilich besser war, als in Hameln gefangen zu werden, sie
aber gleichwohl der Gefangenschaft nicht entzog. Berlin, den
12. August 1820."
        o) Französische Tagesberichte Nr. 38. 39.
        p) Napoleon befahl nähmlich dem Fürsten Carl von Isenburg die
Errichtung einer Französisch=Preußischen Legion. Der Aufruf, den der
letztere deshalb unterm 18. November ergehen ließ, findet sich in den
Vertrauten Briefen I. 234.

und dem Preußischen König. Aber ehe ein neues Buch mit
der Erzählung dessen, was sich in Osten begab, anhebt, ist
es vielleicht nicht unschicklich in dem gegenwärtigen noch das
Loos der vornehmsten Unglücklichen zu erwähnen, die von den
Schlachtfeldern bei Auerstädt und Vierzehnheiligen flüchteten.

Der verwundete Herzog von Braunschweig, durch des
Feindes nähe gedrängt, nahm seinen Weg nicht, wie er an=
fänglich wollte, auf Erfurt, sondern, zuerst im Wagen, und
bald auf einer Bahre, über Cölleda und Sangerhausen.
Sowohl die stete, wenn auch noch so leise Erschütterung,
als auch der Ausgang der Schlacht, den er, selbst aus der
Richtung der Reise, ahnete und bald auf ängstliches Befragen
erfuhr, mehrte die Schmerzen seiner Wunde und, die Be=
kümmerniß seines Gemüths. Als er nach Blankenburg ge=
langte, empfingen ihn zwei seiner Aerzte und geleiteten ihn
nach Braunschweig, wo größere Ruhe und bessere Pflege die
Heilung begünstigten. Beider Genuß verstattete ihm jedoch
der rastlose Feind nicht. Schon am fünften Tage nach seiner
Ankunft (es war der 25. October) brach der Kranke, um
nicht Gefangener zu werden, *) von Tausenden bemitleidet,
aus seiner Hauptstadt auf und rettete sich über Zelle und
Harburg nach Ottensee unfern Altona. Weder ihn noch seine
Aerzte verließ die Hoffnung der Herstellung: so wenig schien
ihn die Reise durch den Sand der Haide angegriffen zu haben.
Allein bald genug offenbarte sich, daß die tiefe Verletzung
des Auges eine Auflösung der Gehirnmasse herbeiführe. Seit
dem 5. November sanken die Kräfte mit jedem Tage. Ein
dumpfer Schlaf bemächtigte sich seiner unaufhörlich und jene
Gleichgültigkeit, die bei ungeduldigen Kranken ein Vorbote
des Todes ist. In der Nacht vom 9. November stockten
Zunge und Puls und verhinderte anhaltendes Schluchzen den

---

*) La maison de Brunswic, lautete Napoleons Fluchtbefehl,
a cessé de regner. Que le Général Brunswic s'en aille chercher
une autre patrie au delà des mers. Partout, où mes troupes le
trouveront, ils le rendront prisonnier.

Gebrauch der Arznei und den Genuß der Nahrung. So in abwechselndem Kampfe zwischen Leben und Sterben ver= harrend bis zum 10. November, endete er Nachmittags um zwei Uhr. Sein Leichnam ruht, eingebalsamt und in der Morgenfrühe des 24. beigesetzt, in der Kirche des Dorfes q). Die Stätte, wo er getroffen sank, bezeichnet ein einfacher Sandstein mit einer einfachen Inschrift *).

Carl Wilhelm Ferdinand, geboren am 9. October 1735, hätte in den Tagen des Mittelalters mit dem ersten Ritter gewetteifert: so stark und wohl gebaut war sein Körper, so gebildet sein Anstand, so adelig seine Sitte, so liebenswürdig sein Umgang, so zart für das schöne Geschlecht seine Achtung, so gottesfürchtig sein Sinn, so unerschütterlich sein Muth und so glühend seine Begierde nach Ruhm. Auch von dem Jahrhunderte, dem er angehörte, ist er, wegen des Vereins so seltener Vorzüge, erhoben und vom In= und Auslande geliebt worden. In der Art, wie er sein Fürstenthum be= herrschte, in der Stellung, die er gegen den Deutschen Kaiser nahm, und in dem ganzen Leben, das er gelebt hat, spiegelt sich der Einfluß seiner Verbindung mit dem Hause Branden=

---

q) Carl Wilhelm Ferdinand Herzog zu Braunschweig und Lüne= burg, Tübingen, 1809 S. 252 u. f. vergl. Asklepieion von 1811, Dec. Nr. 97, 98.

*) Der Herzog wurde in der Flur des jetzt Preußischen, vormals Sächsischen Dorfes Tauchwitz, ungefähr zwei hundert Schritte in süd= licher Richtung, von der Landstraße, verwundet. Nach der Schlacht ließ der Herzog von Weimar einen Stein verfertigen, um das Anden= ken des traurigen Ereignisses zu erhalten: allein da die damaligen Ver= hältnisse Sachsens zu Frankreich dieß nicht erlaubten, so brachte man den Stein, auf den Kirchhof zu Tauchwitz und bezeichnete den unglück= lichen Platz mit einer Steinplatte, auf der bloß die Worte: XIV. Oct. MDCCCVI; zu lesen waren. Erst im October 1816 ward der Stein vom Kirchhofe weggenommen und nach der ihm gleich Anfangs bestimm= ten Stelle gebracht. Die Inschrift lautet: Hier wurde am XIV. Oct. MDCCCVI. Carl, regierender Herzog zu Braunschweig-Lüneburg. tödtlich verwundet. P. C. A. S. V.

burg unverkennbar. Haſtenbeck, Hoya, Crefeld und Emsdorf erinnern an ſeine ſchöne Jugend. In dem einjährigen Krieg um der Baierſchen Erbfolge willen ward ihm ſo wenig Ge= legenheit ſich hervorzuthun, als in dem Zuge nach dem unei= nigen kraftloſen Holland. Die Unternehmung gegen Frankreich brachte ihm durch die unwürdige Kriegserklärung, die ſeine Hand unterzeichnete, harten Tadel und langen Haß; was ſie ihm Beſſeres bringen konnte, iſt weniger durch ſeine als durch anderer Schuld vereitelt worden. Daß er, ein ſiebenzigjäh= riger Greis, an die Spitze eines Heeres trat, von dem, wie er ſelbſt äußerte, Friedrichs Geiſt gewichen war, wird nur begreiflich durch die Schwäche des Alters, das niemals hin= ter der Zeit zu ſtehen glaubt, weil es in ihr ſichtlich vor= ſchreitet.

Von Rüchel lief lange Zeit das Gerücht um, er ſei an den empfangenen Wunden geſtorben und begünſtigte vielleicht ſeine Rettung. Die Kugel, die ihn traf, hatte an einer Brieftaſche mit Karten und Pergament, die er auf der Bruſt trug, ihre Kraft verloren, und ihn bloß betäubend zur Erde geſtreckt. Von dieſer hoben die Seinen ihn ſogleich auf und brachten ihn, wie wenigſtens Unterrichtete, oder die es ſein konnten, verſichern, in eine nahgelegene Mühle, deren Beſitzer ihn ſo gaſtlich aufnahm und ſo geſchickt verbarg, daß er des Feindes Nachforſchung entrann. Sobald er ſich erholt hatte, ging er nach Magdeburg r), von da über die Elbe auf Stettin und zum König. Bald werden wir ihn von neuem in Preußen auftreten ſehn, ohne daß er doch hier die Lor= beern wieder gewinnt, die er bei Jena verlor.

Die beiden andern unglücklichen Heerführer, der Herzog Eugen von Würtemberg und der Fürſt von Hohenlohe, zogen ſich in die Einſamkeit des Landes, jener nach Carlsruhe, die= ſer, wie ſchon gedacht, auf ſeine Ober=Schleſiſchen Güter zu= rück, ohne weiter an den Geſchäften Theil zu nehmen, oder

---

r) Maſſenbach II. 2. S. 51.

vom Könige aufgerufen zu werden. Von beiden war der
letztere, nach dem Urtheil der Einsichtsvollern, bei weitem der
am meisten zu bemitleidende. Weder ein sorglicher Hausva=
ter, noch ein glücklicher Gatte, vielmehr in beiden Beziehun=
gen verwundenden Urtheilen Preis gegeben, hatte er sich we=
nigstens einer gewissen Kriegsehre erfreut und sie durch den
neuen Feldzug zu mehren, vielleicht den Marschallstab zu ver=
dienen gemeint. Jetzt in der Uebergabe bei Prenzlau waren
auch diese Hoffnungen untergegangen und das Andenken an
einige frühere Thaten nicht kräftig genug, um über die spä=
tern Ereignisse zu beruhigen.

Von der Kriegslust der Königin, ihrer Flucht während
der Schlacht und der Art ihres Entkommens ist so vieles
theils Falsches, theils Entehrendes ausgestreut worden, daß
es hier vorzüglich Pflicht wird, die einfache Wahrheit ans
Licht zu ziehn.

Im Anfange des August=Monats aus den Heilbädern
Pyrmonts in die Hauptstadt wiederkehrend, fand sie dort die
Gemüther bereits kriegerisch gestimmt und ging um so leich=
ter in die allgemeine Begeisterung ein, je nothwendiger der
Kampf und je unfehlbarer der Sieg erschien. Da der König
sich entschieden hatte, mit dem Heere zu ziehn, so beschloß sie
ihn zu begleiten und wählte zur Gesellschafterin die Tochter
des Feldherrn von Tauenzien, die auch in Pyrmont ihre Ge=
fährtin gewesen war. In Naumburg, wohin beide über Magde=
burg und Halle gelangten, befällt Krankheit die Königin und
erlaubt ihr erst nach einigen Wochen ihrem Gemahl über Wei=
mar nach Erfurt, seinem Hauptlager, zu folgen. Aber noch hat
sie nicht acht Tage daselbst verlebt, als der Andrang der Feinde
und die veränderte Lage den Ober=Feldherrn zum Umkehren
bestimmen. Mit dem Gemahl in einem Wagen fährt die
Königin über Blankenhain nach Weimar voraus und schon un=
terwegs bleibt ihnen über den Ausgang des Gefechtes bei Saal=
feld und den Tod des Prinzen Ludwig kein Zweifel übrig. Von
jetzt an wendet sich alles nach Auerstädt. Auch die Königin

mit ihrer Gefährtin verläßt am 13. October, Nachmittags um
drei Uhr Weimar und folgt, weil man alle andere Straßen für
unsicher hält, dem Heere nach, doch nicht lange. Das Gerücht,
der Feind stehe bereits auf den Höhen hinter Kösen, veranlaßt sie nach Weimar zurückzueilen, wo sie, begrüßt von dem
Jubel der Krieger, an denen sie vorüberfährt *), Abends wieder eintrifft.

Sogleich, um sich Raths zu erholen, wurde Rüchel her-
beigerufen **), und er, die Gefahr richtig würdigend, wies
die Königin nicht nur auf sicherm Wege über Heiligenstadt,
Göttingen und Braunschweig in die Alt-Mark, sondern sandte
auch in der Frühe des 14. Octobers einen seiner Betrauten,
um die Abreise zu beschleunigen, legte seine eigenen Pferde
an den königlichen Wagen und gab eine Bedeckung von funfzig Mann. So zogen nun die beiden Flüchtigen durch den
Harz, eine Zeit lang begleitet von dem Donner des Geschützes,
der bereits anhob, und dann beunruhigt von unbestimmten,
bald fröhlichen bald betrübenden, Nachrichten. Mit einer
Sehnsucht, die oft in Thränen ausbrach, und aus der Tiefe
der Seele jetzt schlimme Ahnungen, jetzt bange Träume her-
vorrief, harrt die Königin auf gewisse Kunde und harrt immer umsonst. Erst als sie vor Brandenburg gelangt, sprengt
ein Eilbote von dem Obersten Kleist heran, mit einem Blatt
in der Hand, das sie ihm schnell entreißt, um ihr Unglück in
wenig Worten zu lesen. Tief gebeugt, erreicht sie am späten
Abend Berlin. Auch hier ist die Niederlage im Allgemeinen
bekannt, die ganze Stadt in Bewegung, die königlichen Kinder bereits geflüchtet. Um den Palast, wo sie aussteigt,
drängt sich ein wohlwollendes Volk und läßt sie und den König hoch leben; aber in dem Geschrei des großen Haufens
verkündigt sich selten feste Treue, noch seltner fester Muth.

---

*) „Sie schlossen, heißt es im Operat. Plan 159 auf die Nähe des
Feindes und jauchzten ihr unaufgefordert ein Vivat zu."
**) Ein Umstand, den wohlwollende Freunde zur Entschuldigung
seiner verspäteten Ankunft bei Jena geltend zu machen versucht haben.

Gleich am andern Morgen eilt die unglückliche Fürstin über
Schwedt nach Stettin, erfährt hier umständlich und seinem
ganzen Umfange nach den erlittenen Verlust und giebt augen=
blicklich Befehl zum Aufbruch. Als ihre Reisegesellschafterin,
ob dem plötzlichen Entschluß erstaunt, in das Zimmer tritt,
die Ursache zu erforschen, ruft sie ihr mit bitterm Unmuth
entgegen (sie empfand, wie unwürdig man sie getäuscht habe),
daß es kein Preußisches Heer mehr gebe, und wirft sich bald
darauf in den Wagen, um ihren Gemahl in Cüstrin aufzu=
suchen. Von dort aus hat sie ihn, ein wohlthätiger Schutz=
geist, allenthalben hinbegleitet, und den Kummer, der ihn
drückte, und an dem sie selber erkrankte, freundlich mit ihm
getheilt.

Ein eignes Schicksal traf den Franzosen Montesquiou
und den Englischen Lord Morpeth. Der erstere, nachdem er
den Brief Napoleons, wie früher gemeldet worden, an den
König gebracht hatte, traf, von einem Feldjäger begleitet,
am 16. October Morgens in Sondershausen ein, um von
hier zu seinem Kaiser zurückzukehren. Da er Gefahr lief,
zuchtlosen Flüchtlingen in die Hände zu fallen, und ihn der
Fürst von Hohenlohe gern sichern wollte, so beschloß dieser
ihn seitab über Sangerhausen nach Halle zu senden, was auch
geschah. Aber gerade in dem Augenblick, wo Montesquiou
anlangte und der Prinz Eugen ihn entlassen wollte, griffen
die Franzosen die Stadt an, und er, Zeuge bereits von den
Schlachten bei Auerstädt und Vierzehnheiligen, ward es wi=
der seinen Willen nun auch von der dritten bei Halle s). —
Der zweite, über die See gesandt, um für Großbritannien
mit Preußen zu unterhandeln, erreichte am 12. voll Erwar=
tungen Weimar und sah sie am 14. schon getäuscht. Ohne
einmal anknüpfen zu können, mußte er augenblicklich auf dem
Wege, den er genommen hatte, zurückflüchten nach Hamburg
und brachte dem Norden die unglaubliche Botschaft beides

---

s) Der Augenzeuge, vergl. Posselts Annalen von 1806, IV. 250.

von der Zertrümmerung der großen Heeresmacht Preußens
und von der gescheiterten Hoffnung Englands *).

Ueber die Stärke der Heere, die sich bekriegten, die Anzahl der Gefallenen und die Summe der Gefangenen herr-
schen so schneidende Widersprüche, daß eine Ausgleichung zu
versuchen, nichtige Mühe wäre †). Wie immer, so haben auch
hier die Unterliegenden ihre Streitkräfte verringert, und die
Obsiegenden die Wirkungen der gewonnenen Schlachten ge-
steigert, jene um ihre Kriegsehre zu retten, diese um zu blen-
den, niederzuschlagen und zu schrecken.   Aber unverständiges
Wagen bringt auch keinen Ruhm, und die Wichtigkeit des
Sieges mißt der Kluge längst nicht mehr nach den feindlichen
Angaben der Gebliebenen und in fremde Gewalt Gerathenen,
sondern beobachtet ruhig, wer den Gegner aus seiner Stellung
verdrängt, ihm das Land abgewinnt, seine Festen bricht oder
erstürmt und den Lauf der Ströme sich unterwirft.   Dieser
Gesichtspunkt ist es, den der Erzähler bisher, als den einzig
sichern, aufgefaßt hat und auch künftig festhalten wird.

---

*) Posselts Annalen von 1806, IV. 368 und Polit. Journal von
1806, S. 1084.

†) Ein Preußischer Offizier im Polit. Journal von 1806 II. 1231
berechnet die Preußische Heeresmacht, die im Felde stand, auf 98350
Mann und 24000 Pferde, von denen er 75050 Mann und 18000 Pferde
an den Schlachten bei Jena und Auerstädt Theil nehmen läßt. Der 22.
Französische Tagsbericht zählt dagegen 115000 Mann Fußvolk, 30800 Mann
Reiterei und 800 Kanonen, und versammelt auf den beiden genannten
Kampfplätzen ein Preußisches Heer von 126000 Preußischen Kriegern.
Man sieht, welch ein Unterschied obwaltet. Eben so verhält es sich mit der
Schätzung der Französischen Heere. Indeß darf man mit großer Wahr-
scheinlichkeit annehmen, daß die Preußen wirklich die schwächern waren,
und mit Gewißheit behaupten, daß von ihnen, wie der genannte Tags-
bericht versichert, nur wenige über die Oder gekommen sind.

Sechstes Buch.

---◆---

Fortſetzung des zweiten Preußiſch=Franzöſiſchen Krieges durch Rußland.

November 1806 — Julius 1807.

Consentiebant omnes, majore animo tolerari adversa quam relinqui; fortes et strenuos etiam contra fortunam insistere spei; timidos et ignavos ad desperationem formidine properare.

TACIT. Hist. II. 46

Der unglückliche vierzehnte October hatte die Gemüther so tief gebeugt, als früher sie die eitle Siegeshoffnung
begeistert hatte. Die Ungläubigsten bekannten, daß das
Preußische Heer eine Masse, von keinem Geiste bewegt, sei.
Die Feldherrn, auf denen bisher das Vertrauen des Volkes
ruhte, waren in der öffentlichen Meinung gesunken, und es
schien nicht wahrscheinlich, daß sie mit den aufgelösten Trümmern mehr leisten würden, als mit dem vereinten Ganzen.
Zugleich fühlten alle, was für Leiden die Fortsetzung des Krieges ihnen drohe, und erschraken vor dem Gedanken, nun,
nach länger als vierzigjähriger Herrschaft und Freiheit, den
Feind in ihrer Mitte aufnehmen zu müssen.

Am schmerzlichsten litt der König. Von Natur sich selbst
mißtrauend, und bis jetzt noch von keinem Unglücke stark be-
rührt, empfand er das seinige doppelt stark. Er bedachte,
daß die Macht, die ihm jenseits der Oder zu Gebot stehe,
nur unbedeutend und, was diesseits herumschweife, noch nicht
gerettet sei. Er erwog, wie wenig die Hülfe der Russen den
Oestreichern im vorigen Jahre genutzt habe, und fing an
ähnliches zu besorgen. Er vergaß nicht, daß seine Verhältnisse immer gespannt bleiben und vielleicht noch drückender
werden dürften, wenn er seine Erhaltung dem Kaiser im
Norden, als wenn er sie dem im Westen verdanke. Er beredete sich endlich nicht ungern, daß Napoleons friedfertiges
Schreiben, dasselbe, das ihm Montesquiou einhändigte, eine
billige Ausgleichung verheiße.

Diese Ansichten auffassend, sandte er schon am 18. Oc=
tober den Kammerherrn von Lucchesini mit weit reichenden
Vollmachten und bald darauf auch noch den Feldherrn von
Zastrow in das Lager Napoleons.   Die Bedingungen der
Ausgleichung lauteten hart.   Was Preußen am linken Elb=
ufer besaß, mit Ausnahme des Herzogthums Magdeburg, und
der Alt=Mark, ward abgetrennt und eine Buße von fünf und
zwanzig Millionen Reichsthaler gefordert.   Indeß die Um=
stände drängten.   Der König willigte, gern oder ungern, in
alles, und Duroc selbst, der Bevollmächtigte des Kaisers,
glaubte am 30. October über den Abschluß des wirklichen
Friedens unterhandeln zu können a).

Aber mittlerweile geschah das Unglaubliche.   Jeder Tag
offenbarte in den Preußischen Heerführern und Befehlshabern
beispiellose Rathlosigkeit oder Feigheit.   Die Kriegshaufen,
deren einer nach dem andern sich auflöste, und die Festen,
die unvertheidigt fielen, sind genannt.   Selbst den Feind, der
schneller Siege gewohnt war, befremdete diese Erscheinung.
Zugleich rückten die Russen näher und schlossen zu Grodno
am 22. October ein Abkommen über ihre Verpflegung in
Preußen b).

Das alles hinderte den Fortgang des Friedensgeschäftes.
Nach so vielem, was Frankreichs Herrscher gewonnen hatte,
schien es ihm nicht unbillig, auch das noch Uebrige vom
Glück zu erwarten, und nicht ungerecht, sich für künftige Fälle
zu sichern.   Während daher der Besiegte zu enden wünschte,

---

a) Erklärung des Königs von Preußen in Betreff der Friedens=
unterhandlungen mit Frankreich u. s. w. (im zweiten Anhang der Feld=
züge von 1806 und 1807, S. 31) vergl. Lombards Materialien zur
Geschichte der Jahre 1805, 1806 und 1807, S. 224, 226 — 228. Vergl.
Lucchesini Rheinbund II. 163. M. d. d. D. Rovigo II. S. 147 u. Big=
non B. 6, K. 65, S. 27.

b) Man findet es in der Allgemeinen Zeitung von 1806, S. 1376
und 1383.   Krusemark hatte früher schon das Nöthige mit dem Kaiser
verabredet.

suchte der Sieger Verzögerung, und als in kurzem auch
Blücher sich ergab, Magdeburg seine Thore öffnete, und die
eroberte Oder zum Uebergang einlud, war nicht weiter von
einem beruhigenden Frieden die Rede, sondern von einer einst-
weiligen Waffenruhe, die Härteres vorschrieb, als jener. Man
verlangte zum Unterpfand in Süd-Preußen alles Land am
rechten Weichselufer bis zur Mündung des Bugs, in West-
Preußen Thorn, Graudenz und Danzig, in Schlesien das
rechte Oderufer, und am linken einen Abschnitt, der von Ohs
lau über Zobten, Schweidnitz vorbei, und von da über Freiburg, Landeshut und Liebau bis hin nach Böhmen gehe, nebst
den Festungen Glogau und Breslau. In Ost- und Neu-Ost-
Preußen sollte gar keine Kriegsmacht stehen, weder Preußische,
noch Russische, noch Französische. Auch die Räumung der
Festen Hameln und Nienburg ward bedungen c).

Als Friedrich Wilhelm diese Uebereinkunft, welche die
Beauftragten beider Theile am 16. November zu Charlotten-
burg unterzeichneten, in Osterode, wohin er über Graudenz
gegangen war und Duroc ihm folgte *), zur Vollziehung erhielt, stieg sein Kummer aufs höchste. Die Erfüllung der
einen Bedingung des Vergleichs, das Zurückweisen der schon
vorgerückten Russen, stand durchaus nicht in seiner Gewalt.
Was er bis jetzt noch sein Eigenthum nannte, hörte durch
die Unterschrift auf es zu sein. Mit dem abzutretenden Län-
derstriche gab er dem Feind unerschöpfliche Hülfsquellen gegen seinen Verbündeten, und diesem das Recht, ihn feindselig zu behandeln. Er selbst, zurückgedrängt, wie man wollte,
war, während des Kampfes, ein Gefangner, und, jeder Zu-
sicherung ermangelnd, im Frieden der Großmuth oder dem
Unwillen Napoleons überlassen. Zudem tröstete und ermunterte Alexander, der es auf sich nahm, nicht mehr als Neben-

c) Französische Tagsberichte Nr. 33, und Martens Recueil Suppl
IV. 382, vergl. Lombards Materialien 229 u. Lucchesini Rheinbund II. 180.

*) Allgem. Zeit. 1424.

II. Theil. 16

macht, sondern als Hauptmacht aufzutreten und, an seinen Gränzen bedroht, so auftreten mußte. So bestimmt, versagte der König, gegen den Willen mehrerer Rathgeber, dem Waffenstillstande die Bestätigung und legte, in der traurigen Nothwendigkeit, übel zu wählen, wie er auch wähle, sein Schicksal in Rußlands Hand d). Seitdem blickten alle zitternd nach Osten und wogen aufs neue die Wahrscheinlichkeit des Erfolges.

Die Vortheile, die sich dem Kaiser Frankreichs schon damals zur Fortsetzung des Kriegs darboten, waren nicht unbedeutend. In den Bewohnern Süd-Preußens herrschte noch das Andenken des alten Unrechts. Mehrere von Adel, die den heimathlichen Boden hatten meiden müssen, eilten alsobald nach dem Unglück von Jena der neuen Hoffnung zu und ermahnten zur Wiederherstellung der verlornen Selbstständigkeit. Vor allen thätig bewies sich Dombrowski, der, einst treuer Anhänger Kosciuszko's und Waffengefährte Madalinski's, unfähig in dem unterdrückten Vaterlande zu leben, für Frankreich, während seiner Kriege in Welschland, eine Legion aus mißvergnügten Polen gesammelt und an ihrer Spitze, zuletzt gegen die aufgebrachten Neapolitaner, gefochten hatte e). Jetzt in Berlin um den Kaiser erließ er unterm 3. November einen Aufruf in prächtigen Worten an seine Landsleute f) und gab ihm durch seine Gegenwart Nach-

---

d) Man sehe die eben angezogene Erklärung des Königs in Lombards Materialien 232.

e) Polit. J. von 1806, S. 1210.

f) Zu finden in der Allgemeinen Zeitung S. 1287 und im Polit. Journal 1136. Einen begeisternden Brief sandte auch Kosciuszko unterm 1. Nov. von Paris aus an die Polen. Allgemeine Zeit. S. 1404. Dombrowski und Wybicki erließen den Aufruf auf den Befehl Napoleons, der auch Kosziuszko aufgefordert hatte, ihn auf diesem Feldzuge zu begleiten. Allein Kosciuszko mochte in seinen Landsleuten nicht Hoffnungen erwecken, die er selbst nicht theilte, mußte jedoch zugeben, daß man in der an die Nation erlassenen Adresse derselben Hoffnung machte, er werde sich an ihre Spitze stellen. Oginski II. S. 264 f.

druck *). Unter dem Schutze des Französischen Vortrabs, der, von Davoust geführt, schon am 4. November in Posen einrückte, brach der Aufstand sogleich mit voller Gewalt los. Die Preußischen kleinen Heerhaufen wurden überall entwaffnet und aufgehoben, die Städte Kalisch, Sirabsch, Kempen und Widowa besetzt, die königlichen Gelder in Verwahrung genom= men, und der Lauf der Posten gehemmt. Eine unverächtliche Kriegsmacht aus eingebornen Polen stand binnen vierzehn Tagen schlagfertig und ein Regierungsrath aus Einländern befahl g). Am 16. November nahmen die Einwohner der Woywodschaft Lentschitz die gleichnamige kleine Feste, unge= achtet Preußische Reiterei ihr zu Hülfe eilte h), und durch Uebereinkunft am 19. das bedeutendere Czenstochau mit sechs hundert Mann, dreißig Stücken Geschütz und beträchtlichen Vorräthen i). Bald boten die Edelsten und Angesehensten sich die Hand. Man schwur feierlich aus Dankbarkeit für Napoleon ihm zu folgen und aus Liebe zum Vaterland Gut und Leben zu opfern. Ueberall regte sich ein Eifer, der Preußens Gefahren mehrte k).

Aber mehr noch schuf und weckte die Thätigkeit Napo= leons, die jenem entgegen kam. Im Besitz der ungeheuern Hülfsmittel, die ihm das Recht des Eroberers zusprach, nutzte er sie als Eroberer. Mit den erbeuteten Pferden machte er die Tausende beritten, die dem Heere zu Fuße nach= zogen. Mit den Gewehren, die er in den Zeughäusern zu Berlin und Cassel und in den genommenen Festungen vor= fand, bewaffnete und mit den Tuchvorräthen bekleidet er seine sowohl als fremde Krieger. Eine Ausschreibung von

---

*) Er traf am 6. November in Posen ein. Allgemeine Zeitung S. 1364.

g) Allgemeine Zeitung S. 1338, 1360, 1364, 1372, 1387.

h) Das. S. 1368.

i) Das. S. 1372, vergl. die Französischen Tagsberichte Nr. 34, 37.

k) Man vergleiche unter andern die Berichte aus Posen vom 25. Nov. in der Allgem. Zeitung S. 1383.

16*

vielen Millionen Franken in den besetzten Ländern, zu denen
auch das freundlich behandelte Sachsen beitragen mußte, öff=
nete die reichen Schätze der Bürger und füllte den seinen l).
Um die Gegenden kennen zu lernen, wohin seine Waffen sich
wendeten, bediente er sich der Arbeiten der Preußischen Kriegs=
kundigen, — der Denkschriften, Entwürfe und Zeichnungen,
die sie durch mehrjährige Reisen im Lande und an den Grän=
zen gesammelt und die Eilfertigkeit in Berlin zurückgelassen
hatte *). Für die Beköstigung seiner Heere sorgten die Städte
und Dörfer, in die sie einrückten, für ihre Ergänzung die ver=
bündeten Fürsten und die Obrigkeiten im Innern Frankreichs.
Den vorangezogenen Marschällen Davoust, Lannes und Auge=
reau folgten seit dem 10. November auch der Großherzog
von Berg, nebst Soult, Bernadotte und Ney m). Der Kai=
ser selbst, um gleichsam der ganzen Welt die Festigkeit seines
Willens und wie gewiß er seines Waffenglücks sei, zu ver=
kündigen, erließ am 21. November (an demselben Tage, wo
Duroc dem Könige den geschlossenen Waffenstillstand zur Ge=
nehmigung vorlegte) zwei Bekanntmachungen, von denen die
eine alle Gemeinschaft mit den Brittischen Inseln aufs strengste

---

l) Es wäre der Mühe schon werth, die wahre Summe auszumit=
teln, die Deutschland theils durch gesetzliche Ausschreibungen, theils durch
die widerrechtlichen Erpressungen der Französischen Feldherrn und Em=
pfänger in diesem Kriege verloren hat. Folgende wenige, freilich unver=
bürgte, Angaben, welche die Allgemeine Zeitung darbietet, mögen hier
ihre Stelle finden. Berlin (S. 1383) zahlte 2,500000 Thaler, Magde=
burg (S. 1447) nebst seinen Vorstädten 380000, eine gleiche Summe
die übrigen Städte des Herzogthums und das platte Land; von Kur=
Sachsen (S. 1398) wurden über 8,000000, von Weimar und Eisenach
500000 Thaler gefordert. Aus dem Magdeburger Zeughause allein
(S. 1408) gingen 50000 Centner Pulver nach Polen.

*) Aehnlicher, in jenen Tagen begangener, Nachlässigkeiten, die
das Gerücht in Umlauf setzte, erwähnen, schwerlich ohne Uebertreibung,
die Vertrauten Briefe 1. 266, und der 19te Französische Tagsbericht.

m) Die Französischen Tagsberichte Nr. 32, vergl. die Allgemeine
Zeitung S. 1436.

verbot und auf alle Englische Waaren Beschlag legte *), und die zweite bestimmte, es solle keines der eroberten Länder und namentlich auch die Städte Berlin und Warschau nicht ge- räumt werden, bis der allgemeine Friede geschlossen, Spa- niens, Frankreichs und Hollands Pflanzörter zurückgegeben und die Unabhängigkeit der Pforte, gegen die Rußland kriegte, gesichert sei n). Diese beiden Befehle, die den Krieg verewi- gen zu müssen schienen, waren die letzten und von allen, die er in Berlin aussandte, die durchgreifendsten. In der Nacht auf den 25. verließ er die tief gedemüthigte Königsstadt und eilte seinen Tapfern nach o). Die Anrede, die er den 28. in Posen an die begrüßenden Polen hielt, ergriff und hob alle Gemüther. Wo er hinkam, ward ihm Bewunderung, oft lächerliche, oft sklavische p).

---

*) Vergl. Bignon VI. K. 66, S. 39 f. Das Decret von Berlin ist hier vollständig abgedruckt.

n) Die Acten-Stücke liefert die Allgem. Zeitung S. 1349 und 1381.

o) Französische Tagsberichte Nr. 35, vergl. Allgemeine Zeitung S. 1376.

p) Allgem. Zeitung S. 1412, vergl. 1423. Einige Phrasen, sagt Oginski, die man aufgefangen hatte, wurden übersetzt und hallten bald durch ganz Polen wieder. Aber das Bulletin vom 1. December kühlte den Enthusiasmus schnell etwas ab, indem darin die Frage, ob die Pol- nische Nation ihre Unabhängigkeit wieder erhalten würde? damit beant- wortet wurde, daß Gott allein, in dessen Hand die Verknüpfungen aller Ereignisse ruhen, dieses große politische Problem zu lösen vermöge. Oginski II. S. 266. Bignon vertheidigt Napoleon gegen Oginski und versichert, daß es demselben mit der Herstellung Polens Ernst gewesen, daß er aber besonders durch Rücksichten gegen Oesterreich genöthigt wor- den sei, behutsam zu verfahren. Er habe den Versuch gemacht, diese Macht dadurch für das Unternehmen zu gewinnen, daß er ihr Schlesien für Galizien angeboten habe; da aber der Graf Stadion erklärt habe, die Gewissenhaftigkeit seines Souverains erlaube ihm nicht, einen Besitz anzunehmen, den Preußen ihm nicht durch einen Vertrag zugesichert hätte, so habe ihm die Klugheit geboten, das Vorhaben ruhen zu lassen. Bignon VI. K. 66, S. 52 f. Mit Bignons Behauptung stimmt die Instruction überein, welche Napoleon unter dem 12. April 1812 seinem

Die Ruſſen, deren Aufbruch faſt nur die Sage des Volkes und die Franzöſiſchen Tagsberichte verkündigten, die Deutſchen Blätter, als ſei er Staatsgeheimniß, verſchwiegen q),
hatten indeß am 14. November die Weichſel von Warſchau
an bis herunter nach Plotzk beſetzt r) und ſandten Vorpoſten
über die Bſura. Ihre Stärke belief ſich nicht viel über funfzig tauſend Mann s). An ihrer Spitze ſtand Bennigſen, aus
dem Hannöverſchen gebürtig, ein Mann von etwa ſechzig
Jahren, als Feldherr weder unbekannt, noch bekannt t). Ihre
urſprüngliche Beſtimmung war, den Kampf gegen Frankreich
zu unterſtützen, ihre Richtung über Süd-Preußen v) nach
Schleſien. Aber den frühern Entwurf hatte das Unglück
Preußens und die Schnelligkeit des Sieges vereitelt. Napoleon war in Poſen, und der König, ſeiner meiſten Länder
beraubt, und nun auch abgeſchnitten von Schleſien, wo Wer-
bung leicht war, konnte kaum aus den Kriegern in Preußen

Geſchäftsführer in Warſchau (de Pradt) zukommen ließ. Mémorial de
St. Hélène VII. S. 13 f. Dagegen heißt es in der Inſtruction, welche
er dem Herzog von Vicenza für die Unterhandlungen mit dem Kaiſer
Alexander vor der Schlacht bei Bautzen gab, „daß der Kaiſer keine Thor-
heiten im Kopfe und Polen immer als ein Mittel, nicht aber als eine
Hauptangelegenheit angeſehen habe." Minerva (nach Norvins) 1825.
4 Bd. S. 435.

q) Man erhielt die erſten Nachrichten von ihm über Hamburg
durch Londoner Blätter.

r) Am 1. Nov. waren ſie in vier Heerſäulen bei Georgenburg,
Olitta, Grodno und Jalowka über die Memel geſchritten. Tagebuch
während des Kriegs zwiſchen Rußland und Preußen einerſeits und
Frankreich andrerſeits in den Jahren 1806 und 1807, von Carl von
Plotho, S. 7.

s) Derſelbe in den Beilagen Nr. 2, S. 189. Nach einer ebenfalls
ſehr umſtändlichen Rechnung in der Allgemeinen Zeitung S. 1368 beſtand das Ganze aus 73110 Mann, 15960 Dienſt- und 9023 Zug-
Pferden.

t) Polit. J. von 1807 S. 326.

v) Die Allgemeine Zeitung am angez. Orte.

und den Trümmern des gesprengten Heeres und einzelnen
Flüchtlingen fünf und zwanzig tausend Mann x) sammeln,
die, der Führung L'Estocqs unter Bennigsens Oberbefehl untergeben, zwischen Salfeld und Soldau lagerten und eine
Vorpostenkette von Danzig bis Plotzk bildeten y). In solcher
Lage schien es eben so wenig möglich den Feind anzugreifen,
als sich gegen ihn am linken Weichselufer zu halten; auch
erlaubte er es nicht lange. Schon am 26. warf er sich auf
die Russische Reiterei, die zurückwich. Tags darauf gegen
Abend zog die Preußische Besatzung von Warschau ab, und
in der Nacht, ihr folgend, die jenseits stehende Abtheilung der
Russen, nicht, ohne hinter sich die Weichselbrücke zu zerstören.
Am 29. rückte bereits der Großherzog von Berg und Davoust
in die Hauptstadt des Landes ein z).

Sobald die Botschaft von diesen glücklichen Anfängen
nach Posen kam, ergriff ein Edler, Radziminski, den Augenblick und ließ einen neuen Aufruf an die Eingebornen ergehn.
„Polen, redete er zu ihnen, Rußland erhielt einst von euch
seine Czaren; Preußen ging bei euch zu Lehen; Oestreich be-
freitet ihr von den Türken. Jetzt giebt es keine Polen mehr.
Selbst der Name ist ausgetilgt. Die Länderwuth jener Mächte
und die Schwäche eurer weibischen Könige haben euch zu
Sklaven gemacht und aus der Völker Reihe verdrängt. Eine
neue Ordnung beginnt. Der Held des Jahrhunderts, angelangt in eurer Mitte, ruft zur Freiheit. Schwinge sich Jeder,
der das Schwert führen kann, nach Väter Brauch, auf sein
Roß und bringe einen oder zwei bewaffnete Reiter mit sich.
Lowicz sei der Versammlungsort. Dahin mögen sich die Män-

---

x) Nach freigebiger Annahme. Plotho S. 8 sagt vierzehn tausend.

y) Plotho S. 8. Das Russische Hauptlager war in Pultusk, das
Preußische zu Thorn.

z) Französische Tagsberichte Nr. 36, vergl. die ausführlichern
Nachrichten über die Einnahme Warschaus in der Allgemeinen Zeitung
S. 1443 u f.

ner der befreiten Woywodſchaften begeben. Von dort aus
wird Dombrowſki ſie nach Warſchau geleiten, wo die Befehle
Napoleons ihrer warten a)." Dieſe Sprache wirkte mit
Blitzesſchnelle. Männer brachten ihr Roß und ihr Schwert,
Weiber ihr Geſchmeide und Gold. Ausgewanderte Edle von
allen Orten ſtrömten zurück ins Vaterland, und gemeine Po=
len, die meiſten aus früherer Zeit der Waffen kundig, oder
den Preußiſchen Fahnen entrinnend, ſtellten ſich unter die ih=
rigen. Aus ordnungsloſen Haufen bildete ſich ein geordnetes
Heer und aus dem unförmlichen Aufſtand ein geregelter Ver=
ein. Allenthalben erwachte das löbliche Streben nach Selbſt=
ſtändigkeit. Name, Vaterland und Verfaſſung ſollen jedem
Volk das Heiligſte ſein und bleiben und weder Gewalt,
noch Zeit, noch Wohlthat das Andenken, was es war, in
ihm auslöſchen.

Mit gleicher Kraft ermunterte auch Napoleon ſeine Krie=
ger. Am 2. December, dem unſterblichen Tage der Auſter=
litzer Schlacht, rief er ihnen zu: „Weder die Oder, noch die
Wartha, weder Polens Wüſten, noch die rauhe Jahreszeit haben
euch aufgehalten. Warſchau ward fruchtlos vertheidigt. Eure
Adler ſchweben über der Weichſel und die braven Polen glau=
ben Sobiewski's Legionen in euch aufleben zu ſehen. Wir
werden die Waffen nicht eher niederlegen, bis unſerm Han=
del Freiheit, unſerm Reiche ſeine Pflanzſtädte wiedergegeben
ſind. Auf der Elbe und Oder haben wir unſre Indiſchen
Beſitzungen und das Vorgebirge der guten Hoffnung erobert;
und die Ruſſen ſollten vermögen, des Schickſals Gleichge=
wicht aufzuhalten? Seid ihr denn nicht die Krieger von
Auſterlitz? b)"

Eine ganz andre Stimmung herrſchte in der Kundmachung,

---

a) Allgemeine Zeitung 1436 u f. Eine ähnliche Aufforderung an
die Geiſtlichkeit erließ an dem nämlichen Tage Dombrowski. Daſelbſt
S. 1459.

b) Franzöſiſche Tagsberichte Nr. 36.

die der König von Preußen um eben die Zeit an sein Heer
von Ortelsburg aus ergehen ließ c). In ihr war überall
nur von Niederträchtigen, die dem Feinde die Festungen über=
antwortet, von Schaamlosen, die vor, oder während, oder
nach der Uebergabe umgangener Kriegshaufen ihr Loos ge=
sichert, von Feigen, die ohne Urlaub und ungefangen sich nach
Hause geschlichen, von Schaaren, die auf dem Schlachtfelde
sich des Angriffs geweigert, von Knechten, die ausgespannt
und das Gepäck verlassen hatten, die Rede. Die ganze
Summe der begangenen Schändlichkeiten trat aus dem Schrei=
ben hervor und sprach die Ursachen des erlittenen Unglücks
aus. Dabei befremdete nichts so sehr, als des Königs Milde
im Bestrafen (nur der Verbrecher Ingersleben ward des To=
des schuldig erkannt, die andern alle entsetzt oder ohne Abschied
entlassen) und seine Aengstlichkeit im Belohnen. Auch der Ge=
meine, den Unerschrockenheit und Geistesgegenwart auszeichne,
solle, so las man, nicht weniger, wie der Fürst, Befehlshaber
werden, aber mit dem schmälernden Zusatze, so lange der
Krieg daure. So wenig wußte man jetzt noch das Bedürf=
niß zu würdigen und die Zeit zu ergreifen.

Nicht lange nachdem jener Aufruf und diese Erklärung
ausgegangen war, begann die Reihe mörderischer Gefechte,
die, am Zusammenfluß des Narews und Bugs anhebend, und
in einer erschöpfenden Schlacht bei Eylau endigend, beiden
Parteien für eine Weile Ruhe aufzwangen. Sie im Einzel=
nen der Wahrheit getreu darzustellen, muß der Geschichtschrei=
ber verzweifeln. Wie im Felde, so haben in öffentlichen
Blättern Leidenschaft und Erbitterung gegen einander gewü=
thet, und man darf wohl sagen, daß die Menschen nie ab=
hängiger von widersprechenden Kriegsberichten gewesen, noch
trotziger in vorgefaßten Meinungen verharrt sind. Selbst als
der Kampf zwischen Frankreich und Rußland schon entschie=

---

c) Polit. J. von 1807 S. 90.

den und alle Hoffnung dahin war, haben sie nicht abgelaffen,
gerade wie in dem Kampfe zwischen Frankreich und Preußen,
sich über die Stärke der beiderseitigen Heere, über die Anzahl
der Gebliebenen, und über die Einbuße an Geschütz und Feld=
zeichen zu streiten, gleich als wenn das Mehr oder Weniger
für den unglücklichen Ausgang entschädige oder tröste. Darum
scheint es auch dießmal anständiger und der geschichtlichen
Würde gemäßer, so wenig von Sieg als von Niederlage zu
reden, sondern einfach zu melden, wo die Heere standen, und
wohin sie sich zogen, welche Absichten sie zu erreichen gedach=
ten und welche sie wirklich erreichten.

Die Verhältnisse, in welche Rußland zu Frankreich nicht
unbedächtig getreten, sondern unerwartet gerathen war, moch=
ten in dem Zeitpunkte, von dem wir reden, billig mehr als
bedenklich genannt werden.   Die Fehde mit den Persern,
schon seit einigen Jahren nicht immer glücklich geführt, dauerte
fort. Ein Krieg gegen die Osmannische Pforte sollte eben
beginnen. Heere, fern geglaubt, als man sich gegen sie waff=
nete, standen nur noch wenige Meilen von der Gränze des
Landes, und in dem schier vernichteten Preußen war keine
Hülfe. Dennoch widersprach es (der obwaltenden Freund=
schaft zwischen beiden Herrschern nicht zu gedenken) aller
Klugheit, den unglücklichen Staat aufzugeben; ja es schien,
nach den gewagten Fortschritten, nicht einmal möglich, ohne
Gefährdung eigenen Ruhms und eigener Sicherheit, Bedingun=
gen zu suchen, geschweige willkührlich umzukehren. Dieß er=
wägend, beschloß Alexander, was allein übrig blieb, den
Kampf als Hauptmacht zu übernehmen, und den verlornen
Nachbarstaat herzustellen. In die zahlreichen Statthalterschaf=
ten seines Reiches ergingen Befehle sich zu sammeln, da es
dem Vaterland gelte. Nach der Gränze strömten von allen
Orten her Krieger, um unter Burhövden einen zweiten Heer=
haufen zu bilden. Zum Oberbefehlshaber des gesammten
Heeres, das auftreten sollte, ward (am 28. November) ein
geborner Russe, der Graf Kamensky, Suwarows ehemaliger

Waffengefährte, ernannt d). König und Königin hielten an dem Worte des Bundesgenossen, und die Völker stärkten sich zur Ertragung unvermeidlichen Ungemachs.

Ehe jedoch die Verstärkung aus so weiter Ferne anlangen konnte, waren bereits große Vortheile aufgegeben. Bennigsen, (man weiß nicht, warum) hatte am 3. December auch das rechte Weichselufer verlassen und nahm seine Stellung am Bug und Narew bei Ehiechanow, Makow und Ostrolenka. Der Preuße L'Estocq, der Thorn, nach Zerstörung der Weichselbrücke, geschützt durch des Stromes Breite und hohe Ufer, behauptete, erhielt wiederholt die gemessene Weisung, es zu räumen und sich näher an die Russen zu schließen. Die Vorposten der letztern standen zwischen der Wkra und dem Narew. Dieser Abzug war für die Franzosen ein Aufruf zur Nachfolge, den sie nicht ungenutzt ließen. Thorn ward augenblicklich (den 6. December) vom Marschall Ney besetzt und die vernichtete Pfahlbrücke hergestellt. Ueber die Weichsel gingen auf mehrern Punkten Augereau und Soult, über den Bug, bei seinem Einfall in jenen Fluß e), Davoust. Alle errichteten starke Brückenköpfe und dehnten sich aus von Zakroczyn bis nach Plotzk. Auch zwischen Warschau und Praga eröffnete man von neuem durch eine Schiffbrücke die abgebrochene Gemeinschaft und verwandelte den letzten Ort in ein geräumiges festes Lager. Nicht ohne Beschämung überzeugte sich Bennigsen, der nach einigen Tagen wieder in die Gegend von Pultusk rückte, von der furchtbaren Thätigkeit des Feindes, und dachte nun durch Gewalt wieder zu

d) Plotho S. 1 u. f. vergl. das Manifest Alexanders 187. und über die Anstrengungen Rußlands, außer der Allgemeinen Zeitung, die Zusammenstellung der ergangenen Verordnungen in Vossens Zeiten, Band XI. (Julius 1807) S. 35—58.

e) So nach den bessern geographischen Bestimmungen, wo der Narew in den Bug, nicht dieser in jenen fällt. Die Französischen Tagsberichte verwechseln die Namen und, wie es scheint, zuweilen auch den Wkra mit dem Narew.

erringen, was er sorglos verscherzt hatte. Aber da er mit sich selbst uneins war, blieben einige seiner Entwürfe kraft- los und andre unausgeführt. Erst da wurden die Bewegun- gen der Russen ernster und zusammenhängender, als (in der Mitte des Decembers) Burhövden und Kamensky, jener voll Vertrauen auf die Macht, die er herbeiführte, dieser mit allen Ansprüchen und allen Schwächen des Alters auftrat f).

Napoleon, noch in Posen, sobald von den Fortschritten seines Heers und den Anstalten des feindlichen Kunde einlief, brach am 16. December auf und erreichte, den bodenlosen Wegen und allen Beschwerden Trotz bietend, am Morgen des 19. Warschau g). Dort, nach kurzer Rast, beschaute er die angelegten Werke von Praga, und erforschte der Russen Stellung h), die also geordnet war. Ostrolenka und die Um- gebungen nahm Burhövden und die herangeführte Mannschaft ein. Das Hauptlager hatte Bennigsen nach Pultusk gelegt und den Hauptkampf daselbst vorbereitet. Den Bug und das linke Ufer des Narew bei Popowe deckte Anrepp, das rechte von Zegrz bis Czarnowe Tolstoi Ostermann. Von da herauf, längs dem linken Ufer der Wkra bis zu dem Posten Kollo- sump, befehligte Barklay de Tolly i). In der Gegend von Lautenburg nach der Wrka hin, stand L'Estocq k).

Unter gespannter Erwartung und mannigfaltiger An- strengung gegen nasse Kälte, ermüdenden Koth und entkräf- tenden Mangel l), waren bereits zwei Tage verflossen und der dritte (der 23. December) im Sinken, als Nachmittags

---

f) Plotho 9 – 17, vergl. die Tagsberichte der Franzosen Nr. 40 – 45 und die Allgemeine Zeitung von 1807 S. 48.

g) Französische Tagsberichte Nr. 43.

h) Dieselben Nr. 44, 45, vergl. Allgemeine Zeitung S. 31.

i) Plotho S. 14.

k) Er hatte sich dahin über Straßburg zurückziehen müssen, da er dem spätern Befehle Bennigsens, das früher aufgegebene Thorn wie- der zu nehmen, kein Genüge leisten konnte. Derselbe S. 11.

l) Plotho 17.

um vier Uhr mehrere Häuser im Dorfe Pomichowe am rechten Ufer der Wfra aufloderten, für die Franzosen das Zeichen zum Angriff. Schon am 18. hatte sich Davoust einer
vernachlässigten Insel am Zusammenfluß der Wfra und des
Bugs bemächtigt und hier hinter Gebüsch und Bäumen, wie
späterhin auf der Lobau Napoleon, alles zu des Feindes Untergang vorbereitet. Jetzt im Dunkel der Nacht versuchte er
den Entwurf auszuführen, und wiewohl die Russen aus mehrern Geschützbetten von der gegen über liegenden Wiese sich
tapfer vertheidigten, erlagen sie doch dem immer erneuten
Angriff und wurden, nach einer Gegenwehr von dreizehn
Stunden, gezwungen zu weichen und sich durch Czarnowe auf
Naßielsk zu ziehen, wo sie des Morgens um acht Uhr eintrafen m). Zugleich am andern Ende der Kampflinie bewegte
sich Ney auf Gurzno und drängte die Preußen unter L'Estocq
auf Soldau und Mlawa n).

Am andern Tage (dem 24. December) verfolgte der
Sieger, kein Hinderniß scheuend, seine Vortheile mit eben der
Unerschrockenheit, wie er begonnen hatte. Ein Theil des
Davoustischen Heerhaufens unter Rapp, durch Naßielsk vor-
dringend gegen den Kreuzweg von Borkowe, Rowemiaste und
Klukowe o), warf die Russen, welche die dortigen Anhöhen
besetzt hielten, und zwang sie, in der Straße, die nach dem
Kloster Stregoczin führt, sich nach Pultusk zu retten p). Der
Marschall Augereau, der bei Kollosump und Rowemiaste über
die Wfra, und der Großherzog von Berg, der mit der Rei-
terei bei Lopatschin über die Somma setzte, trieben, jener

---

m) Plotho 17 — 24 und die Französischen Tagsberichte Nr. 45
(Nachttreffen bei Czarnowe).

n) Dieselben Nr. 45 und umständlicher Nr. 46.

o) Plotho 25.

p) Derselbe 27 und die Französischen Tagsberichte Nr. 45 (Treffen
bei Naßielsk).

den Feldherrn Barklay q), und dieser den von Sacken r)
vor sich her und beraubten sie beide zum Theil ihres Gepäckes.
L'Estocq ward aus Soldau und Mlawa auf Neidenburg ge-
drängt und ihm die Vereinigung mit den Russen gewehrt s).
Am 26. December war dieß die Stellung der Kämpfenden.
Burhövden, von Ostrolenka aufgebrochen, lagerte in Makow
und sandte Vorposten nach Golomyn und Ciechanowe.   Die
Hauptmacht unter Bennigsen stand bei Pultusk am rechten
Ufer des Narew und nahm die Zurückweichenden auf.   Das
linke Ufer ward von zwei besondern Abtheilungen verthei-
digt t).   Von den Franzosen hatten die Marschälle Ney,
Ponte-Corvo und Bessieres die Preußen eingeholt und geschla-
gen v).   Soult kam in Ciechanowe an; Augereau zog auf
Golomyn; Davoust und Lannes erreichten Pultusk x).

Die ganze Gegend um Pultusk herum ist waldig und
die Fläche, auf der man eine Schlacht annehmen kann, von
beschränktem Umfang.   Sich hier zu halten, war ungemein
wichtig, weil der Feind, wenn er Herr wurde von dem Narew und der freien Fläche hinter der Wildniß von Ostrolenka,
die Russischen Vorräthe gewann und ungehindert wirken
konnte, wohin er wollte y).   Zum Glück für die Russen begünstigte sie an dem Kampftage vieles.   Bennigsen befahl
unbedingt, weil Kamensky, durch die ersten Verluste geschreckt,
alles aufgab und, wie von Wahnsinn ergriffen, am Morgen
des 26. nach Lomza reiste.   Die einzelnen geschlagenen Ab-

q) Plotho am a. O. vergl. den 45sten Tagsbericht (Uebergang über
die Wkra).

r) Plotho 29 und der erwähnte Tagesbericht (Uebergang über die
Somma).

s) Die Französischen Tagesberichte Nr. 46.

t) Plotho 30, 31.

v) Dersf. 34 vergl. 43.

x) Die Französischen Tagesberichte Nr. 46 und aus ihnen Plotho
S. 29.

y) Plotho 12 vergl. 31.

theilungen waren größtentheils noch zur rechten Zeit einge=
troffen und in das Ganze aufgenommen worden. Das Heer
selbst stand schon die Nacht durch zur Schlacht geordnet z).
Als daher die Franzosen herankamen, wurden sowohl Auge=
reau und der Großherzog Joachim von Gallizin bei Golomyn,
als auch Davoust und Lannes bei Pultusk mit Besonnenheit
empfangen und mit Nachdruck zurückgewiesen. Am Abend des
blutigen Tages (man kämpfte von zehn Uhr bis acht und
suchte sich zuletzt unter Sturmwind und Hagel bei Leuchtku=
geln und brennenden Dörfern) behaupteten die Russen ihre
Stellung und vereitelten allenthalben die Absicht des Umge=
hens a). Aber eben das Heer, das, landesüblich, seinen Sieg
durch ein fröhliches Hurra feierte b) und von seinen Führern

---

z) Derselbe 33, 34, vergl. 205 und über Kamensky die Denk=
schrift, die Rüchel zu Königsberg unterm 28. Februar 1807 (Vertraute
Briefe II. 167) ausgehen ließ, und die Allgemeine Zeitung von 1807
S. 131. „An der Spitze der Russischen Heere, schreibt die letztere, steht
Kamensky. Die Ursache, warum ihn sein Monarch mit ausgedehnter
Vollmacht zum Chef setzte, ist zwiefach. Der kriegserfahrne Greis von
siebenzig Jahren, in Suwarows Schule gebildet, sollte zugleich der sieg=
gewohnten französischen Tactik zum Gegengewicht dienen und der Ei=
fersucht zwischen Bennigsen und Burhövden zuvorkommen. Allein bis
jetzt hat er die Erwartungen seines Monarchen nicht befriedigt. Seine
Geisteskraft ist durch die Last des Alters schon geschwächt, und er kann
den Kopf, den er beständig schüttelt, kaum mehr tragen. Er war am
letzten Tage, welchen er in Pultusk zubrachte, unfähig etwas zu thun
und hatte durch die Niederlagen am Ufer der Wkra alle Fassung verlo=
ren; er reiste den 25. December nach Ostrolenka und wohnte der Schlacht
am 26. bei Golomyn nicht mehr bei. Sein Aufenthalt im Kriegsschau=
platze beschränkte sich somit auf drei Wochen." Eben dasselbe sagt ein
Brief des Freiherrn von Budberg an den Gouverneur in Moskwa, den
diese Zeitung im Monat April S. 403 mittheilt.

a) Plotho 33 — 36 vergl. die Berichte der einzelnen Feldherrn (Ben=
nigsens, Gallizins, Pahlens), im Anhange S. 205, 213, 215, 221. Die
Aussagen dieser aufhebend und bespöttelnd, behaupten das gerade Gegen=
theil die Französischen Tagesberichte Nr. 47—50, vorzüglich Nr. 51.

b) Plotho 36.

als unüberwunden gepriesen wurde, erhielt um Mitternacht
Befehl zum Aufbruch c). Was diesen veranlaßte, ob der
Mangel an Lebensmitteln, wie man vorgab, oder die Eifersucht Burhövdens, der keine Theilnahme bewiesen und alle
Aufträge verachtet hatte d), ist zweifelhaft und wird vielleicht
nie oder spät erst entschieden werden. Eben so ungewiß
scheint, ob das gewonnene Geschütz e) die Vortheile der Franzosen unwiderleglich bezeuge und das Russische Heer seine
Rettung nur den verdorbenen Wegen danke f). Was aus
der Folge der Begebenheiten allein klar hervorgeht, ist, daß
durch den anhaltenden Kampf mit der Gefahr, der Ungunst
des Bodens und dem Ungestüm des Himmels beide Heere
erschöpft waren, und die immer steigende Beschwerde der Zufuhr g) die Unternehmungen des einen wie des andern auf
geraume Zeit lähmte.

Die Wahrheit dieser Ansicht bewährt sich vorzüglich in
den Maßregeln Napoleons. So wenig es in ihm, dem Un-

---

c) Plotho 38.

d) Daselbst. Die Vermuthung wird wenigstens durch das, was
Plotho S. 40 von dem gespannten Verhältnisse zwischen Bennigsen und
Burhövden erzählt und Gallizin in seinem Bericht bei Plotho S. 217
u. f. einfließen läßt, höchst wahrscheinlich. Unverholen sagt es Rüchel
in der Denkschrift, deren so eben erwähnt worden ist.

e) Neun und achtzig Kanonen, die nachher zu Warschau aufgestellt
wurden. Die Französischen Tagsberichte Nr. 54 und die Allgemeine
Zeitung S. 178.

f) Die Französischen Tagsberichte Nr. 51. „Was die Folgerung
betrifft, die General Bennigsen aus dem Umstande ziehen will, daß er
nicht verfolgt worden sei, so genügt es zu bemerken, daß man sich wohl
gehütet habe, ihn zu verfolgen, indem er schon um zwei Tagemärsche
umgangen war und, ohne die schlimmen Wege, welche den Marschall Soult hinderten, diese Bewegung fortzusetzen, der Russische General die Franzosen zu Ostrolenka gefunden haben würde.'

g) Was Plotho selbst S. 40 nicht läugnet, und die öffentlichen
Blätter jener Tage (man vergl. die Allgemeine Zeitung von 1807 S. 140.
147, 160) bestätigen.

ermüdlichen, lag, einem geschlagenen Feind Erholung zu gön=
nen, so geschah dieß jetzt gleichwohl. Ohne ernsthaft beun=
ruhigt zu werden, zogen beide Russische Heerhaufen (allen,
die den Gegner kannten, ein Wunder) längs den beiden
Ufern des Narew und durch die Eifersucht der Führer ge=
trennt, wie durch die Strömung des Flusses, ihren Gränzen
gemächlich zu h), und wären vielleicht schon am zehnten Tage
zum erneuten Angriff zurückgekehrt, wenn es der Feldherrn
wechselseitige Abneigung und kleinlicher Stolz (sie buhlten
um den Oberbefehl) erlaubt hätte i). Der Kaiser selbst, als
sei ihm nun die Winterruhe gewiß, lebte seit dem Eintritt
des 1807ten Jahres in Warschau k) und wirkte dort in un-
unterbrochener Thätigkeit. Eine neugeschaffene Regierungs=
Behörde von sieben Personen sorgte für die Verwaltung im
Innern und die Herstellung der verlornen Ordnung des
Staats l). Die Vorrathshäuser füllten sich mit Lebensmit=
teln und andern Bedürfnissen. Zur Bewaffnung von dreißig
tausend Mann Polen, lieferte die Niederlage zu Posen Ge=
wehre. Ueber die ankommenden Streithaufen und über die
Neugeworbenen aus Frankreich wurde täglich Musterung ge=
halten m). An Massena, der in Calabrien kriegte, erging

---

h) Plotho 39, vorzüglich 43. „Besonders merkwürdig ist es, daß
der Kaiser Napoleon die beiden Divisionen des Grafen Burhövden,
welche von den andern sechs Russischen Divisionen nicht allein durch den
Narew, sondern auch durch die Ostrolenkaische Haide gänzlich abgeschnit=
ten waren, so wie auch das Preußische Corps, welches, nach den erwähn=
ten Gefechten von Biezun, Soldau und Mlawa (am 21. und 25. De=
cember) seinem Schicksale überlassen, sich (man vergl. die Note) zwischen
dem 26. December und 8. Januar über Neidenburg, Ortelsburg und
Rastenburg auf Warten gezogen hatte, nicht mit Uebermacht angriff und
zu schlagen versuchte, wovon den Kaiser wahrscheinlich nur Mangel an
Lebensmitteln und die unwegsamen Straßen abgehalten haben mögen."

i) Man sehe, was Plotho S. 44 und mehr noch S. 46 erwähnt.

k) Allgemeine Zeitung S. 118.

l) Allgemeine Zeitung S. 136, 178, 275.

m) Französische Tagsberichte Nr. 52, 53, Allgemeine Zeitung von
II. Theil.   17

das Gebot, unverzüglich nach dem Norden zu eilen n). Der
außerordentliche Botschafter Oestreichs, Freiherr von Vincent,
empfing eine so freundliche Antwort, daß sein Hof der Auf=
forderung, den glücklichen Augenblick zu benutzen, willig ver=
gaß o). Von dem Heere lagerte der größte Theil außerhalb
der Ostrolenkaischen Wildniß in der Gegend von Soldau,
Willenberg und Ortelsburg p). Ein andrer Theil stand
oder rückte gegen die Festen Graudenz, Danzig und Colberg q).
Die Heerhaufen der Marschälle Ney und Ponte=Corvo hat=
ten die Preußen unter L'Estocq nordöstlich aufwärts gedrängt
und bedrohten jetzt Königsberg r).

Diese Stadt war in den letzten Tagen des Jahres durch die
Nachricht von dem vermeintlichen Siege der Russen, die sie über=
kam, ein Schauplatz ungemeßner Freude geworden. Bekannte
und Unbekannte drückten sich, begegnend, die Hand. Unter den
Fenstern des Schlosses ließ man den König und die Königin
hoch leben. Beide empfingen die öffentlichen Glückwünsche

1807 S. 264 und über die Maßregeln Napoleons zur Ergänzung sei=
nes Heeres Vossens Zeiten, Band XI. (Julius 1807) S. 15 — 34.

n) Er ging, der Allgemeinen Zeitung (S. 127) zufolge, am 27.
Januar durch Baireuth und kam (S. 288) den 12. Februar in War=
schau an.

o) Von Vincent traf bereits den 9. Januar (A. Z. 159) in War=
schau ein: aber von den Unterhandlungen während der ersten Monate
seines Aufenthalts ist nichts zur öffentlichen Kenntniß gekommen; auch
wurden sie sicher schläfrig geführt. Erst im April schien Oestreich die
Sache ernstlicher aufnehmen zu wollen; doch blieb es auch damals bei
ausweichenden Erwiederungen und höflichen Redensarten. Man sehe
die gewechselten Noten in Vossens Zeiten Band XI. (August 1807)
S. 234 — 245.

p) Plotho S. 44 in Uebereinstimmung mit den Sammelplätzen,
die der 56ste Tagsbericht bei dem Wiederaufbruch des Heeres nennt.

q) Französische Tagsberichte Nr. 51, vergl. die Allgemeine Zeitung
151, 160 und die unten folgenden Belagerungsgeschichten der genann=
ten Städte.

r) Plotho S. 44.

ihrer Getreuen und nahmen sie an.   Die endlich dargethane
Ueberwindlichkeit der Franzosen tröstete und belebte.   Um so
drückender war die Kümmerniß, als bald nachher die Täuschung
zerrann.   Der Schatz und die besten Kleinodien wurden nach
Memel abgeführt.   Die kranke Königin schiffte sich am 3.
des Monats ein und verließ, weinend und beweint, die Haupt=
stadt Preußens, wie sie einige Wochen früher die der Mar=
ken verlassen hatte, um nun in die äußerste Gränzstadt ihres
Gebietes zu flüchten.   Der König folgte den 6. nach.   Der
Jubel verlor sich in Betrübniß, die Hoffnung in Furcht, und
nach Petersburg gingen von neuem Briefe voll stiller Klagen
und heißer Wünsche s).

Auch hier war man nicht mehr im Irrthum, weder über
die Botschaft vom Siege, noch über das Verhältniß der Heer=
führer, und da man den erstern nur deßhalb für unvollstän=
dig hielt, weil das letztere sich ungünstig gestaltet hatte, so
suchte man es aufs baldigste auszugleichen.   Ein Eilbote, der
den Grafen Burhövden vom Schauplatze des Kriegs abrief t),
brachte an Bennigsen, zum Lohn der Tapferkeit, den Georgen=
orden und mit ihm den Befehl über das ganze Heer v).   Von
jetzt an (es war der 11. Januar) gewann alles Uebereinstim=
mung.   Die beiden Abtheilungen der Russen, von denen die
unter Burhövden bis nach Biala, die unter Bennigsen bis
nach Tykoczyn gelangt war, zusammen an acht und siebenzig
tausend Mann, versammelten sich zwischen Aris und Lötzen,
hinter der Hülle, die der Spirding= und Leventiner=See bil=
det, und bot den Preußen, die unter L'Estocq in Barten stan=
den, die Hand, um die Marschälle Ponte=Corvo und Rey

---

s) Französische Tagsberichte Nr. 51, vergl. die Allgemeine Zeitung
S. 159, 184.

t) Plotho 47, 48.   Der Allgemeinen Zeitung (S. 224) zufolge,
kehrte er nach Riga zurück, um sein Amt als General=Gouverneur von
Liefland und Curland wieder anzutreten.

v) Das.

17*

abzuschneiden und die Franzosen über die Weichsel zu wer=
fen x). Den linken Flügel und den Rücken der Vorgehenden
deckte ein Streithaufen, der bei Gonniadz an der Bobra un=
ter Sedmarazki zurückblieb. Von dem Vordringen hinter
Ostrolenka sollte den Feind Essen abhalten, der aus der Tür=
fei mit einer angesehenen Kriegsmacht herangezogen war und
sich bei Brauks an dem Narew aufstellte y).

So geordnet und mit solchen Entwürfen beschäftigt, wen=
dete sich Bennigsen, statt das Französische Hauptheer an der
Quelle der Alle aufzusuchen, nordwestlich nach Heilsberg, und
die beiden feindlichen Abtheilungen, die er umgehen wollte,
wichen zurück. Ponte=Corvo indeß, in der Elbingischen Nie=
derung sich verspätend, konnte nicht geschwind genug aus dem
Bereiche der Russen kommen. Zwischen Liebstadt und Moh=
rungen, auf den Feldern des Dorfes Georgenthal, traf ihn
am 25. Januar der Vortrab des rechten Flügels, und der
ruhmbegierige Führer Markow griff so heftig an, daß er nicht
einmal die nächsten Streithaufen benachrichtigte und zur Un=
terstützung herbeirief. Diese Uebereilung und eine hartnäckige
Gegenwehr sicherte die Franzosen vor dem Untergang, und
Bennigsens verkehrte Maßregel ihren Rückzug. Nicht anders,
als ob von Ponte=Corvo ein Anfall zu fürchten, oder das
ganze feindliche Heer in der Nähe sei, sammelte er Tags
darauf sein Volk rückwärts auf der Höhe von Liebstadt und
ließ jenen ruhig über Mohrungen abziehn z).

Sobald Napoleon seine Marschälle in Gefahr und die

---

x) Plotho 48, 49, vergl. wegen L'Estocq 43 und 51.

y) Plotho 49, 59.

z) Daselbst 50—55, vergl. den 54sten und 55sten Französischen
Tagsbericht. Uebrigens sind die nachträglichen Russischen Berichte
in der Allgemeinen Zeitung, die mit dem Treffen bei Czarnowe (Nr. 84)
anheben, und, durch mehrere Stücke fortlaufend, mit dem Treffen bei
Mohrungen (Nr. 96) endigen, wenn nicht für den Geschichtschreiber,
doch für den Krieger und zur nähern Kenntniß gefaßter und vereitelter
Entwürfe nicht unwichtig.

Ruſſen in voller Bewegung ſah, vereinigte er ſeine Schaaren
aus der Zerſtreuung der Winterlager, um, wo möglich, die=
jenigen in die Vertheidigung zurückzuwerfen, die aus ihr her=
auszutreten gewagt hatten. In wenigen Tagen war die Ab=
ſicht erreicht. Von Straßburg bis herüber nach Ortelsburg
bildete ſich eine lange ununterbrochene Kampfreihe, deren
Richtung Allenſtein war. Unterſtützt wurde ſie bei Thorn
durch einen Streithaufen unter Lefebre; ein andrer unter
Savary, der den kranken Marſchall Lannes erſetzte, beobach=
tete die Vorſchritte Eſſens a).

Die Ruſſen waren indeß langſam vorgerückt und ſand=
ten, der linke Flügel ſeine Vorpoſten nach Mondtke, Allen=
ſtein und Oſteroda b), der rechte nach Deutſch=Eylau und
Löbau c), L'Eſtocq die ſeinen von Freyſtadt aus nach Schwar=
zenau d), als unerwartet Napoleon, bei Ortelsburg hervor=
kommend, ſie bedrohte e). Sogleich zog Bennigſen alle ein=
zelnen Abtheilungen an ſich und verſammelte ſie auf der Höhe
von Jankowe (Jonkendorf), wie wenn er bei Allenſtein über
die Alle gehn und vor Wartenburg eine Schlacht annehmen
wolle f). Aber dieſer kühne Entſchluß, wenn er ihn jemals
gefaßt hatte, verließ ihn gar bald, oder ſcheiterte vielmehr an
den Bewegungen ſeines Gegners. Schon den Tag darauf

---

a) Plotho 60, vergl. den 56ſten Franzöſiſchen Tagsbericht und die
Allgemeine Zeitung S. 295. Die Stellung der Franzöſiſchen Feldherrn,
um ſie genauer zu bezeichnen, war folgende: Marſchall Davouſt ſam=
melte ſich zu Miſſimietz; Marſchall Soult, die kaiſerliche Garde und
die Reiterei des Großherzogs von Berg in Willenberg; in Neidenburg
Marſchall Augereau. Marſchall Ney ſtand zu Gilgenburg; der Prinz
von Ponte=Corro hatte ſich auf Straßburg zurückgezogen. Der Kaiſer
ſelbſt reiſte von Warſchau ab und traf den 31. Januar in Willenberg ein.

b) Plotho 57.

c) Daſ. 58.

d) Daſ.

e) Derſelbe 59.

f) Derſ. 61.

(es war der 3. des Hornungs und des Kaisers Hauptlager in Gettkendorf) besetzte der Marschall Soult, das rechte Ufer der Alle hinabsteigend, Guttstadt und bemächtigte sich der Brücke von Bergfried, die in den Rücken der Russen führte g). Von diesem Augenblick an eilte ihr Heer unaufhaltsam zwischen der Passarge und Alle über Wolfsdorf, Arnsdorf und Frauendorf nach Landsberg h) und L'Estocq i) über Mohrungen, am linken Ufer der Passarge abwärts, nach Schlodien, und von da an das rechte auf Mehlsack, beide rasch verfolgt und mit vielfachem Verluste. Nicht nur eine von den Preußischen Abtheilungen wurde bei Deppen von Ney abgeschnitten k) und der Russische Nachtrab zwischen Glanden und Hof durch den Großherzog von Berg eingeholt l) und heftig gedrängt; auch eine Menge Verwundete, Kranke und Gepäck, so wie die Vorräthe zu Guttstadt, Liebstadt und an der Alle geriethen in die Hände der Sieger m).

So unter wechselndem Angriff und Widerstand waren vier Tage dahin gegangen, als die Russen endlich am 7. des Hornungs in der Frühe Preußisch-Eylau besetzten. Ihre Lage hatte sich jetzt so sehr verschlimmert, daß sie entweder hinter den Pregel zurückgehn und Königsberg Preis geben, oder eine Schlacht annehmen mußten; und so entschloß sich ihr Anführer zu dem Ehrenvollern. Auf einer Anhöhe diesseits der Stadt stellte, sie zu behaupten, sich der Nachtrab, jenseits das Heer selbst auf und erwartete hier den Feind, der in

g) Plotho 61, vergl. den 56sten Französischen Tagsbericht.

h) Derf. 64.

i) Daf.

k) Plotho 66, vergl. den angezogenen Tagsbericht.

l) Plotho am a. O. und der 57ste Tagsbericht.

m) Plotho 64, 66 und der 56ste Tagsbericht. Wie die Russischen Parteigänger die erzählten Ereignisse darstellen, oder vielmehr entstellen, ergiebt sich aus den Hofberichten, die in der Allgem. Zeitung S. 416, 419 gelesen werden.

drei Heersäulen, die der Großherzog von Berg und die
Marschälle Soult, Davoust und Ney führten, über Lands=
berg, Heilsberg und Wormditten andrang. Bald (es war
Nachmittag um zwei Uhr) erhob sich der Kampf um die
Stellung vor Eylau und, als diese nach vielem Blutvergießen
gewonnen war, um den Besitz der Stadt. Die Dunkelheit
herrschte längst durchweg, und immer noch schlug man sich
mit vieler Erbitterung in den Straßen (die Wichtigkeit des
Orts ward gefühlt und was der gewinne, der ihn behaupte),
als die Franzosen zuletzt obsiegten. Aufgenommen von herzu=
eilender Unterstützung, zogen sich die Russen auf die Ihrigen
zurück, um, mit ihnen vereint, am andern Tage einen noch
weit blutigern Kampf zu bestehn. Alle, Gemeine und Füh=
rer, sagten sich, daß die Nacht, die sie unter den Waffen zu=
brachten, für tausende in beiden Heeren die letzte sein werde,
und sie war es n).

Sobald der achte Hornung in einem trüben schneeigen
Morgen anbrach, rückten die Franzosen, Eylau in der Mitte,
ihre Linien rechts und links weit über die Stadt ausbreitend,
und auf Umgehung der feindlichen sinnend, gegen die Russen
vor, die auf der Höhe hinter Eylau zwischen den Dörfern
Schlobitten und Serpallen standen. Den ersten Angriff erfuhr
der rechte Flügel, der doch nicht wankte. Auch die Mitte
trotzte unerschütterlich einem mörderischen Feuer und den wohl
geleiteten Bewegungen Augereaus. Aber desto gefährlicher
wurden dem linken Flügel die Massen, die sich verborgen
hinter Eylau bildeten und ihn, durch den Boden begünstigt,
umfaßten. Wirklich war Serpallen bereits aufgegeben, das
Dorf Klein=Sausgarten fruchtlos besetzt worden und der
Rückzug nicht mehr vermeidbar, als der Zufall anders
entschied o).

Die Preußen unter L'Estocq waren nämlich, wie gedacht,
längs der Passarge hinabgeflüchtet, und standen bei Hussel=

n) Plotho 67 und der 57ste und 58ste Französische Tagsbericht.
o) Plotho 71.

nen, zwei Meilen von Eylau, als ihnen Bennigsen in der Nacht auf den 8. Februar den Befehl zusandte, sich an den rechten Flügel der Russen anzuschließen. Da der Feind sie von Deppen aus unabläſſig im Auge behielt, die Wege ſchlecht und die Ermüdung groß war, so vermochten sie nur spät und erſt in dem Augenblick, wo. die Schlachtordnung wankte, ihren Bestimmungsort zu erreichen, welches eben ihr und der Weichenden Glück ward. Kaum angelangt in Althof, empfingen sie den Auftrag, sich nach dem nothleidenden linken Flügel zu wenden, und trafen hier zeitig genug ein, um den Kampf wieder herzustellen. Ihr Führer nutzte die wenige Mannschaft, die ihm folgte p), mit solcher Besonnenheit, daß er die überlegenen Feinde aus ihrem Schutzorte, dem Dorfe Kutschitten, herauswarf und sie mit bedeutendem Verlust vor sich hertrieb. Der Ruf der alten Tapferkeit der Preußen lebte von neuem auf q).

So viel Lob indeß ihnen und dem Ruſſiſchen Heere für so große Anstrengung gebührte, so waren die Franzosen doch nicht besiegt, sondern nur ihre Bemühungen vereitelt, und kein Grund, auf die erhaltenen Vortheile zu trotzen. Haufen von Todten und Sterbenden und Ströme Blutes (ein widerlicher Anblick auf dem frischen schimmernden Schnee) bezeichneten überall die Stellen, wo man gefochten hatte. Schaaren Verwundeter krochen auf der Straße nach Königsberg und zwischen ihnen unher trieben sich ganze Rotten von Versprengten und Aufgelösten: denn die Ordnung war durch den sechstägigen Kampf erschlafft und zuletzt ganz locker geworden. Auf dem Schlachtfelde hielten vielleicht nicht dreißig tausend fest, unter den Waffen, den Fahnen treu, und auch

---

p) Ein Theil unter Plötz war nämlich von Huſſehnen abgeschnitten worden und hatte die Höhen von Creuzburg eingenommen. Plotho S. 79.

q) Der amtliche Bericht L'Eſtocqs bei Plotho S. 234, vergl. den Plan der Schlacht bei Eylau in dem Atlas zu Groß militairiſchem Handbuche Nr. 14.

sie litten von Müdigkeit und von Hunger. Ueberdem stand
Ney, der Verfolger der Preußen, am Abend in der rechten
Seite der Russen, und vertheidigte das besetzte Dorf Althof
gegen alle Versuche, es ihm zu entreißen. Durch dieß Zu-
sammentreffen von Umständen, schwerlich durch bösen Willen
geschah es, daß der Feldherr den Russen noch vor Mitternacht den Befehl zum Aufbruch nach Königsberg ertheilte,
und den Franzosen den Kampfplatz mit dem Ruhm des Siegs
überließ r).

Damals, sagt ein allgemein verbreitetes Gerücht, habe
Napoleon darauf gedacht, den König vom Bündnisse mit dem
Russischen Kaiser zu trennen. Man nannte sogar schon die
Bedingungen, falls Preußen einwillige, und steigerte sie bis

---

r) Plotho 74 — 78, vergl. die Französischen Tagsberichte Nr. 58,
59, in denen aber freilich die Sprache eines Feindes herrscht, der sich
nur zeigen darf, um zu siegen. — Mehr Achtung verdient das Urtheil
eines kriegserfahrenen Mannes über das Ganze der bisher erzählten
Begebenheiten in der Allgemeinen Zeitung von 1807. „Fassen wir zusammen, heißt es daselbst S. 317, was seit dem 26. December vorfiel,
so erhellt, daß der Französische Kaiser für den Winter gar nicht angriffsweise verfahren, sondern, nachdem er durch die Schlacht bei Pultusk das
Vordringen der Russen an dem Narew gegen die obere Weichsel und
Warschau vereitelt hatte, seinem Heere ruhige Winterlager gönnen wollte.
Die Russen dagegen versuchten ihr Glück an der untern Weichsel, indem
sie gegen den linken Flügel der Franzosen mit Gewalt vordrangen und
diesen in den letzten Tagen des Januars nöthigten, die Passarge zu
verlassen und gegen die Weichsel zurückzuweichen. So stand nun das
Preußisch-Russische Heer von Marienwerder an der Weichsel herüber
nach Passenheim und über den Narew bis zum Bug, an den sich der
linke Flügel anlehnte. Aber in den ersten Tagen des Februars durch-
brach der Kaiser, von Warschau herzueilend, den Mittelpunkt dieser
ganzen Stellung und zwang die Russen, deren rechter Flügel beinah
abgeschnitten worden wäre, sich auf Eylau zurückzuziehn. Die mörderi-
sche Schlacht bei dieser Stadt vollendete zwar nicht die Vernichtung
des Russischen Heeres, aber doch die des Russischen Planes, sich mit
Danzig und Graudenz in Verbindung zu setzen, und dadurch die Franzosen zu nöthigen ihre Stellungen bei Warschau und Ostrolenka und
somit den größten Theil von Polen aufzugeben."

zum Unglaublichen. Auch die Ursachen der Verwerfung fan=
den vielwissende Klügler, der eine in dem unüberwindlichen
Hasse gegen den Herrscher Frankreichs, der zweite in weib=
licher tief gekränkter Empfindlichkeit, ein dritter im verdeck=
ten Spiele der Parteiwuth, obwohl die Rechtlichkeit Friedrich
Wilhelms, und sein trauliches Verhältniß zu Alexandern und
ein eben unterhandelter Vertrag mit England, zwar ohne
Wirkung, doch bindend s), den nächsten und besten Aufschluß
gab. Gewiß ist, daß der Französische Feldherr Bertrand
nach Memel reiste, ohne daß ihm dort die Aufnahme ward,
die er hoffte t). Das Einzige, was man als Folge der ange=

---

s) Er ward zu Memel am 28. Januar von Hutchinson und
Zastrow gezeichnet und sollte von den beiderseitigen Höfen, nach sechs
Wochen, oder noch früher, wenn es die Umstände erlaubten, ausgewech=
selt werden. Der wesentliche Inhalt der Abkunft, die dem Politischen
Journal von 1807, II. 839 und der Allgem. Zeitung S. 934 einverleibt
ist, lautete übrigens dahin, daß der König von Preußen auf den Besitz
von Hannover verzichtete und den Englischen Schiffen die Ems, Weser
und Elbe nach, wie vor, zu öffnen versprach, Großbritannien dagegen
sich verbindlich machte, die angehaltenen Preußischen Kauffahrteischiffe
ihren Eigenthümern zurückzugeben und die Besatzung der Preußischen
Schiffe frei zu lassen. Rußland sollte eingeladen werden, die Verzicht=
leistung Preußens auf Hannover zu gewähren.

t) Ernstlicher und selbst mehrmals wiederholter Friedens=Anträge,
so wie der Sendung Bertrands um diese Zeit, gedenken Lombard in
seinen Materialien 239, Plotho 80, das Polit. Journal für 1807 S. 808
und die Allgemeine Zeitung S. 327, 366, 400, 436. In dem Beiblatte
zum Preußischen Correspondenten vom 23. April 1813 schreibt der wohl
unterrichtete Herausgeber: „Nichts erregte Napoleons Erbitterung ge=
gen Preußen mehr, als daß der König die Vorschläge Bertrands nach
der Schlacht bei Eylau verwarf, — Vorschläge, denen zufolge die von
Napoleon aufgehetzten Polen wieder an Preußen zurückkehren sollten."
— Von amtlichen Aeußerungen über diesen Gegenstand ist (mir wenig=
stens) nichts bekannt geworden, als zwei Briefe Napoleons (vom 26.
Februar und 29. April) an den König von Preußen (im Historischen
Gemälde der letzten Regierungsjahre Gustavs des vierten I. 166, 168,)
und einige hingeworfene Zeilen im 78sten Französischen Tagsbericht.
Was aus den erstern bestimmt hervorgeht, ist, daß der König zögerte

knüpften Unterhandlungen betrachten darf, war die Auswech⸗
selung von dreißig Preußischen Befehlshabern gegen eben so
viele Französische. Unter den erstern befanden sich Blücher
und Tauenzien, von denen jener in Hamburg, dieser in Frank⸗
reich lebte *).

In Königsberg selbst kehrten alle die Befürchtungen wie⸗
der, die schon die Schlacht bei Pultusk erregt hatte. Die
Russen, am 10. Februar vor den Thoren der Stadt eintref⸗
fend, schienen bei einem Anfall entweder hier siegen, oder bei
einem Rückzuge durch die engen Straßen umkommen zu müs⸗
sen, und den Einwohnern ward bange vor dem Schicksale
Lübecks v), als der Feind am 16. seine Vorposten, die bereits
jenseits des Frischings standen, einberief und am 19. das ver⸗
wüstete öde Eylau verließ x). Von dem Tage an war kaum
noch zweifelhaft, daß er das ungewisse Glück der Schlacht
nicht zum dritten Male versuchen, sondern in sichern Einla⸗
gerungen sich ergänzen und stärken wolle, und die Russen
rückten von neuem vor, doch langsam, und griffen zuweilen
an, doch ohne Nachdruck und Vortheil y). Einzig um den

---

und der Kaiser drängte, daß jener zur Ausgleichung sämmtlicher Strei⸗
tigkeiten eine allgemeine Friedens⸗Versammlung in Memel vorschlug.
endlich, daß man von Preußischer Seite Spanien und die Türkei, die
Verbündeten Frankreichs, von der entworfenen Zusammenkunft aus⸗
schließen wollte, welches Napoleon sehr übel empfand. Vergl. Bignon
VI. K. 68, S. 99 und Lucchesini Rheinbund II. 292.

*) Blücher wurde gegen Victor, dessen Gefangennehmung durch
Schill späterhin erwähnt werden wird, Tauenzien gegen Faultrier aus⸗
getauscht. Die Uebereinkunft ward zu Osterode am 26. Febr. gezeich⸗
net. Allgemeine Zeitung S. 539, 551. Blücher verließ Hamburg am
22. März und begab sich über Berlin in das Französische Hauptquar⸗
tier, aus welchem er durch ein Schreiben vom 27. Februar die erste
Anzeige von seiner Auswechslung erhalten hatte. Napoleon nahm ihn
mit Auszeichnung auf, hielt ihn eine Zeitlang zurück und entließ ihn
endlich zu den Seinen. Leben des Fürsten Blücher von V. v. E. S. 122.

v) Plotho 78, vergl. den 61sten Französischen Tagsbericht.

x) Plotho 80, 81.

y) Derselbe 82 u. f. vergl. die Französischen Tagsberichte Nr. 65, 66.

Befitz von Braunsberg kämpften die Franzosen gegen die Preußen am 25. einen ernstlichen Kampf und warfen sie über die Passarge zurück z). In allen übrigen Gefechten zwischen dem genannten Fluß und der Alle ward nichts errungen und das Errungene oft freiwillig wieder verlaffen a). Um so eher darf die Geschichte sich der Meldung des Einzelnen über-heben und auf die Angabe der Stellungen einschränken, welche beide Heere um die Mitte des Märzes einnahmen.

Des Kaisers Aufenthalt war zu Osterode, später im Schloffe Finkenstein. Ihn umgab zunächst seine Garde. Die Passarge schützte der Prinz von Ponte-Corvo und Soult, jener von Preußisch Holland, dieser von Liebstadt aus. Die obere Alle vertheidigte Ney in Guttstadt und Davoust in Allenstein. Die Abtheilung am Narew und Omuleff befeh-ligte von Pultusk aus, an der Stelle des immer noch kran-ken Lannes, der Marschall Massena. In Neidenburg standen Polen, in Warschau Baiern b). Die Weichsel sicherten starke Brückenköpfe bei Marienburg, Marienwerder, Modlin und Praga, den Bug Befestigungen bei Sierock c). Augereau war, nach öffentlichen Berichten d), zur Wiederherstellung seiner Gesundheit, nach Vermuthungen, in Unwillen entlassen und sein Streithaufe aufgelöst *).

---

z) Der 63ste Französische Tagsbericht, vergl. Plotho 83. Es war Dupont, abgesandt vom Fürsten von Ponte-Corvo, der hier mit einer Preußischen Abtheilung unter Plötz den Kampf bestand. Jene Abthei-lung selbst, die zu dem Heerhaufen L'Estocqs gehörte und auf dem Zuge nach Preußisch Eylau von Ney abgeschnitten wurde, hatte sich nach Kreuzburg und von da auf Königsberg zurückgezogen.

a) Man sehe Plotho 86 u. f.

b) Der 65ste Französische Tagsbericht, vergl. die Allgemeine Zei-tung S. 342, Plotho 92 Note, und, wegen der Ablösung Savarys, den 63sten Tagsbericht vom 28. Februar.

c) Französische Tagsberichte Nr. 67.

d) Dieselben Nr. 63.

*) Gewiß ist, daß selbiger ungemein stark gelitten hatte und, zum

Der Russische Feldherr hatte sein Hauptlager in Bar=
tenstein und um sich her an den beiden Ufern der untern Alle
seine vorzüglichsten Streitkräfte gesammelt. Nördlicher in
Heilgenbeil stand L'Estocq, durch eine Abtheilung Russen ver=
stärkt, südlicher bei Seeburg und Bischoffsburg Tolstoy und
unter ihm der bis jetzt vereinzelte nun herangezogene Heer=
haufe von Gonniadz, noch weiter unten, über Passenheim,
Ortelsburg und Willenberg hinaus, der Kosaken Hettmann
Platow e), bei Ostrolenka Essen f), zuweilen den Feind ver=
suchend, doch vergeblich g), späterhin h) Tutschkow. Der
Sammelplatz sollte im Fall eines Angriffs Heilsberg sein i).

So einander im Angesicht lagerten die beiden Heere,
dem Scheine nach ruhig, in Wahrheit thätiger, denn je, und
zu blutigem Kampf hinwirkend. Von allen Orten eilten
Schaaren herzu, um die dünn gewordenen Reihen auszu=
füllen. Der mangelnde Schießbedarf ward mit Anstrengung
ersetzt, für die fehlenden Kleidungsstücke gesorgt und Getreide=
vorrath aus weiter Ferne (Preußen war ausgesogen und zum
Theil Einöde), herbeigeschafft. Obwohl der Seezufuhr be=
raubt, fand sich doch der Feind am wenigsten in Verlegen=
heit. Die gesegneten Länder hinter ihm lieferten, was er
suchte, am meisten das reiche Schlesien, dessen Eroberung,
gleichzeitig mit dem Feldzuge in Preußen und jetzt fast voll=
endet, hier billig in die Erzählung eintritt.

Unter den wenigen unberührten Ländern Preußens war

Theil durch die Einbuße und Verwundung vieler seiner Befehliger, in
große Unordnung gerathen war. Augereau selbst ging den 8. März
durch Breslau, ohne sich daselbst aufzuhalten.

e) Plotho 90, 91, vergl. wegen Tolstoy 86, 88.

f) Plotho 105.

g) Wie am 16. Februar, wo der Kampf gegen Savary lebhaft
und die Einbuße der Russen nicht unbedeutend war. Siehe Plotho am
angez. Orte und den 62sten Tagsbericht.

h) In der Mitte des Aprils. Plotho 106.

i) Derselbe 88.

keines, das dem Könige nützlicher und dem Sieger verderb=
licher werden konnte, als Schlesien.   Die Furcht vor Oest=
reich hatte es mit einer Reihe von Festungen bewaffnet, die
ihm jetzt Sicherheit gegen einen andern Feind und einen an=
dern Angriff gewährten.   Von dem Schauplatze des Krieges
lag es entfernt genug, um das erste Schreckniß zu überwin=
den, und auf Rettungsmittel zu denken.   Hülfsquellen besaß
es in solchem Ueberfluß und in einer Ergiebigkeit, wie kein
anderer Theil des Preußischen Staatskörpers. Mit den Län=
dern, denen die feindliche Macht zuzog, gränzte es und konnte
dieser, durch Bedrohung im Rücken, die Fortschritte eben so
sehr erschweren, als, hingegeben, erleichtern.   Ueberdem be=
günstigten den Entschluß zu männlicher Anstrengung noch be=
sondere Vortheile.   Weder Geld, noch Waffen, noch Schieß=
bedarf mangelten.   Bereit stand eine Menge Neugeworbener
und Geübter.   Von allen Orten strömten Kriegsleute herzu,
die sich losgekauft hatten, oder entronnen waren. Auch fehlte
es den Einwohnern nicht an jenem Willen, der kräftigen An=
regungen entgegenkommt.

    Schlesiens oberste Leitung ruhte nun ins sechs und
dreißigste Jahr in der Hand des Grafen von Hoym.   Seine
Wirksamkeit war bis jetzt durch öffentliche Gefahren so we=
nig gestört, als geprüft worden, und um so größer für ihn
die Aufforderung, seine Einsicht und Thätigkeit zu bekun=
den, wie sein wackerer Vorgänger Schlabernsdorf, dessen vor=
aussehender Geist Friedrich dem zweiten das Land erobern
half.   Auch der Feldherr von Thiele, von Warschau versetzt
nach Breslau k), erregte allgemein die Erwartung, er werde
handeln.   Aber nicht lange, so verriethen unzweideutige Zei=
chen, wie sehr Schlaffheit und Gleichgültigkeit beider Ge=
müth fesselte.   Man lebte in Unwissenheit über den König
und sein Heer, und Niemand suchte Nachrichten einzuziehn.

---

k) Er traf den 21. September ein. Schlesische Provinzial=Blätter
von 1806 II. 284.

Die Ausgehobenen, die durch Süd-Preußen nicht mehr zu
ihm gelangen konnten l), und die darum in Schlesien anzu-
wenden so natürlich war, wurden unter Vorschützung des
Geldmangels entlassen. Von der Obliegenheit des Bürgers
sich ruhig zu verhalten, wenn der Feind einbreche, war stets
und überall, desto seltner von Widerstand und Bewaffnung
die Rede m). Selbst die Vorschläge der wenigen, die ihr
Vaterlandseifer trieb, wurden überhört oder neidisch vereitelt.

Zu jenen wenigen gehörte der Graf Friedrich August
Erdmann von Pückler auf Gimmel. Da er überzeugend einsah, wie gar wichtig die Erhaltung und Rettung Schlesiens
für den Staat werden könne, so verfolgte er diesen Gedanken mit aller Leidenschaft eines schwärmerischen Gemüths.
„Man solle die Ausgedienten, die in der Provinz umher zerstreut lägen, einberufen und zur Vertheidigung der Festungen
anwenden. Zu derselben Absicht möge man eine Landwehr
errichten und die verabschiedeten Krieger und auf Gnadengehalt gesetzten Führer benutzen. Aus den herrschaftlichen
Förstern und Jägern lasse sich leicht ein angesehener Streithaufe, eine treffliche Hülfe gegen den Feind, bilden. Dasselbe
gelte von der Reiterei in den kleinen Städten, aus der man
den Abgang im Heere zu ergänzen pflege. Ueberdem sei kein
Zweifel, daß die vom Schlachtfelde täglich eintreffenden
Flüchtlinge und eine Menge Freiwillige sich gern unter die
Fahnen stellen und zur Beschützung des Vaterlands wirken
würden." Also schrieb er dem König n).

---

l) Eine Abtheilung unter dem Befehle des Ohlauer Rathmanns,
(nachherigen Obersten) Caspari kam allein nach Graudenz, dem Ort ihrer Bestimmung, und bewies wenigstens, daß die Aufgabe zu lösen war.

m) Mehrere Thatsachen, die zur Bestätigung des bisher Gesagten
dienen können, finden sich in den Vertrauten Briefen IV. S. 87 u. f.

n) Der eigentliche Entwurf ist nie bekannt geworden. Was der
Text meldet, beruht auf den Zeugnissen glaubwürdiger Männer und
stimmt mit der Aussage der Zeitschrift: Schlesien ehedem und jetzt,

Es lag in der Natur des Vorschlags, daß er, wie feu=
rig gefaßt, so auch feurig betrieben wurde; aber wiewohl
vom König beachtet und verbindlich erwiedert, gedieh er doch
nicht, weil kein einzelner tüchtiger Mann zur Ausführung
ernannt ward, und in den nächsten Behörden, die eingreifen
sollten, Verzweiflung am Staate, Schläfrigkeit und Eifersucht
obwalteten. Alle Geschäfte der Landwehr ablehnend und an
den Rathgeber verweisend, erschwerte Thiele (er war nicht
ausdrücklich beauftragt) die Vollziehung des Entwurfs. Gleich
behutsam erwog Hoym, dem der König den Plan übersandte
und die Ausführung in einem begleitenden Schreiben o) em=
pfahl, wie Kriegshaufen zu bilden nicht zu seinem Berufe
gehöre, und entzog sich den Anträgen. Vergebens bot Pück=
ler alles auf, um die trägen Geister zu beleben und für eine
höhere Ansicht zu gewinnen. Sie blieben der Regel treu p),
und er, allenthalben beengt, fühlte das volle Gewicht des
Tadels, der ihn ob unzeitiger Einmischung treffen müsse. Das
ertrug der hochherzige Mann nicht. Am 11. November en=
digte er, acht und vierzig Jahre alt, zu Breslau durch eigene
Hand sein Leben q), wie die Kaltsinnigen spöttelten, ein
Opfer falsch berechneten Ehrgeizes, wie die Bessern urtheil=
ten, einer kräftigern Zeit und edlerer Theilnehmer würdig.

Wenige Tage vor diesem Ereigniß betrat ein Kriegshaufe

Nov. und Dec. S. 836, zusammen. — Die Darstellung in den Vertrau=
ten Briefen I. 277, vergl. die Note II. 110, ist verschönerte Ausschmückung
der einfachen Wahrheit. Pückler dachte zunächst nur an die Sicherung
der Schlesischen Festen, nicht an eine Bedrohung der Elbe und des
Rückens der Feinde.

o) Gegeben zu Schneidemühl am 2. November, zu finden in den
Vertrauten Briefen II. 136.

p) Dieselben IV. 95.

q) Schlesische Provinzial=Blätter von 1806 II. 463. Die letzten
Zeilen des Grafen, die in den Vertrauten Briefen II. 110 gelesen wer=
den, sind schwerlich echt, der Tag, an dem sie geschrieben seyn sollen,
(den 13. Nov.) sicher falsch.

Baiern und Würtemberger, unter dem Befehl des Prinzen
Hieronymus und des Feldherrn Vandamme, die Gränzen
Schlesiens *) und erschien, ohne daß man sich über seine An-
zahl belehrt hatte, vor Glogau. Glogau, gegen Osten und
Süden kunstmäßig befestigt, und gegen Norden zum Theil
auch gegen Westen von der Oder gedeckt, war, obgleich kei-
nes der wichtigsten Bollwerke des Landes, doch stark genug,
um sich mehrere Monate zu halten, und in Eile mit aller
Nothdurft versehen worden. Seit dem 21. October herrschte
dort die größte Anstrengung. Eine Menge Zimmerleute und
Arbeiter vom Lande beschäftigten sich, Schanzpfähle zu setzen.
Durch alle Thore drängten sich Wagen auf Wagen mit Zu-
fuhr. Von den kleinern Flüssen warf man, um des Feindes
Schnelle zu hemmen, die Brücken ab. Die Besatzung erhielt
Vermehrung, und, durch den König selbst ernannt, traf am
Ende des Monats von Cüstrin ein neuer Ober-Befehlshaber
ein. Solche Anstalten und das königliche Gebot, das Aeußerste
zu erwarten, machten dem Bürger bange und gaben ihm die
Ueberzeugung, daß er langen Leiden entgegenlebe r).

Aber bereits am 2. December endete diese Furcht. Nachdem die Stadt anfänglich unterbrochen und sparsam, vom
13. November anhaltender und ernster beschossen worden war,
glaubten die Befehlshaber Reinhart und Marwitz der kriegerischen Ehre genügt zu haben, und willigten in die Aufforderung zur Uebergabe. Welche Ursache sie so plötzlich vermochte, die Thore der zwar beschädigten, doch nicht verwüsteten Stadt zu öffnen, haben sie, aller Anschuldigungen ungeachtet, nicht bekannt werden lassen. Dagegen wissen alle,
daß es ihnen weder an irgend einem Bedarf des Lebens und
des Krieges, noch an solchen, die alles mit ihnen wagen

---

*) Die ersten Französischen Jäger erschienen am 2. Nov. zu Grün-
berg. Schlesien ehedem und jetzt, Nov. und Dec. S. 831.

r) Neue Feuerbrände I. 101, 102, 104, 105, 106, 111. (Der Bericht rührt von einem glaubwürdigen Augenzeugen, dem auch sonst nicht
unbekannten Schriftsteller, Carl Friedrich Benkowitz, her.)

II. Theil.   18

wollten, gefehlt hat s). Auch über den Einfluß ihrer Hand=
lungsweise konnten sie sich nicht täuschen. Mit dem Besitz
von Glogau gewann der Feind in Schlesien festen Fuß. Mehr
als zwei hundert Stücke Geschütz und über dreimal hundert
tausend Pfund Pulver fielen in seine Hand t). Die beschleu=
nigte Aufopferung der einen Feste zog den schnellern Fall der
andern nach sich, und die Bewaffnung des Landes, auf die
man dachte, erfuhr keine geringe Beschränkung.

Letzteres ward noch weit mehr der Fall, seit in nicht viel
längerer Zeit auch die Hauptstadt des Landes überging.
Breslau, von jeher eine der beträchtlichsten Festen, war es
nach dem siebenjährigen Kriege durch Friedrichs des zweiten
Sorgfalt noch mehr geworden. Seine Straßen und Märkte
bargen sich hinter drei mächtigen Wällen, von denen der
Hauptwall, mit vorspringenden schönen Werken, in der Ferne
schon Ehrfurcht gebot. Seine breiten und tiefen Gräben
füllten die Ohlau und Oder. Rings in der Ebene lag kein
Berg, der beherrschend emporstieg. Einen einzigen Vortheil
gewährten den Belagerern die lang gestreckten Vorstädte, die
nahe an die Wehrlehne reichten. Dagegen nützte den Ver=
theidigern die weiche Witterung, in der die Wasser nicht fro=
ren, höchstens harschten.

Noch hielt sich Glogau, als bereits (den 16. und 17.
November) zwei Züge Baiern, meist leichte Reiterei, unter
Montbrun und Lefebvre die beiden Oderufer herabschwärmten
und den 19. früh einige Bomben in die Stadt sandten. Sie
meinten zu schrecken und zu überraschen, wie sonst, dießmal
ohne Erfolg. Nach kräftiger Abweisung von dem Walle und
zwecklosen Versuchen auf den Bürgerwerder kehrten sie (am
21.) wieder um. Daß sie zurückkommen würden, sagten sie
selbst und erwarteten die Einwohner ungesagt v).

---

s) Feuerbrände IV. 60.
t) Daselbst XII. 94. Die Bedingungen der Uebergabe liefert der
38ste Französische Tagsbericht.
v) Breslaus Belagerungs=Geschichte in den Schlesischen Provinzial=

Indeß war man in des Königs Hauptlager über die Bewaffnung Schlesiens zum Schluß gelangt. Der Oberste, Graf von Götzen, erschien am 3. December in Breslau und entzündete die erloschenen Hoffnungen. „Der Fürst von Anhalt-Pleß sei zum ersten Befehlshaber des ganzen Landes ernannt und auf dem Wege. Um die Erhaltung Preußens stehe es so schlimm nicht, wie das voreilige Gerücht melde. Drei große Russische Heere wären im Anzug, um dem Vordringen des Feindes ein Ziel zu setzen. Man möge sich ermannen und der alten Zeiten gedenken.‘ So redete er auf dem Stadthause und beurkundete sein Wort in einem öffentlichen Aufrufe an die Bürger. Zugleich verlangte er von der Gemeinheit Kleidungsstücke und andre Bedürfnisse für die Auszuhebenden, und forderte die Steuerräthe, um mit ihnen zu rathschlagen, beides bereits zu spät, wie er fast mit eigner Gefahr wahrnahm. Am 5. December kehrte die Reiterei, die zum Spähen ausgesandt war, zurück; die Trommel rief mit einbrechender Nacht die Krieger zur Vertheidigung auf die Wälle, der Graf mußte eilfertig abreisen, und eine Stadt, durch den langen Genuß des Friedens, die Betriebsamkeit ihrer Einwohner und die Gunst des Handels reich und blühend, sah sich plötzlich eingeschlossen, ihre Verbindung mit der Außenwelt unterbrochen und, was sie in einer Reihe von Jahren durch Fleiß und Pflege erworben hatte, vielfach gefährdet x).

Am 7. December (es war Sonntag) schwiegen Uhr und Glocke und der Donner des Geschützes ward laut. Ein Theil

---

Blättern, Januar und Februar 1807 S. 66, und in der Zeitschrift: Schlesien ehedem und jetzt, Nov. und Dec. 1806 S. 839 und in den Vertrauten Briefen IV. Brief 4, S. 98. (Alle drei Berichte, der erste eine kurze Ueberficht, der zweite ein ausführliches Tagebuch, der dritte eine sorgfältige Sammlung mannigfaltiger Thatsachen, sind von glaubwürdigen Männern, den Professoren Manso, Reiche und Kanngießer, an Ort und Stelle verfaßt.)

x) Schlesien ehedem und jetzt. S. 849 u. f. und die Vertrauten Briefe IV. 104 u. f.

18*

der Belagerer fing an Laufgräben zu ziehn, während ein
andrer sich in die Häuser der Vorstädte warf, um die Belagerten durch das Feuer des kleinen Gewehrs zu beschäftigen,
und diese die Gebäude, die jenen zum Zufluchtsorte dienten,
zertrümmerten, oder in Flammen setzten. Vor allen Thoren
herrschte Schrecken und Unglück, innerhalb meist Sicherheit
bis zum 10., wo der Feind in die vollendeten Werke Geschütz
führte. Von jetzt an litt vorzüglich die nordwestliche Seite
der Stadt in öffentlichen Gebäuden und in Bürgerhäusern,
vielfach die Kirche zu Elisabeth und ihr herrlicher Thurm, ein
von selbst sich darbietendes, kaum verfehlbares Ziel. Mehr
denn einmal zündeten Brandkugeln, doch rastete der Feind,
so oft es brannte, und gab Zeit zu löschen. Er bedachte, wie er
in der wohlhabenden Stadt seine eigene Unterhaltung zerstöre.
Auch an Versuchen zu Ueberraschungen und an Lockungen zur
Uebergabe fehlte es nicht. Glücklicher Weise vereitelte Wachsamkeit die erstern und widerstand den letztern der Eifer der
Unter-Befehlshaber und der gute Wille der Bürger y).

Indeß hatte der Fürst von Pleß aus den Festungen und
dem noch freien Lande einen kleinen Streithaufen gesammelt
und ihn bewaffnet, wie die Eile gestattete. Mit diesem setzte
er sich bei Strehlen, das durch seine Lage überall einen sichern
Stützpunkt verhieß, und hoffte Breslau unentdeckt zu erreichen und es mit Hülfe der Eingeschlossenen zu befreien. Aber
sei es die Nähe des Feindes, oder der Seinen Unbedacht, —
Vandamme, zeitig genug unterrichtet, sandte am 24. December eine überlegene Anzahl Würtemberger und Baiern, unter
der Anführung der Feldherrn Montbrun und Minucci, die
ihn unverweilt mit großer Lebhaftigkeit angriffen und ins
Gebirge zurückwarfen z).

---

y) Die angezogenen Aufsätze, und über die Beschädigungen der
Elisabeth-Kirche noch besonders die Schlesischen Provinzial-Blätter vom
Februar 1807 S. 131.
z) Die Französischen Tagsberichte Nr. 48, vergl. die Vertrauten
Briefe IV. 164.

Sogleich, nachdem dieser Vortheil errungen war, bega=
ben neue Unterhändler sich nach der Stadt und machten ihn
geltend. „Warum man muthwillig einen so reichen und bevöl=
kerten Ort hinopfere? Was man denn zu dem Fürsten und
seinen wenigen Hülfsmitteln für Hoffnung hege? oder ob das
eitle Mährchen von der Ankunft der Russen noch widerhalte?
Bürger und Besatzung möchten bedenken, was sie gelitten
hätten, und was für Leiden ihrer noch harrten. Es sei leicht
und stehe in der Hand der Belagerer, ihre Hartnäckigkeit zu
strafen und sie noch weit mehr Unglück empfinden zu lassen."
Das Her= und Hingehen der Unterhändler, das Anliegen
der Kaufmannschaft keinen Sturm abzuwarten, die vielfachen
Berathschlagungen auf dem Kammerhause, wo der Befehls=
haber von Thiele wohnte, — alles weckte die Furcht, daß
man sich zum Hingeben entschließen werde, als der Wunsch
der behertzten Mittel=Classe der Bürger, die Erklärung wacke=
rer Krieger von Rang und die Erinnerung an das königliche
Gebot noch einmal obsiegten und wieder fallende Schüsse den
Anfang neuer Feindseligkeiten verkündigten a).

Der Feind aber, so sehr er vielleicht auf die Uebelgesinn=
ten und Ermüdeten zählte, hatte doch auch die Zurückweisung
als möglich gedacht und die Zeit der Unterhandlung genutzt.
Mit regem Fleiß und (was billig befremdete) von den Wäl=
len nicht einmal bemerkt, geschweige gestört, führte er, wäh=
rend der Weihnachtstage, seine Schanzarbeiten weiter fort
und beschoß nun auch die südöstliche Seite Breslaus. In
kurzem erlitt diese, was die andre früher erlitten hatte. Meh=
rere Feuer brachen aus; in den Häusern häuften sich Schutt
und Trümmer, und die Zahl der verwundeten Bürger wuchs.
Da erhob sich, ganz unerwartet, noch einmal die Hoffnung
befreit zu werden. Von den Thürmen herab und auf den
Basteien des Walls sah man in der Frühe des 30. Decembers

_____

a) Vertraute Briefe IV. 166 — 173, vergl. Schlesien ehedem und
jetzt S. 909 u. f.

das Dorf Dürgoy in Brand, und Gefecht in der Gegend von Krietern. Die Bewegungen der Streitenden, ihr Vordringen, ihr Zurückweichen, und das Feuern aus den großen und kleinen Gewehren ward, je heller der Tag, desto deutlicher, und selbst die verdoppelte Anstrengung der Belagerer ließ die Nähe der Preußen ahnen. Es war wieder der Fürst von Pleß, der am 28. mit etwa acht oder zehn tausend Mann von Neiße aufbrechend, die Feinde überraschte und sie im Vertrauen auf die Mitwirkung der Belagerten angriff. Seine Erwartung ward nicht erfüllt. Nach einem mehrstündigen Kampfe, den er ganz allein unterhielt, mußte er der überlegenen Menge weichen, und der Haufe, sich in kleinere auflösend, zog nach den Gebirgsfesten zurück, tief gebeugt durch der Besatzung Kleinmuth, oder schlimmen Willen, doch ohne großen Verlust b).

Nach dem abermals mißlungenen Versuche des Entsatzes, bot der Feind von neuem alle Gewaltmittel auf, um zur Nachgiebigkeit zu vermögen c), und erreichte endlich auch seinen Zweck. Am 3. Januar Nachmittags schwieg rund umher das Geschütz. Noch vor Abend verbreitete sich, von der höhern Behörde ausgehend, die Nachricht, es sei Waffenstillstand verabredet, und am 5., man unterzeichne die Uebergabe *). Bald darauf standen die Wälle von ihren Verthei-

---

b) Vertraute Briefe IV. 181—187 (wo doch manche Unrichtigkeit sich eingeschlichen hat) und Schlesien ehedem und jetzt S. 916 u. f. vergl. den 50sten Französischen Tagsbericht und die Beilage zum 51sten, oder das Tagebuch über die Belagerung Breslaus. Eine besondere Abtheilung von Pleß, seitwärts nach Ohlau gesandt, um die dort gelagerten und beobachtenden Feinde von dem wahren Vorhaben des Fürsten abzuziehn, war bereits am 29. December daselbst geschlagen worden.

c) Vertraute Briefe IV. 187 und Schlesien ehedem und jetzt. S. 919 u. f.

*) Die Bedingungen findet man in der Beilage zum 51sten Französischen Tagsbericht, auch in Schlesien ehedem und jetzt S. 930 und bei Martens Suppl. IV. 413.

digern entblößt, und die Bande des Gehorsams, wie es in eroberten Städten zu gehen pflegt, löften fich auf. Die Krieger ftreiften umher, und fchmähten ihre Befehlshaber. Waffen und Kriegsgeräth ward zertrümmert, oder als käufliches Eigenthum feil geboten. Ueberall ertönte das wilde Gefchrei des Aufruhrs. Der fchutzlofe Bürger fing an zu fürchten und des Feindes Einzug zu wünfchen d).

Am 7. Januar früh um fieben Uhr verkündigte der wiederkehrende Ton der Schlaguhr die Wiederkehr, wenn nicht der alten doch einer friedlichen Ordnung der Dinge. Die einheimifche Befatzung, etwa fechstehalb taufend Mann e), zog noch an demfelben Vormittag aus und die Würtemberger und Baiern ein, am 8. Nachmittags mit glänzendem Gefolge der Prinz Hieronymus f). An der Wehrlehne der Feftung ftreckten die Ausziehenden die Waffen und verfolgten von da den Weg nach Frankreich, mit Ausnahme der Jäger, die zu ihren Herrfchaften, und der Ausgedienten und Verheiratheten, die zu den Ihrigen zurückkehren durften. An zehn taufend Kugeln und Bomben waren in die Stadt gefallen g), über hundert und dreißig bürgerliche Einwohner verwundet oder getödtet; mehr als vier Millionen, hauptfächlich durch die Einäfcherung der Vorftädte, vernichtet h), fchönes Gefchütz und reicher Schießbedarf, wie immer, die Beute der Ueberwinder. Der Stadt ftand von nun an der Oberfte von Stengel vor i). Die fiegreichen Würtemberger und Baiern befahl der Kaifer zu beloben k).

---

d) Vertraute Briefe IV. 202 u. f. und, in Uebereinftimmung mit ihnen, Schlefien ehedem und jetzt S. 924 u. f.

e) Nach der Angabe des 50ften Tagsberichts.

f) Schlefien ehedem und jetzt S. 940 u. f.

g) Nach der eigenen Schätzung der Feinde. Beilage zum 51ften Tagsbericht.

h) Schlefien ehedem und jetzt S. 964 und 977.

i) Dafelbft S. 942.

k) Der 50fte Franzöfifche Tagsbericht.

Ueber den Werth der Vertheidigung bildete sich im Stil=
len und noch während sie dauerte unter den Klugen eine
Stimme, die bald die öffentliche geworden ist. Wie der Vor=
wurf des Mangels an Würde und Kraft und Einsicht auf
allen Vorgängern Thielens lastet, so vermag auch er ihn
nicht abzuwehren.' Die Einnahme Glogaus ward ihm nach
eignem Geständniß erst am 5. December bekannt. Die Zeit,
die ihm zur Verstärkung der Besatzung in dem volkreichen
Lande gegönnt war, ließ er, ungenutzt, und als sei dieß seine
Sorge nicht, hingehn. Wider die Vorstädte wüthete er, als
der Feind sie bereits in Besitz hatte, — zu spät, um wahren
Vortheil aus der Vernichtung zu ziehn, und zwecklos und
verderblich im Verhältniß zur kurzen Gegenwehr. Eben so
wenig hielt er es der Mühe werth, die Vorwälle zu besetzen,
sondern beschränkte sich, die kleine Zahl der Streiter vor=
schützend, von allem Anfang auf den Hauptwall. Er bedachte
nicht, daß dieser nur wenige Feuerwerker bedarf, so lange
sich jene halten. Den Fürsten von Pleß sah er schier an den
Thoren von Breslau kämpfen, ohne doch einen Ausfall zu
unternehmen. „Er dürfe dieß mit den treulosen Polen nicht
wagen," gab er vor und überlieferte sie und alles acht Tage
später dem Feind. Als er die Hingabe der Festung durch
den fehlenden Fleisch= und Holzbedarf zu rechtfertigen meinte,
trat widerlegend die Kammerbehörde auf, ihn der Nachlässig=
keit, Verkehrtheit und Lüge zeihend. So in allem gab er der
Welt die Ueberzeugung, daß er dem Schein und nicht der
Wahrheit gelebt habe1). Dasselbe Urtheil fällte sie über den
Feldherrn Lindner, einen Mann von mannigfaltigen Kennt=
nissen und großer Einsicht in alle Theile der Geschütz= und
Feuerwerks=Wissenschaft, der beauftragt war, die Schlesischen
Festungen zu bereisen, um die Mittel zu ihrer Vertheidigung

1) Die Actenstücke sind enthalten in der Minerva von 1807 III.
(Julius) S. 62 und in den Schlesischen Provinzial=Blättern von 1807
II. 369, 514, 417.

anzuordnen, und, während der Belagerung, in Breslau lebte.
Sein ganzes Benehmen (wir sprechen gelind) verrieth deut=
lich, daß er es gar nicht der Mühe werth achtete, ernstlich
für den Preußischen Staat zu wirken, und die Feinde nach
seiner Schätzung eben so hoch, als die Seinigen tief standen.
In der gewonnenen Stadt selbst offenbarte sich überall
der Einfluß der fremden Obmacht. Die an der Spitze stan=
den, eilten und huldigten, überdemüthig manche, dem neuen
Herrn m). Den Behörden ward, wie in Berlin, ein Eid
abgefordert, den mehrere Mitglieder (sie meinten dem Lande
durch ihr Bleiben zu nützen) willfährig leisteten, andere (sie
glaubten sich dem König allein verpflichtet) standhaft weiger=
ten und durch Ausscheidung oder Entfernung vermieden n).
In die Bürgerhäuser zogen fremde Gäste, gern und ungern
gesehn, nach der Gesinnung des Wirths, und in die Paläste
und stattlichen Wohnungen der Prinz und die angesehenern
Führer, die sich Tafelgelder zahlen oder auf Kosten der Ge=
meinheit beköstigen ließen o). Von dem Einkommen und der
Ausgabe des Staats mußten Uebersichten eingereicht werden,
und der Breslauer Kammerbezirk achtzehn Millionen Fran=
ken p) aufbringen. Zugleich verlangte man, die abgerissenen

---

m) Allgemeine Zeitung von 1807, S. 100.

n) Dieselbe S. 115, 164, vergl. Vossens Zeiten XII. (Nov. 1807)
255 und XIII., Politischer Anzeiger (zum Januar 1808) 3.

o) Der Prinz Hieronymus wählte zu seinem Aufenthalte (Allgem.
Z. S. 100) das Kammergebäude (den ehemaligen Hatzfeldischen Palast).
Was für seine Küche an zahmem und wildem Vieh, Geflügel aller Art,
Eiern, Butter, Zucker und Caffee täglich geliefert werden mußte, betrug
allein an Werth gegen zwei hundert Thaler.

p) Oder 4.864864 Reichsthaler. Man sehe den kaiserlichen Be=
fehl (Warschau vom 12. Januar) in der Allgemeinen Zeitung S. 164,
vergl. 326, 427. Vertheilt ward das Ganze auf folgende Weise: Die
adligen Besitzer geistlichen und weltlichen Standes zahlten 2,250000,
die Bauern, die Besitzer bäuerlicher Güter und alle Einwohner des
platten Landes, die Gewerbe und Handel trieben, 1,919884, die Städte,
außer Breslau, 340680, Breslau selbst 354300 Reichsthaler. In der

Krieger zu kleiden, eine Menge Leinwand, Tuch und Leder q);
für das Heer an der Weichsel füllte man die öffentlichen
Gebäude mit Lebensmitteln aller Art r) und trieb eine Menge
Zugpferde zusammen, um ihm die Bedürfnisse nachzuführen.
Die Bühne bequemte sich dem ausländischen Geschmack s),
die Zeitung diente. Was jedoch am meisten bewegte, war
die ungeahnete Sprengung des Walls, die unverzüglich
begann. Kundige alter Zeit erinnerten sich, wie langsam die
Befestigung Breslaus zu Stande gekommen war, was Fried=
rich der zweite für die zweckmäßige Verbesserung der unzu=
länglichen Werke gethan, manche sogar, wie viel einzelne
Basteien und Anlagen gekostet hatten. Nun warf e in Pul=
verschlag die stärksten Mauern und Wölbungen danieder, und
herbeigerufene Arbeiter vom Lande zu Hunderten ebneten die
gethürmte Erde t). Wie der linde Winter die Vertheidigung
begünstigt hatte, so begünstigte er jetzt die Zerstörung.

Unmittelbar nach der Eroberung Breslaus theilten sich
die Feinde in zwei Heerhaufen und zogen, der eine auf Brieg,
und der andere gegen Schweidnitz. Auf ernsten Widerstand
der ersten Feste ward wenig gerechnet. Man wußte, daß

Allgem. Z. S. 192 sind die einzelnen Summen unrichtig angegeben und
fallen um 9030 Thaler geringer aus, als die Hauptsumme.

q) Oder bestimmter (nach dem angezogenen Befehle) so viel, als
zu 150000 Hemden, 30000 Capotten und 150000 Paar Schuben nöthig sei.

r) So z. B. wurden im Januar (Allgem. Zeitung S. 144) 15000
Zentner Rindfleisch und unterm 11 Mai (S. 611) eine Lieferung von
5000 Zentner Waizen, 300000 Scheffeln Hafer und 50000 Pinten Brannt=
wein auf Breslau und Ober-Schlesien gelegt und eine Aushebung von
1500 Pferden geboten. Den Betrag der Leistungen in Natur, mit
Ausnahme der Pferde, versprach man jedoch zu schätzen und ihn von
der Kriegssteuer abziehen zu lassen.

s) Man spielte meist Französische Uebersetzungen. Das Wörtchen
königlich wollte man auf dem Theaterzettel streichen.

t) Schlesische Provinzial-Blätter von 1807 1. 423, vergl. über die
Geschichte der Befestigung der Stadt 436. Die Scheeren-Bastei wurde
den 22. Januar gesprengt. Früher schon hatte ein großer Theil des
Walls vor dem Ohlauer Thore die Gräben gefüllt.

die Besatzung schwach war und der einzige Wall die Annä=
herung nicht erschwere, und weissagte im voraus, eingedenk
des Falls so vieler stärkern Bollwerke, eine zeitige Uebergabe,
nicht fälschlich. Am 16. Januar, nach einer dreitägigen Be=
schießung der Stadt, entsagte der Befehlshaber Cornerut der
längern Gegenwehr auf dieselben Bedingungen, die Breslau
erhalten hatte. Vierzehn hundert Mann zogen kriegsgefangen
aus den Thoren v). Der Wall ward ohne Verzug einge=
stürzt und in eine Fläche verwandelt x).

Bei weitem höher in der Meinung der Menschen stand
Schweidnitz, an dem Abhange des Gebirgs gegründet und
gleichsam die Vorlage der Gebirgsfesten. Seit dem sieben=
jährigen Krieg hatte Friedrich der zweite keine Kosten gescheut
es zu vervollkommnen. Dreizehn Jahre hindurch besserte er,
baute Mauern und Außenwerke, unterwölbte die Wälle, ver=
band alles sorgsam unter einander und vergaß nichts, was
den Besitz sichern mochte *). Die Feste, zu deren Ueberwäl=
tigung er früher neun volle Wochen bedurfte y), sollte dem
Feinde so viel Monate widerstehn.

Schweidnitz, als die Gefahr näher rückte, so wenig in
Vertheidigungsstand, wie Glogau und Breslau, genoß des
Vortheils, daß es, durch den Aufenthalt des Feindes vor
jenen Städten Zeit gewann, sich zu waffnen, und wirklich
verstrich die gewonnene nicht ungenutzt z). Die Besatzung,

v) Allgemeine Zeitung S. 88 und 111 und die Französischen Tags=
berichte Nr. 52, 53.

x) Schlesische Provinzial=Blätter I. 188.

*) Vertr. Briefe II. 103, 104. Schlesische Provinz. Bl. I. 253.

y) Sie ward 1762 vom 8. August bis zum 9. October belagert.
Archenholz in der Geschichte des siebenjährigen Krieges II. 372.

z) Der folgenden Erzählung, um es ein= für allemal zu bemer=
ken, liegt ein glaubwürdiges Tagebuch in den Schlesischen Provinzial=
Blättern von 1807 I. 249—256, fortgesetzt 304—321, und die Belage=
rung und Uebergabe von Schweidnitz von einem militärischen Beobach=
ter in den Vertrauten Briefen II. 103 — 138 (eine scharfe, aber im

anfänglich nicht viel über zwei tausend Mann, stieg allmäh-
lig über sieben tausend; den Mangel an Gewehren (das
Zeughaus war zeitig geräumt und der Vorrath nach Grau-
denz geführt worden) ersetzten theils die der Bürger und
Landedelleute, theils Lanzen, die man eilfertig schmiedete; an
Lebensmitteln war Ueberfluß und der Schießbedarf reichlich.
Auch die Einwohner zeigten Entschlossenheit und guten Willen.
Aber wie bisher überall, so fehlten hier nicht minder den
Obern Einsicht und Kraft, — Erfordernisse, die keine Würde
verleiht und keine königliche Drohung erzwingt. Von Haak,
der eigentliche Befehlshaber der Festung, trug das Gepräge
der Geistlosigkeit auf der Stirne, und setzte seine ganze Ehre
in jene soldatische Rauhigkeit, die im Frieden empört und in
der Gefahr sich meist in nichts auflöst. Von Humboldt, der
ihm zur Seite stand, gehörte zu den Wüstlingen, denen nicht
schwer fällt, das Leben von der Ehre zu trennen, weil sie
ohne Grundsätze leben. Von Lindner, der erste Aufseher über
die Schlesischen Festungen, hatte sich in Breslau einschließen
lassen, und wäre, selbst anwesend und bei allem Reichthum
an Kenntnissen, schwerlich der Retter der Belagerten geworden. Unter den übrigen Kriegsgebietigern war kein Name
von Bedeutung.

Sobald daher der Feind unter Vandamme früh am 10.
Januar vor Schweidnitz erschien, begann hier dasselbe Kriegs-
spiel, das in Breslau gespielt worden war. Eine Aufforderung, die bereits am andern Tage einlief, wies man als
unwürdiges Ansinnen zurück; die beiden Befehlshaber, als
wollten sie das Aeußerste wagen, theilten sich in die Vertheidigung der Werke; die nahen Meierhöfe und das Dorf
Kletschkau, an der Wasserseite der Stadt, wohin die Belagerer sich geworfen hatten, ward von dem Walle herab angezündet; das Geschütz donnerte immerfort, und auch die spar-

---

Ganzen wahre und treffende Rüge der begangenen Fehler und Schändlichkeiten) zum Grunde.

samen Schüsse, die von außen kamen, blieben nicht unerwiedert. Unkundige nahmen, was sie sahn, für Ernst und wähnten sich um so sicherer, je weniger Ernst der Feind bewies. Aber nicht lange, und der Leichtgläubigen Irrthum schwand. Am Morgen des letzten Januars nahm man deutlich wahr, daß der Feind, während der Dunkelheit der Nacht und des Tosens der Stücke, sich an drei Orten in die Erde begraben hatte, und alle Anstalten zum Angriff treffe. Vergeblich schmeichelte man sich, da kein Versuch gegen seine Arbeiten gelang, er werde aus der weiten Entfernung die Basteien und Wälle entweder nicht erreichen, oder ihnen doch wenig schaden. Der Morgen des 3. Februars lehrte, daß seine Absicht nicht den Werken, sondern der Stadt gelte. Ein heftiges Feuer fing an, die letztere zu verwüsten, und dauerte, in kurzen Zwischenräumen erneuert, auch die folgenden Tage. Was irgend die Geschicklichkeit der Belagerten zerstörte, ward schnell wieder hergestellt. Ein Brand nach dem andern leuchtete auf. Wenig löschte der Fleiß der Menschen, weil die Gefahr schreckte; die meisten erloschen in sich selbst ohne Hülfe.

In der Feste erschien, gleich nach dem ersten Beschießen, ein Unterhändler mit friedlichem Antrage, doch ohne friedliche Antwort zurückzunehmen. Als er vorstellte, daß auf keine Rettung zu hoffen sei, Vandamme's Kraft sich täglich mehre, und die Besatzung durch Ueberläufer sich mindre, ward erwiedert, was außer den Wällen vorgehe, könne den Befehlshaber nicht bestimmen, überhaupt gebe es für ihn nur eine Bestimmung, — die Pflicht. Auf solche mannhafte Aeußerung bauten die starken Gemüther alle, und die schwachen suchten sich neu zu kräftigen. Niemand fürchtete in den Gesinnungen leichten Wechsel, am wenigsten schnellen. Um desto tiefer erschütterte, was nach drei Tagen geschah. Am 6. Februar früh in der zehnten Stunde rasteten plötzlich alle Stückbetten des Feindes. Ein Prinz aus dem Hause Hohenzollern, gesandt von dem Prinzen Hieronymus, kam in die

Stadt und berichtete, „wie der König gleichsam in der Ver=
bannung zu Memel lebe, Graudenz belagert werde, Danzig
sich kaum noch halte, an Russische Hülfe nicht zu denken
sei," und verlangte Ergebung. Seit dieser Unterredung fiel
aus der Festung kein Schuß mehr. Man war übereingekom=
men, die Thore zu öffnen, wenn vor dem 16. kein Ersatz
eintreffe, und öffnete sie an dem genannten Tage. An den
König ging ein Bericht, der sich mit geleisteter Gegenwehr
und der Unmöglichkeit sie länger zu leisten brüstete, und
gleichwohl durch die That selbst widerlegt ward a). Der
vorgebliche Mangel an kleinem Geschütz war nur im Fall
des Sturms bedenklich und auch da nicht unüberwindlich,
aller andere Bedarf hinreichend, die Werke unversehrt und
so trefflich, daß der Feind sie einzig den Luremburgischen zu
vergleichen wagte, und fast ungern zerstörte. Was allein
scheinbaren Vorwand gab, war das Durchgehn der Besatzung.
Aber die Sorglosigkeit der Führer, die frühere oft grausame
Behandlung der Gemeinen, und nun die unzeitige Gelindig=
keit gegen die Eingefangenen entkräfteten auch diese Ent=
schuldigung. Ueberdem entwichen die meisten erst nach
beschlossener Uebergabe. Sie hatten sich aus der Gefangen=
schaft gelöst und fürchteten Erkennung und Strafe b).

Von nun an war der Preußen ganze Stärke in Schle=
sien auf die Gebirgsfesten Silberberg, Glatz und Neiße
(vor Cosel stand schon der Feind) und auf einen kleinen doch)

---

a) Er war, wie eine Note in den Vertrauten Briefen II. 128
sagt und Form und Schreibart zu bestätigen scheinen, von einem Rechts=
gelehrten abgefaßt.

b) Nach den Vertrauten Briefen (am angez. Orte, Note) waren
vom 11. Januar bis zum 4. Februar 1704 und nachher in einer einzi=
gen Nacht 415 Mann davon gelaufen. — Die Bedingungen der Ueber=
gabe von Schweidnitz sind übrigens dem 60sten Tagsberichte beigefügt
und auch in Martens Recueil, Suppl. IV. 417 zu finden. Die Spreng=
ung der Werke begann auch hier bald nach der Einnahme der Stadt,
kam aber, wegen des eintretenden Friedens, nicht völlig zu Stande.

muthigen Kriegshaufen unter dem Fürsten von Pleß einge=
schränkt. Gegen diesen, der in der Gegend von Neurode
und Frankenstein lagerte, zog sogleich, als über Schweidnitz
verhandelt war, der Französische Feldherr Lefebvre, und griff
ihn am 8. Februar, in Verbindung mit dem Führer der
Baiern, den Grafen von Beckers, an. Nach einem nicht
unblutigen Kampfe überwältigten sie die Zugänge von War=
tha, warfen die Tapfern, deren viele ihr Grab, mehrere
Wunden fanden, in die Grafschaft zurück und sicherten sich
so die verheißene Uebergabe der Festung, indem sie zugleich
den beschwerlichen Streifereien für einige Zeit ein Ziel setz=
ten. Der Rest der Gemeinen zerstreute sich, ein Theil nach
Böhmen flüchtend, wo er entwaffnet wurde; die Befehlsha=
ber empfingen Pässe und suchten eine der Ober=Schlesischen
Festungen zu erreichen; der Fürst selbst begab sich, in der
Ueberzeugung, daß er mit zu geringen Mitteln und noch
geringerm Glück für seinen König fechte, nach Wien c).

Zu eben der Zeit, wo die genannten Festungen Schle=
siens fielen und die Eroberung der noch übrigen vorbereitet
ward, nutzte Napoleon die Muße, die seinem Heere der
ermüdete Feind gestattete, um auch Colberg in Pommern
und Graudenz und Danzig an der Weichsel, die ihm drohend
im Rücken lagen, zu überwältigen.

Aus der Schlacht von Auerstädt rettete sich, der Fran=
zösischen Gefangenschaft kaum entkommend, ein Unter=Haupt=
mann von der Leibschaar der Königinn über Magdeburg
nach Colberg, um sich dort von seinen Wunden heilen zu
lassen. Ferdinand von Schill, so hieß er, aus einer, weder
reichen, noch bedeutenden Familie stammend *), ein Mann,

---

c) Die Allgemeine Zeitung 198, 215, 295 und die Vertrauten
Briefe IV. 243, vergl. den 60sten Französischen Tagsbericht.

*) Sein Vater, aus Ungarn gebürtig, hatte im siebenjährigen
Kriege zuerst unter den Oestreichern, dann als Parteigänger unter den
Sachsen, zuletzt im Baierschen Erbfolgekrieg unter den Preußen, überall

ohne Geräusch lebend und ohne Ansprüche handelnd, war im
Heere wenig bemerkt; aber er liebte, wenn irgend einer,
König und Vaterland, und gehörte zu den Kriegern, die
leicht durch die Gefahr groß werden, weil sie nicht über sie
vernünfteln, und eben so leicht in ihr untergehen, weil sie
ihr in Unbedacht folgen. Sobald er sich wieder stärker fühlte,
sammelte er einige Tapfern, durchstreifte mit ihnen die nahe
und ferne Gegend, um Nachrichten einzuziehen, und führte,
während der beiden letzten Monate im Jahre, mehrere von
jenen kleinen Ueberraschungen aus, die, wenn sie nicht ent=
scheiden, doch ermuthigen und üben d). Er wäre von allem
Anfang an dem Feinde verderblicher und der Festung nützlicher
geworden, wenn Loucadou, ihr schlaffer Befehlshaber, ihn
williger gehört und der Neid das schüchterne Verdienst nicht
gedrückt hätte e). Gleichwohl gelang es ihm endlich, seine
Thätigkeit und Einsicht geltend zu machen, und der König
selbst genehmigte unterm 12. Januar die Errichtung einer
Freischaar f), um die er ihn schriftlich ersucht hatte.

Wenige Tage nach Empfang jener Vollmacht, waren
einige seiner Leute so glücklich, den Französischen Feldherrn

---

mit Auszeichnung, gedient und lebte, als dieser sein jüngster Sohn ihm
im Jahre 1773 geboren ward, zu Gothoff, einem Gute bei Rosenberg
in Ober-Schlesien. Schill, eine biographische Skizze in Posselts Europäischen Annalen von 1809 I. 83 u. f.

d) Siehe den Anhang zum Tagebuch der Belagerung der Festung
Colberg im Jahr 1807 S. 87 u. f. vergl. die Vertrauten Briefe III. 232.

e) Dieß scheint unter andern der Fall bei einem Zuge gewesen zu
sein, der in den ersten Tagen des Januars, von Colberg aus, gegen
einen feindlichen Streithaufen in Wollin unternommen ward, aber miß-
lang. Schill, der ihm gern beigewohnt hätte, erhielt einen anderweiti-
gen Auftrag. Das Vaterland; Beiträge zu einer Geschichte der Zeit
u. s. w. (auch unter dem Titel: Feuerschirme; bekannt) Berlin, 1808.
Heft II. S. 4 und III. S. 39 und die Französischen Tagsberichte Nr. 52.
vergl. Posselts Annalen am a. O. S. 94 und die Allgemeine Zeit. S. 92.

f) Das Tagebuch 93, vergl. das Vaterland III. 43.

Victor, der nach Stettin reiste, aufzuheben g), was in ihnen und andern großes Zutrauen erweckte. Bald sammelten sich listig Entkommene, und für Lösegeld Entlassene, Verzweifelnde, die Brot, und Leichtsinnige, die Abenteuer suchten, zur Fahne Schills, und er, unterstützt von etlichen braven Waffenbrüdern, arbeitete rastlos an der Bildung und Gestaltung des rohen Vereins, der kühnen Räubern ähnlicher sah, als rechtlichen Kriegsleuten. Ueberall holte man die Tuch- und Leder-Vorräthe herbei, um die Halbnackten wenigstens dürftig zu kleiden. Den Bürgern und Bauern forderte man die Gewehre ab und nahm Schlosser und Schmiede in Anspruch, um Lanzen aus erbeutetem Eisen zu fertigen. Auch nach Stralsund ward um Geschütz und Waffen gesandt, und nicht umsonst. In den kriegerischen Uebungen befliß man sich der höchsten Einfachheit und suchte durch die Wirklichkeit zu belehren. Das Ehrgefühl schärften zweckmäßige Strafen und Belohnungen. In Kurzem erwuchs auf diese Weise ein, wenn auch kleiner doch an Muth und Entschlossenheit unverächtlicher Haufe von etwa tausend Füßern, Reitern und Feuerwerkern h).

So wenig die Anzahl überhaupt Bedeutendes ausführen konnte, so sehr nutzte sie schon in ihrem Entstehen der Stadt. Nicht nur die Gegend bis hinab nach Naugard, wo Schill sich befestigte, und darüber hinaus bis nach Stargard blieb von den Verheerungen und Streifereien des Feindes unverletzt; auch die Versorgung mit Lebensmitteln, die Colberg bedurfte, ward sehr erleichtert. Den Muth der Besatzung, von der Einzelne sich zuweilen der Schillischen Mannschaft anschlossen, hoben die errungenen, wenn gleich nicht glänzenden Vortheile. Mehrere dienliche Punkte um die Festung her wurden in Zeiten aufgefaßt und voraus durch Schanzen gesichert. Doch machten Schill und die Braven

g) Der 53ste Französische Tagsbericht.

h) Das Vaterland III. 43 u. f. vergl. die Vertrauten Briefe III. 234.

um ihn sich dann am meisten verdient, als die Befürchtung zur Wahrheit ward und in Gefahr überging i).

Colberg, im siebenjährigen Kriege zweimahl fruchtlos belagert, und das dritte Mahl nur nach vier Monaten und durch Hunger bezwungen k), bewahrte noch die Erinnerung ruhmvoller Gegenwehr. Seine Bürger, damals Knaben und Jünglinge, jetzt bejahrte Männer und Greise, bedachten, welchen Nutzen ihre hartnäckige Vertheidigung Friedrich dem zweiten gebracht, und wie schöne Zeit der Feind vor ihren Werken verloren habe, und stählten sich nicht bloß zur Ertragung, sondern zum Widerstand. Vor allen ragte unter ihnen hervor ein Siebenzigjähriger l), der Stadtälteste Nettelbeck. In ihm wohnte die ganze besonnene Kraft und Unerschrockenheit, die das Meer giebt, auf dem er einen beträchtlichen Theil seiner Tage verlebt hatte m). Wo es galt, blieb er nicht dahinten, sondern eilte voran. Ihn dünkte löblich, zu retten, wo alle verzweifelten, und gewöhnlich ward seine Kühnheit belohnt n). Dabei liebte er keine Stadt, wie seine Vaterstadt, und keine Verfassung, wie die Preußische o). Sie, in der er sich wohl befand, mit Gut und Blut zu erhalten, achtete er für die erste Obliegenheit, und er sprach dieß Gefühl um so lauter aus, je kleinmüthiger die Schwäche sich äußerte. Die Krieger befeuerte sein Wort; auf sein Beispiel sahen die Bürger. Hoch vor vielen stand bei ihm Schill, weil er hochherzig dachte; dem Befehls=

---

i) Das Vaterland II. 3.

k) Archenholz in der Geschichte des siebenjährigen Krieges, II. 294.

l) Das Vaterland II. 46. Vertr. Briefe III. 238.

m) Anhang zur Belagerung Colbergs 121, und der Bürger Nettelbeck während der Belagerung der Festung Colberg. Colberg, 1808 S. 7. 9.

n) Der Bürger Nettelbeck S. 10.

o) Das. 5. 6.

haber Loucadou sagte er mehr denn einmahl die trockene Wahrheit p).

So von dem Muthe eines kleinen Haufens außerhalb der Wälle und von der Furchtlosigkeit der Bürger innerhalb geschützt, erwartete die Festung den Feind. Er erschien, meist aus Welschen Kriegern bestehend, in der Mitte des Hornungs, befehligt vom Feldherrn Teulié q) und die Preußen unter Schill zogen sich von Naugard auf Treptow und von da über die Rega heran an Colberg r). Jener, nach Verdrängung der Vorwacht, ging bei Cörlin auf der Persante rechtes Ufer, wo Colberg liegt, und arbeitete seiner Absicht vor, indem er mehrere der entferntern Werke s) gewann, und das befestigte Dorf Selnow t) eroberte, zum Theil, weil Loucadon keine Unterstützung gewährte. Schon nach der Mitte des Märzes war er, wie tapfer man ihn auch anhielt, so weit gekommen, daß es rathsam schien, die Lauenburger= und Gelder=Vorstadt den Flammen zu überge= ben v) und sich auf die Behauptung des Nähern einzu= schränken.

Am linken Ufer der Persante, die eine halbe Stunde unter Colberg sich mit der Ostsee mischt und den Hafen der Stadt, die Münde genannt, bildet x), liegt, mit Bäumen besetzt und durch Moräste gedeckt, ein unebener Hügel, die Mai=Kuhle, am rechten Ufer die Mündner=Schanze, ein altes

---

p) Das Vaterland II. 42. Feuerbrände X. 104.

q) Der 63ste und 66ste französische Tagsbericht.

r) Das Vaterland II. 5.

s) Die Hohenberger Schanze und die Höhe von Altstadt am 14., die Struckertsberger Schanze am 20. Das. 7. 10.

t) Am 19. März. Das. 9.

v) Jene am 14., diese am 21. März. Vaterland II. 8. 10, vergl. Tagebuch 9. 10. 11.

x) Büschings Erdbeschreibung VIII. 779, vergl den Plan. von den Umgebungen Colbergs in Tempelhofs Geschichte des siebenjährigen Krieges, Band V.

19*

Werk mit stumpfem Thurm. Auf der Sicherung und Ver=
theidigung dieser Oerter beruhte Colbergs Zusammenhang
mit der Welt und die Möglichkeit auswärtiger Hülfe. Da=
rum sorgte man jetzt bei dem größern Andrange des Fein=
des, daß er wenigstens hier keinen Raum gewinne und die
See offen erhalten werde. Ein Kreis von Aufwürfen schloß
rund umher die Mai=Kuhle ein, und damit auch die Münd=
ner Bergfeste nicht gefährdet sei, verstärkte man sie durch
ähnliche Anlagen und errichtete zugleich auf dem Wolfsberge,
östlich der Stadt, am Meeresstrand, eine Feldschanze. Dieser
Maßregel entsprach der Erfolg. Der Feind versuchte sich
auf beiden Seiten, immer vergeblich und mit großem Ver=
lust y), und in den Hafen liefen unter seinen Augen Schiffe
aus England, Dänemark, Schweden und Polen ein, Zufuhr
bringend, und Kriegsbedarf und mehrere Hunderte Losge=
kaufter z).

Während dieser wechselseitigen Bestrebungen einander
zu schaden, kam in die Festung eine Nachricht, die alle er=
heiterte. Der Französische Marschall Mortier, der in Schwe=
disch=Pommern stand, nicht, um die Schweden zu befehden
(Napoleon wünschte Frieden und Freundschaft mit dem feind=
selig gesinnten König), sondern um sie zu beobachten, war
gegen den Ausgang des Märzes sammt dem größern Theil
der Mannschaft vor Colberg gerückt a). Seine Abwesenheit
nutzten die in Stralsund, indem sie in den ersten Tagen des
Aprils einen glücklichen Ausfall wagten und den geschwächten
Haufen bis über die Peene trieben. Schon wußte man,
daß Demmin und Anklam besetzt sei und hoffte auf die Be=
freiung Stettins. Auch die Ruhe, die seit dem 13. April
vor Colberg herrschte, und die schnelle Räumung mehrerer
Dörfer ward von den Belagerten für ein fröhliches Anzei=

---

y) Das Vaterland St. II. 10 u. f.

z) Daf. 12. 13, vorzüglich 16. 17, vergl. das Tagebuch S. 21. 27.

a) Der 71ste Französische Tagsbericht.

chen ausgedeutet b), dem die Beherztern gern gefolgt wären. Allein die Aussicht trübte sich nur zu bald. Die Schweden, zu unbedächtig vorwärts dringend, erlagen am 16. einem Angriffe zu Belling, der sie zum Rückzug nöthigte. Ein Waffenstillstand, zwei Tage später zu Schlatkow eingegangen, verpflichtete sie, die Festen Colberg und Danzig ihrem Schicksale zu überlassen c), und Mortier rückte von neuem und mit größerer Sicherheit vor die erstere, die, bis jetzt nur durch einzelne Granaten beunruhigt und wenig beschädigt, nun unter der Leitung Loisons d), täglich enger beschränkt und ernster bedroht wurde.

Bei so zunehmender Gefahr ward der Besatzung und Bürgerschaft immer banger, am meisten, weil sie weder den Anordnungen noch der Beharrlichkeit Loucadou's traute, und auch Schill sie verlassen hatte e), als der König ihnen einen neuen Befehlshaber sandte. Der Oberste von Gneisenau, der am 29. April eintraf f), genoß längst der Achtung des Heers. Was sein Aeußeres verkündigte, war er wirklich, fest und bestimmt, dabei unermüdlich im Dienst und überall, wo es galt, zugegen. Wer ihn sprechen wollte, dem stand er Rede, und jeder Meldung war er zu jeder Stunde gewärtig *). Kaum einige Tage unter den Augen der Bürger, erregte er in allen die Meinung, er, von Anfang an Befehls=haber und in Verbindung mit Schill, wäre den Feinden

b) Das Vaterland II. 15, vergl. das Tagebuch 20.

c) Französische Tagsberichte Nr. 71. 72, vergl. die Allgemeine Zeitung S. 484. 487.

d) Der 69ste Französische Tagsbericht.

e) Er war am 15. April für seine Person zu Schiffe nach Schwedisch=Pommern gegangen, um dort die nöthigen Vorkehrungen zum Empfang eines Preußischen Heerhaufens zu treffen, der unter Blücher in Vereinigung mit den Schweden einen Angriff im Rücken der Franzosen ausführen sollte. Posselts Annalen von 1809 S. 96.

f) Das Vaterland II. 16. und das Tagebuch 26.

*) Feuerbrände X. 107.

weit verderblicher geworden g). Jetzt da diese schon die
Nähe der Festung erreicht und nicht nur ihre Streitkräfte
gemehrt, sondern auch, woran es lange fehlte, sich reichlich
mit schwerem Geschütz versehen hatten h), arbeiteten sie,
allen Hindernissen trotzend, an der Fortführung ihrer Lauf=
gräben und Erweiterung ihrer Schanzen, und begrüßten die
Stadt nicht mehr einzeln und unterbrochen, wie bisher,
sondern häufig und anhaltend mit Bomben i). Also stand
es am Ende des Mais um Colberg.

Die Festung Graudenz, die Friedrich der zweite, daß
die Russen ein Bollwerk fänden, neben der gleichnahmigen
Stadt anlegte, war bereits am 16. November 1806 nicht
lange, nachdem der König auf seiner Durchreise sie verlassen
hatte, von dem auffordernden Feinde versucht worden, ohne
Wirkung. Mit sieben tausend Kriegern besetzt, an ihrer
Spitze ein alter erfahrner Befehlshaber, Courbiere, und mit
allem wohl versehn, durfte sie den Angriff nicht scheuen;
auch vergingen mehrere Monate, ehe ihr einer geboten
wurde. Was sich von Zeit zu Zeit sehen ließ, waren kleine
feindliche Abtheilungen, zu schwach an sich, um Ernstliches
zu wagen, und ohne alles Geschütz. Die einzige Gefahr,
die man zu bestehen hatte, kam von Innen, von der Wider=
spänstigkeit der Vertheidiger, die, zum Theil aus Polen
bestehend, ihren Führern trotzten und oft durch Härte ge=
zähmt werden mußten. Erst am 11ten Tage des Hornungs
zog ein größerer Kriegshaufe, Franzosen, Polen, und Hessen,
über die Weichsel und bemächtigte sich der Stadt Graudenz.
Seit dem war es in und um die Festung lebendiger. Aus
dem nahen Neudorf, wohin sich der Feind warf, trieben ihn
die Belagerten wieder heraus. Eben sie verdoppelten ihre

g) Feuerbrände X. 107.

h) Gegen Ende Aprils traf eine beträchtliche Anzahl ein. Va=
terland II. 15.

i) Das Tagebuch von S. 28 an.

Wachsamkeit auf die Weichselschiffe, die sich Nachts strom=
abwärts schlichen, und übten gegen die Ueberläufer, die
manchmahl zu dreißigen ihre Posten verließen, volle Strenge.
Dagegen hemmten die Belagerer die bis jetzt ungestörte Ver=
bindung mit der Stadt. Dennoch blieb alles, was gegenseitig
unternommen ward, ohne Kraft und die Festung unangetastet
bis zum Ausgange des Mais. Die Feinde hatten, so viel sie
Volk im Felde entbehren konnten, vor Danzig gesammelt
und bedurften seiner daselbst k).

Danzig, vor seiner Ergebung an die Preußen hart
bedrückt und in seinem Wohlstande beschränkt, hatte sich, seit
der Unterwerfung zusehends gehoben. Die Zahl der Ein=
wohner war im Steigen. In seinen Häfen und Münden
liefen im Jahr 1803 über tausend acht hundert Fahrzeuge
ein und eben so viele aus. Der Werth der eingebrachten
Waaren betrug über siebenthalb Millionen, die ausgeführten
über drei hundert und fünfzig tausend Thaler l). Wie die
Stadt vor Alters eine Perle in der Krone derer, welche
die Hanse bildeten, gewesen war, so strahlte sie nun als
Edelstein im Kranze der Preußischen Handelsstädte längs der
Ostsee. Gegen einige Oerter hat sich die Natur zu gütig
erwiesen, als daß sie je der Ungunst der Verhältnisse, oder
dem Undanke der Menschen erliegen könnten.

Wenn schon die Blüthe und der große Reichthum der
Stadt die Aufmerksamkeit des Freundes und Feindes auf
sie lenkte, so wuchs diese Wichtigkeit noch weit mehr durch
ihre Lage. Zwar der glückliche Augenblick war versäumt,
wo man von hier aus, mit fremder oder eigener Kraft, viel=
leicht gegen die Küste, vielleicht zwischen der Weichsel und
Oder, Schrecken verbreiten mochte; aber für den König selbst

---

k) Vertr. Briefe V. 21. 25. 42. 49. 57. 58. und die Allgemeine
Zeitung S. 282.

l) Steins Geographie I. 603. Ueber Danzigs Verfall liefert
Leonhardi V. 360. 365 merkwürdige Nachweisungen.

hatte Danzig an Bedeutung eher gewonnen, als verloren.
Der linke Flügel des Französischen Heeres ermangelte der
Stütze, so lange ihm Danzig im Rücken lag und konnte von
dem jetzigen Standpunkte aus nicht einmahl sicher vorschrei=
ten. ·Die Bewegung vom Bug nördlich hinauf nach der
Passarge machte beides neue Entwürfe und neue Maßregeln
nöthig.

Daß Napoleon die erstern zu fassen und die letztern zu
wählen wußte, zeigte sich sogleich nach der blutigen Schlacht
von Eylau. Der Pole Dombrowski stand, seit dem Ende
des Januars, acht Meilen unterhalb Danzig, aber der Haufe
der Landsleute, der ihn umgab, war nicht stark genug, um
etwas zu unternehmen. Auf Beobachtung aus der Ferne
beschränkt, mußte er es geschehen lassen, daß die Preußen
sich bis nach Dirschau hin ausbreiteten und ungestört in der
Gegend umher herrschten. Diese Freiheit wurde nach der
Mitte des Hornungs bedroht. Franzosen und Badener und
später auch der größte Theil der Sächsischen Hülfsvölker
zogen allmählig den Polen zu, und der Französische Feldherr
Lefebvre erhielt den Oberbefehl. Alle Anstalten verkündigten,
daß man mit Nachdruck verfahren wolle m).

Die Lage Danzigs, als Festung, ist, überhaupt genommen, eine der vortheilhaftern. Die von jeher wohl verwahr=
ten und nie vernachläßigten Ausflüsse des Weichselstroms
sichern ihm den Zusammenhang mit dem Meere. Eine lange
Erdzunge, die frische Nehrung, die sich zwischen diesem und
dem frischen Haff hinstreckt, und von Pillau durch eine nur
schmale Meerenge, das Gatt, getrennt wird, unterhält
gewisser Maßen eine Landverbindung mit der genannten
Seestadt und dem ihr benachbarten Königsberg. Auf der

---

m) Die Französischen Tagsberichte Nr. 63. 69, vergl. die Allgemeine Zeitung S. 335. Die Sachsen trafen, nach Posselts Annalen
von 1807 IV. 185, vergl. die Allgemeine Zeitung S. 436, am 10. März
vor Danzig ein.

Oſtſeite mögen Ueberſchwemmungen den Zugang wehren; auf
der Weſtſeite dienen die Verſchanzungen auf dem Biſchoffs=
und Hagelsberg zu ſchützenden Vormauern. Die Werke der
Stadt ſelbſt, obgleich unter Preußiſcher Herrſchaft weder ge=
mehrt, noch verſtärkt n), ſind mächtig und die Gräben naß,
nicht zu gedenken der nördlich vorliegenden Holm=Inſel, die
von der Weichſel gebildet wird und befeſtigt iſt o).

Dieſen natürlichen Vortheilen kam noch beſonders die
Zeit zu Statten, die zur Benutzung gegeben ward. Alle
übrigen Feſtungen Preußens durften, ſchlecht verſorgt, wie
ſie waren, wenigſtens die Ueberraſchung der Feindes für
ſich geltend machen; Danzig konnte ſich drei Monate beſin=
nen und rüſten. Ueber dem war die Beſatzung, von allem
Anfange, an ſechzehn tauſend Mann ſtark p), der arbeitluſt=
ſtigen Hände, bei dem Stillſtande alles Verkehrs, ſo viele,

---

n) Geſchichte der Belagerung und Einnahme Danzigs in den
Neuen Feuerbränden VII. 1 — 121 S. 15. 16, ein herber, hie und
da übertreibender, aber im Ganzen zuverläſſiger Aufſatz, der, ſo viel
ich weiß, auch einzeln abgedruckt worden iſt. — Ein ziemlich vollſtän=
diges Verzeichniß der zahlreichen Schriften, welche die Einſchließung
und Eroberung Danzigs veranlaßt hat, findet ſich in der Halliſchen
Litteratur=Zeitung von 1809 III. (October) Nr. 276. Als eigentliche
Beweis=Stücke hat man die Belagerung von Danzig im Jahre 1807,
aus den Original=Papieren des Feld=Marſchalls, Grafen von Kalkreuth,
Poſen und Leipzig, 1809 zu betrachten und ihnen das, von Franzö=
ſiſcher Seite geführte, Tagebuch der Belagerung, eine Zugabe zum
71ſten bis 77ſten Tagsberichte, beizufügen. Auch das Schreiben eines
Augenzeugen in der Allgem. Zeitung S. 768 u. f. verdient Beachtung.

o) Es giebt mehrere Grundriſſe von Danzig und ſeinen Umge=
bungen. Die brauchbarſten ſind der von Sotzmann, Berlin, 1783 und
der Plan von der Gegend um Danzig, im Anfange des Jahrs 1807,
entworfen von F. B. Engelhardt, geſtochen von T. Marc und heraus=
gegeben von C. Gall, Berlin, 1813.

p) Wenigſtens nach Angabe des 77ſten Franzöſiſchen Tagsberichts,
mit dem die Feuerbrände VII. 44 übereinſtimmen. In der Folge ſtieg
ſie bis zu 21000 Mann. S. Blechs Geſchichte der ſiebenjährigen Leiden
Danzigs. 1 19.

die Bürger jeder Aufforderung zu genügen bereit, und die
Gefahr nicht zweifelhaft p).

Wirklich geschah das Gewöhnliche. Schanzpfähle in
Menge wurden eingesenkt, um sich dahinter zu bergen. Die
alten Werke beeilte man sich auszubessern und einige neue
anzulegen. An die Bürger gingen öffentliche Warnungen
und Ermahnungen. Selbst die Vorstädte, in denen zum
Theil die herrlichsten Gartenhäuser prangten und Gewerbe
und Handel blühten, vermaß man zeitig und brach sie bis zu
einer gewissen Entfernung ab. Aber viel Nöthiges ward
gleichwohl auch hier vermißt, weil Eigensinn und beschränkte
Ansicht theils früher gutem Rath widerstrebt hatten, theils
noch widerstrebten. Man fürchtete den hervorragenden Zigan=
ken= und Stolzenberg und mußte sich gestehen, daß die Zeit
weder ihre Abtragung noch ihre Verbindung mit den Vorfe=
sten des Bischoffs= und Hagelsbergs erlaube. Man erin=
nerte an einen Brückenkopf bei Dirschau und an die Be=
setzung des reichen Werders und die Erinnernden erhielten
zur Antwort, daß beides außerhalb dem Bezirk gefaßter Ent=
würfe liege. Man wünschte die Städte Mewe und Star=
gard in Waffenplätze verwandelt, und die Vorstädte Schottland
und St. Albrecht vertheidigt, und es unterblieb, weil man
glaubte, daß jene zu entfernt und diese von der Festung aus
zu behaupten wären r).

Zur Berennung Danzigs bereitete ein Treffen vor, das
Dombrowski mit den Polen und Menard an der Spitze der
Badener den Preußen am 23sten des Hornungs bei Dirschau
lieferte. Von der Besatzung Preis gegeben, was alle Wunder
nahm, wurde der kleine Haufe zurückgedrängt, einen Wider=
stand leistend, der des tapfersten Beistands werth war s).

---

q) Feuerbrände VII. 24. 25.

r) Die eben angeführte Belagerungs=Geschichte Danzigs in den
Neuen Feuerbränden VII. 24. 36. 21. 15. 25. 27.

s) Die amtlichen Berichte in der Allgemeinen Zeitung S. 356.
362. 366. Auch der 63ste Tagsbericht erwähnt dieses Vorfalls.

Zugleich zerstreuten sich die Sieger in den Umgebungen, plünderten, brandschatzten und verheerten, in allem gar nicht oder zwecklos gehindert. Nicht lange darnach (es war in den ersten Tagen des Märzmonats und eben Markttag) wirbelte die Lärmtrommel durch die Straßen und ertönte (ungewiß, ob leichtsinnig verbreitet, oder thöricht geglaubt) der Schreckens-Ausruf, der Feind stürme. Ein kräftiger Ausfall hätte die kleine Masse der Angreifenden zurückge= wiesen: aber statt dessen begnügte man sich die Thore zu schließen, ließ ruhig geschehn, daß der Feind die Außen= Posten vollends rückwärts warf und sich in den Vorstädten festsetzte. Seitdem erneuerten sich täglich die Befürchtungen in der Stadt, das Plänkeln rund umher, und der Jammer der Anwohnenden, deren Häuser man von dem Walle herab zerstörte t).

Die Rastlosigkeit Lefebvres, die Unthätigkeit, zu der sich der Ober=Befehlshaber Mannstein (seit dem 24sten des Hor= nungs) durch einen Beinbruch gezwungen sah *), und der Maßstab der Vertheidigung, der in den verlornen Vortheilen gegeben war, ließen fürchten, Danzig werde, bald allenthal= ben eingeengt, sich nicht lange halten, als aus Memel der Feldmarschall von Kalkreuth eintraf und den Oberbefehl über= nahm. In dem Manne war vieles, was ihn empfahl. Mit der Erfahrung des Greises verband er die Kraft der Jugend. Was zu thun sei, sah er bald und verschob die Ausführung nie. In dem Heere besaß er nicht gemeines Vertrauen, und die Danziger, deren Stadt er seit der Besitznahme befehligt hatte v), liebten ihn aufrichtig und lebten schon bei der Nach= richt von seiner Ankunft neu auf. Sein Einzug, — er traf

---

t) Die Neuen Feuerbrände VII. 29. 31. 41. 44.

*) Geschichte der siebenjährigen Leiden Danzigs von A. F. Blech, Danzig. 1815, I. 27.

v) Die neuen Feuerbrände VII. 19. 44.

am 11. März über die Nehrung ein x) — war daher für die Bürger ein Fest und für ihn ein Triumph. Man glaubte die Stadt gerettet, weil er mit ihrer Beschützung beauftragt war y).

Ihm selbst entging nicht, was man alles vernachlässigt habe; aber er bedachte, wie verdienstlich jetzt noch Abwehr und Fristung sei, und lenkte dahin seine Aufmerksamkeit. Die Ueberschwemmung der Ostseite Danzigs kam schnell zu Stande z). Die noch behaupteten Außen-Posten wurden sorg= fältig verstärkt a). Den Verlust mehrerer Mühlengänge durch die Ableitung der Radaune wußte man zu ersetzen b). In der Stadt selbst wirkten zweckmäßige Befehle und der Bürger guter Wille zur Ordnung c). Die jungen Fähndriche und Unter=Hauptleute, die alles bekrittelten, erfuhren den herben Spott des Feldmarschalls und die Gemeinen, die sich feige bewiesen, schimpfliche Auszeichnung d). Was ein= zig für die Zukunft Besorgniß weckte, war die Zunahme der Ueberläufer, der Bedarf an Futter für die Reiterei, der all= mählig eintrat, und der Mangel an Fußvolk e). Dem letz= tern konnten allein die Russen abhelfen, und man hoffte es um so gewisser, da Danzig das Gelingen des nächsten Feld= zuges sicherte und der Weg über die Nehrung noch offen stand.

Aber ehe die geforderte und versprochene Hülfe eintref= fen konnte, war die Nehrung bereits dahin. Diese schmale Landzunge schien gegen allen Angriff aufs beste gedeckt.

---

x) Die früher erwähnten Original=Papiere des Grafen von Kalk= reuth S. 8.

y) Die Feuerbrände 47, vergl. Blechs Geschichte u. s. w. 1. 29.

z) Kalkreuths Papiere 13. 31.

a) Das. 15.

b) Das. 16.

c) Das. 18.

d) Feuerbrände VII. 85.

e) Kalkreuths Papiere 25. 32.

Nicht nur hinlängliche Mannschaft mit Geschütz vertheidigte
sie; die Natur selbst hatte sie so gebildet, daß sie allein über
die Weichsel hin auf Böten und Prahmen versucht werden
und wenige vielen widerstehen mochten, als der Feind gleich=
wohl alle Schwierigkeiten, und ohne große Einbuße, über=
wand. In der Frühe des 20. Märzes sandte er einen Heer=
haufen nach der Weichsel, der unbemerkt übersetzte und die
Preußen mit großem Erfolg anfiel. Der eine Theil ihrer
Leute ward aus einander gesprengt, der andre abgeschnitten
und nach Pillau getrieben, ein dritter, der helfend herbeieilte,
zurückgeworfen. Es war nicht zweifelhaft, wer die Schuld
trug. Der Feldherr Rouquette, der hier befehligte, hatte den
Kosaken=Pulk, der ihn umgab, Tags zuvor, gegen Gebot und
Klugheit, nach Fahrwasser gesandt und sich ohne Kundschaft
und Reiterei überraschen lassen. Alle fühlten tief, wie durch
den Verlust der Nehrung die wichtige Verbindung mit Kö=
nigsberg nun dabin und Danzigs Lage um vieles verschlim=
mert sei, und ließen sich kaum überzeugen, daß kein Verrath
obwalte f).

Von jetzt an beruhte alles auf der Behauptung der
Weichsel, um sich wenigstens die See frei zu erhalten, und
es fehlte zum Glück nicht an Mitteln. Ein bedeutender Haufe
Russen, der unter Tscherbatow vom 26. März bis zum 1.
April in verschiedenen Abtheilungen landete, und zugleich die
Preußen, die von der Nehrung nach Pillau gedrängt worden
waren, wieder mitbrachte g), unterzog sich sogleich der Ver=
theidigung. Nicht nur Neu=Fahrwasser und Weichselmünde,
die des Stromes Austritt ins Meer beherrschten h), auch
die Holm=Insel, die seinen Zusammenhang mit der Stadt
sicherte, wurden hinlänglich besetzt und mehreres vorgekehrt

f) Kalkreuths Papiere 46, vergl. die Feuerbrände VII. 60 und
die Allgemeine Zeitung S. 436.

g) Kalkreuths Papiere 66. 67. 71. 79.

h) Daf. 67.

zur Rettung i). Vier bewaffnete Fahrzeuge auf dem Fluſſe
ſtörten und ſchützten k). Die ſchwache Seite des Olivaer
Thores bis zum Holzraum hin ſtärkte ein neues wohl gelun=
genes Werk. Weiter ab vor demſelben Thore auf einer An=
höhe arbeitete man eine zweite Schanze. Gleiche Aufmerk=
ſamkeit erfuhren andere vernachläſſigte oder zuſagende Orte
um die Stadt l).

Aber auch der Feind nutzte die Vortheile der Umgebung
und was er bereits errungen hatte, und bereitete alles zu
den Gewaltangriffen vor, die er, wegen Mangel an grobem
Geſchütz noch nicht wagen konnte. Auf den günſtigen Anhö=
hen des Ziganken= und Stolzenberges ſich bei nächtlichem
Dunkel einwühlend, kam er ſo der Stadt näher und bedrohte
zugleich die vorliegenden Werke des Hagels= und Biſchoffs=
berges m). Um die neu errichtete Schanze vor dem Olivaer
Thore kämpfte er zwei Nächte (den 12. und 13. April) hin=
durch und zwang ihre Vertheidiger ſie aufzugeben n). Selbſt
an der Nordſpitze des Holms gewann er während der Nacht
auf den 16. April feſten Fuß, indem er, wo die ſo genannte
Lake wieder in die Weichſel tritt, ein Werk aufwarf und die
Gemeinſchaft zwiſchen der Münde und Stadt erſchwerte o).
Immer klärer ward, was man an der Nehrung verloren
habe, und dringender Kalkreuths Wunſch, man möge ſie von
Königsberg aus wieder nehmen p). Auch die Beſchießung
der Stadt fürchtete er, ſeit der Feind ſo unverdroſſen auf

---

i) Kalkreuths Papiere 76, vergl. 103, 119.

k) Daſ. 98.

l) Daſ. 99, 103, 116, 117.

m) Daſ. 97, 146, und das Franzöſiſche Tagebuch über die Belagerung Danzigs vom 1. bis 16. April.

n) Kalkreuths Papiere 116, 126, vergl. das Franzöſiſche Tagebuch
und die Allgemeine Zeitung S. 503.

o) Kalkreuths Papiere 118, 120, und das Franzöſiſche Tagebuch
vom 16. April.

p) Kalkreuths Papiere 129.

der Wefifeite schanzte, und erließ an die Einwohner Warnun=
gen, die doch wenig geglaubt, und vielfach bespöttelt wurden.
Einige trauten der Sage, es fehle an Geschütz; andere mein=
ten, Danzig sei aus so weiter Ferne unerreichbar. Man lebte
ruhig bis in die Nacht, die dem 23. April folgte q).

Da plötzlich um zwölf Uhr, bei klarem Himmel und
hellem Mondlicht, wurden zu Langenfuhr und auf dem Zigan=
kenberg Zeichen gegeben, und in der Luft erhob sich wildes
Sausen und Zischen. An achtzehn hundert Kugeln und Bom=
ben flogen binnen dreizehn Stunden (so lange währte das
erste Feuer) hinein in die Stadt, vorzüglich in die Altstadt
und Rechtstadt und häuften Schrecken und Unglück. Eine
Menge Einwohner flüchtete in die schußfreien Gegenden, am
meisten nach Langgarten und in die Niederstadt, viele Reichen
in die unbetretenen, vielleicht auch ungesehenen Hütten der
Armuth, andere in Gewölbe und Keller r).

Je unrichtiger man die Gefahr gewürdigt hatte, um so
tiefer erschütterte sie die Gemüther, und je sorgloser die Ver=
wahrung gegen sie versäumt worden war, desto allgemeiner
siegte die Verwirrung ob. Die Belagerer selbst, obwohl ihre
Schanzen vielfach beschädigt und die Krieger darin getödtet
wurden, richteten ihr Geschoß unablässig, jetzt auf die Wälle,
jetzt in die Stadt, am kräftigsten gegen den Hagelsberg,
dessen Werke ungemein litten s). Vierzehn Tage lang äng=
stigten sie so die Feste, aber die Beharrlichkeit der Bürger
bestand, und der Befehlshaber verwarf jeden Antrag, als ein
neuer Unfall, schmerzlicher noch, als der Verlust der Neh=
rung und zum Theil eine Folge von ihm, wenn nicht die
Kraft beugte, doch die Hoffnungen niederschlug.

q) Feuerbrände VII. 71, 72.

r) Kalkreuths Papiere 149, vergl. das Französische Tagebuch vom
23. April und die Feuerbrände VII. 73 u. f.

s) Die Tagsberichte bei Kalkreuth S. 149, 160, 177, 197, und
das Französische Tagebuch.

Der Holm, der einzig die gehemmte Verbindung mit Königsberg unterhielt, schien trefflich geschützt. Tausend fünf hundert Russen hatten seine Vertheidigung übernommen. Eine hinlängliche Anzahl Preußischer Feuerwerker mit funfzehn Stücken schweren Geschützes standen ihnen zur Seite. An Schießbedarf jeder Art war kein Mangel t). Die Insel selbst, von vorn gedeckt durch die Münde und Fahrwasser, im Rücken von der Stadt, mit deren Werken sie zusammenhing, war nur über den Strom hin und im Angesicht der Besatzung zu nehmen, und zügelte den Feind sowohl rechts auf der Nehrung, als links gegen Schellmühle. Allgemein herrschte die Meinung, sie sei, wie auf das tapferste zu vertheidigen, so in ihrem jetzigen Zustande kaum verlierbar v). Desto mehr erbitterte ihre Einbuße und empörte die Art, wie sie genommen ward. Drei hundert Franzosen setzen in der Nacht auf den 7. Mai in schmalen Böten über den Strom x). Der Feind vernimmt ihre Bewegung. Zwei oder drei Schüsse fallen. Jene rudern um desto eifriger. In wenig Augenblicken ist die Landung vollbracht. Auf nichts als ihre Kühnheit gestützt, überraschen sie, dringen vorwärts, während eine Hülfe von Badenern und andern ihnen nachschifft, würgen und nehmen gefangen. Alles Geschütz mit Ausschluß e i n e s Stücks, kommt in ihre Hand, auch die Kalkschanze, die man von hinten angreift y). Wie, wo vieler die Schuld ist, jeder Einzelne der Schuldlose sein will, und die Wahrheit zu finden schwer wird, so hat sie sich auch in diesem Falle nicht rein ergeben. Dennoch leidet es kaum einigen Zweifel, daß Schlaf und Trunkenheit die Ursachen des Verderbens gewesen sind z).

---

t) Kalkreuths Papiere 202, vergl. die Feuerbrände VII. 90.

v) Die Feuerbrände VII. 90, 91.

x) Kalkreuth am angez. Ort, vergl. 237 und das französische Tagebuch vom 7. Mai.

y) Die oben erwähnten Zeugen.

z) Die Feuerbrände 92.

In Danzig stieg, seit der unglücklichen Nacht, mit der
Furcht der Bewohner zugleich die Schwierigkeit der Verthei=
digung. Die Besatzung war zu geschwächt und zu unsicher,
um die Wiedereroberung des Holms zu versuchen. Der Zu=
sammenhang zwischen der Münde und Fahrwasser und die
Zufuhr über See, bisher erschwert, hörte ganz auf. In dem
untreuen Kriegsvolke wuchs durch die kümmerliche Lage der
Festung die Begierde sie zu verlassen. Der Feind selbst, den
größern Spielraum nutzend, und im Besitze beider Weichsel=
ufer, schleuderte seine Geschosse immer freier und weiter um=
her, faßte den erschütterten Hagelsberg nun auch seitwärts
und stellte die zertrümmerten Schanzen wieder her. Wie
kräftig auch der Widerstand war, den man leistete, erlag er
doch der an Mitteln reichern Gegengewalt und mußte ihr
wohl erliegen, da des Pulvers zu schonen nöthig ward a).

Mitten in diesem Bedrängniß erfuhr die Stadt eine un=
erwartete Freude. Es war am 12. Mai, als sich allgemein
die Kunde verbreitete, ein Entsatz zur See sei im Anzug.
Man nannte sich die Anführer, die Zahl der Schiffe, die
Namen der einzelnen Heerhaufen. Kalkreuthe selbst bereitete
sich zu irgend einem großen Ereignisse vor, und in der Ge=
gend umher war der Feind in steter Bewegung, das Feuer
auf die Stadt, wie in derlei Fällen geschieht, heftig. Die
Sage blieb nicht bloß Sage. Fünf tausend drei hundert
Russen und tausend drei hundert Preußen unter dem Ober=
befehle des zweiten Kamensky hatten sich in Pillau einge=
schifft und landeten am 12. und 13., ein Theil bei Neu=
Fahrwasser, ein anderer auf der Nehrung. Um die Feste
Weichselmünde, in der Entfernung eines Büchsenschusses, zieht
sich ein Wald, längs dem Meere zum Strom, schon an sich
durch Steine und Tiefen beschwerlich, und mittelst Verschan=
zungen und Laufgräben jetzt unzugänglich. Es ward beschlos=

---

a) Kalkreuths Papiere 205, 207, 209, vergl. das Französische Tagebuch vom 8. Mai an und die Feuerbrände VII. 95, 96, 101.

II. Theil. 20

fen, diefe zu überwältigen, um fich von der Seite den Weg zum Holm zu eröffnen. Man rechnete dabei, nicht ohne Grund, auf die Mitwirkung der Befatzung, auf die Unterftützung dreier Englifchen Fahrzeuge, die es unternahmen, die Weichfel hinauf zu fegeln, und auf einen verabredeten Scheinangriff, den der Preußifche Oberfte Bülow gleichzeitig von der Nehrung her auszuführen gedachte, und ordnete fich in der Frühe des 15: aber der Feind war gefaßt. Noch ehe die Ruffen ankamen, hatten Lannes und Oudinot, von allem wohl unterrichtet, aus Marienburg die Belagerer anfehnlich verftärkt und fandten den Vorfchreitenden von der Weichfel und Lake her immer frifche Krieger entgegen. Die Schiffe, die beftimmt waren, den Holm zu befchießen und die Brücken über den Strom niederzufegeln, fanden weder günftigen Wind noch hinlänglich tiefen Grund. Die Mannfchaft unter Bülow, die von der Nehrung andringen wollte, ward anfangs von Fürftenwerder aus, wo eine Brücke über die Weichfel führte, ruhig beobachtet, und bald eben fo tapfer angegriffen, als glücklich geworfen; ein Ausfall aus der Stadt aber fchien ein Wagniß, fo lange der Feind überall mit folchem Erfolge kämpfte. So gefchah es, daß Kamensky fich nach fechsftündigem Gefecht wieder auf Weichfelmünde zurückziehen mußte. Die Franzofen hatten gelehrt, wie die Nehrung und der Holm, beide fo leichtfinnig verloren, befeftigt und vertheidigt werden mußten b).

Die nächften Tage verliefen unter forgfältiger Erforfchung der feindlichen Macht, und da man fich bald überzeugte, die gegen fie anwendbare fei verhältnißlos, und die Bedürfniffe der belagerten Feftung ins Auge faßte, fo ward befchloffen, daß ein Englifches Schiff mit drei hundert Centner Pulver

---

b) Die Belege zu dem Gefagten liefert der amtliche Ruffifche Bericht bei Plotho S. 259, vergl. 102, der 74fte und 75fte Franzöfifche Tagsbericht und der Sächfifche Amtsbericht in der Allgem. Zeit. S. 628. In den Kalkreuthifchen Papieren wird des Vorfalls S. 223, 228, 231, 238 nicht fehr befriedigend (man begreift leicht, warum nicht) erwähnt.

und fünf hundert Scheffeln Hafer beladen, die Weichsel hin=
aufgehn, die Brücke am Holm zerstören und bei Danzig an=
legen solle.   Am 19., Nachmittags um vier Uhr, kam die
ganze Stadt in Bewegung.   Alles eilte auf die Wälle und
den Thurm von Langgarten und richtete den Blick in die
Ferne.   Ein schönes dreimastiges Schiff segelte stromaufwärts.
Das Feuer der Belagerten und Belagerer tobte fürchterlicher,
denn je.   Finstere Dampfwolken stiegen in die Luft, heiße
Wünsche zum Himmel.   Dreimal löste das Schiff sein Ge=
schütz, und dreimal offenbarte sich die Wirkung in umherflie=
genden Trümmern.   Auf einmal stand es, wie durch Zauber
gefesselt, und als der Wind den Qualm aus einander warf,
waren Wimpel und Flagge gesenkt und rund umher eine
geschäftige Menschenmasse.   Es saß unbeweglich auf einer
Sandbank.   Die freudigen Empfindungen der Zuschauer
gingen unter in Schmerz.   Eine halbe Stunde hatte ent=
schieden c).

Von jetzt an trat Danzig seinem Schicksale immer näher.
Aus den Briefen, die man dem Englischen Schiffe vertraut
und auszuwerfen vergessen hatte, wurden der Festung Lage
und Bedürfnisse eingesehn.   Die Laufgräben gediehen täglich
weiter und ließen baldigen Sturm erwarten.   Der Hagels=
berg lag halb verwüstet, und seine stärksten Gewölbe schütz=
ten nicht mehr.   Die Angriffe selbst nahmen zu, während der
Schießbedarf der Belagerten abnahm d).   Was überdem von
Kriegern entlaufen konnte, entlief und verrieth e).   So vie=
les Ungemach führte endlich am 22. Mai einen Stillstand
herbei f) und bald darauf eine Uebergabe unter Bewilligung
eines freien Abzuges der Besatzung.   Nur die Bedingung

---

c) Plothos Tagebuch S. 268 und das Französische Tagebuch vom
19. Mai, vergl. Kalkreuths Papiere S. 230 und die Feuerbrände 106, 108.

d) Kalkreuths Papiere 238, 240.

e) Das. 232.

f) Das. 240.

20*

beſchränkte ihn, ein Jahr lang gegen Frankreich und deſſen Verbündete nicht zu dienen g). Am 26. Mai beſetzten die Sieger den Biſchoffs = und Hagelsberg h) und am andern Morgen brachen die Verthtidiger mit wehenden Fahnen und klingendem Spiel durch die Nehrung von Pillau auf i). Auch die Ruſſen bei Weichſelmünde, zeitig benachrichtigt, ſchifften ſich in der Nacht auf den 25. ein und lichteten mit Tagesanbruch die Anker k).

Alſo endete rühmlicher Widerſtand gegen kräftigen Angriff. Die Belagerung hatte ſeit Eröffnung der Laufgräben ein und funfzig Tage gedauert. An dreißig tauſend Bomben und Kugeln fielen auf Stadt und Wall und verurſachten, die zerſtörten Vorſtädte ungerechnet, einen Schaden, der auf zwölf Millionen Franken geſchätzt wurde. Vom Bürgerſtande waren hundert zwei und zwanzig getödtet, vom Kriegsſtande ein und zwanzig Führer gefallen, an Gemeinen vier tauſend erkrankt und verwundet, zum Dienſt nur noch fünf tauſend brauchbar. Als die Ueberwinder einrückten, fanden ſie neun hundert und achtzig Stücke Geſchütz auf den Wällen und in den Zeughäuſern, an Futter und Mundvorrath wenig, noch weniger an Pulver. Was die Ehre der Vertheidigung allein ſchmälerte, war die Entweichung der Krieger, beträchtlich ſchon während der Einſchließung und beim Abzuge gränzenlos. Ueberredet (der Grund iſt verborgen), ſie würden nach Rußland und von da zum Kampf gegen die Türken geführt werden, tobten ſie umher, wie die Raſenden, warfen die Gewehre von ſich und liefen rottenweiſe hinweg. Keine Bitte band ſie, keine Furcht hielt ſie, und der Feind war der Auflöſung gern förderlich l).

---

g) Kalkreuths Papiere 241 und die Capitulation beim 77ſten Tagsbericht und in Martens Recueil, Suppl. IV. 420.

h) Die Feuerbrände 117.

i) Daſ. 118, 120, vergl. Kalkreuths Papiere 243, 244.

k) Bericht bei Plotho 269, vergl. Kalkreuth 244.

l) Kalkreuths Papiere 241 — 248; doch ſind einige Angaben in

Während Danzig belagert ward, behaupteten die feind=
lichen Heere immerfort dieselbe Stellung, in der wir sie nach
der Schlacht bei Eylau verließen, beide bedacht, sich zu
ergänzen und zu verstärken. Zu den Franzosen eilten, des
Kaisers Willen gemäß m), die jungen Männer, die erst das
Jahr 1808 in die Waffen rief, und noch außerdem Kriegs=
schaaren aus Westen und Süden, bunter, als der Deutsche
Norden sie je sah. Mit den Russen vereinigten sich nicht
weniger ansehnliche Züge und, seit dem Eintritte des Aprils,
die kaiserlichen Garden, in zwei Heersäulen, unter dem Groß=
fürsten Constantin und dem Feldherrn Kollogribow n). Auch
Alexander war nicht in der Hauptstadt seines Reichs zurück=
geblieben. Am 1. April bewillkommte ihn zu Polangen
Preußens König und Tags darauf zu Memel, nicht ohne
heiße Thränen, die Königin o). Sie gedachten, in wie
glücklichern Verhältnissen sie fünf Jahre früher zum ersten
Mal an diesem Ort sich sprachen und fühlten tief den Wech=
sel des Glücks. Er selbst eilte von Memel unverzüglich zum
Heere und ernannte dort Bennigsen am 26. April zum alleini=
gen und unumschränkten Befehlshaber p).

Zahlen aus Posselts Annalen IV. 190, vergl. die Allgemeine Zeitung
647, geschöpft. Ueber das Benehmen der Besatzung sprechen auch die
Feuerbrände S. 119.

m) Die Actenstücke liefern Vossens Zeiten von 1807. Band XI.
(Julius) S. 20. u. f.

n) Relation der Schlacht bei Heilsberg vom Preußischen Major
Voth S. 5, vergl. Plothos Tagebuch S. 93. 100.

o) Die Allgem. Zeitung S. 528. 539. 575.

p) Dieselbe S. 652. (Es ist hier noch der wichtigen Convention
zu gedenken, durch welche Friedrich Wilhelm und Alexander sich zur
Herstellung der Unabhängigkeit von Europa noch fester verbanden und
die am 25. April von dem damaligen Freiherrn von Hardenberg und
dem russischen General von Budberg zu Bartenstein unterzeichnet wurde.
Man findet sie in Schöll IX S. 130 vergl. Lucchesini Rheinbund II.
300. Darin waren die Grundsätze ausgesprochen, durch welche nach=
mals die Monarchen in ihren glücklichern Zeiten geleitet wurden).

Was diesen bewog, bei der Vollzahl der Streitenden, der Einladung der milden Jahreszeit und den Antrieben des Mangels, die Ueberwältigung Danzigs abzuwarten, ist um so schwerer zu sagen, je mehr er selbst einmal und noch zur rechten Zeit hoffen ließ, er kenne den Werth des Orts und werde zum Entsatz wirken. Es war am 12. Mai, an demselben Tage, wo Kamensky bei Fahrwasser landete, als auch die Russen, an funfzig tausend Mann stark, in die feste Stellung von Heilsberg sich sammelten. In der Frühe des 13. rückte der Vortrab bis Launau, wie wenn er den Heerhaufen Neys in Guttstadt angreifen wolle. Zugleich folgten ihm Alexander und Friedrich Wilhelm. Alle Kriegskundigen meinten, auch die Preußen würden über die Passarge vordringen bis Preußisch=Holland und rechneten auf Einstimmung und Erfolg. Aber sei es, daß überhaupt, wegen des noch nicht gesicherten Unterhalts, keine ernstliche Absicht obwaltete, oder die Kaltblütigkeit Neys, der ruhig der Mehrzahl gegenüber stand, sie vereitelte, oder Danzigs Behauptung, wie Rüchel, thöricht und allgemein verlacht, in öffentlichen Blättern äußerte q), für unwichtig galt, — am 14. kehrte die ganze Macht in ihre alten Einlagerungen zurück und empfing dort die Nachricht vom Falle der Festung r).

Jetzt erst, als habe man sich nur der letzten Hülfe begeben, um einen desto glorreichern Sieg zu feiern, dachte Benigsen auf kräftige Maßregeln und die Ausführung eines bestimmten Entschlusses. In sieben Abtheilungen gesondert, brach die Russische Streitmasse von neuem auf, größtentheils wiederum gegen Heilsberg, und deckte ihre Bewegungen durch den Vortrab, der sich in Launau setzte. Der Hauptangriff galt dem Marschall Ney, der in und um Guttstadt stand.

---

q) In der Königsberger Zeitung vom 28. Mai.

r) Plotho 102 u. f. vergl. die Schlacht bei Heilsberg von Voth S. 3. 6. Der 74ste Französische Tagsbericht scheint dieser Bewegung der Russen ebenfalls zu erwähnen.

Zugleich sollten andre Heerhaufen den Brückenkopf von Span=
den und die von Lomitten und Elditten stürmen, um die
Marschälle Ponte=Corvo und Soult zu beschäftigen, und die
Preußen Braunsberg bedrohen. Man hoffte, der Passarge
rechtes Ufer zu reinigen und von da aus weiter und sicher
vorzuschreiten s).

Der Entwurf, an sich wohl berechnet und untadelhaft,
scheiterte zum Theil schon durch eintretenden Aufschub. Die
nördlich stehenden Heerhaufen waren bereits am 4. des Ju=
nius, einem frühern Befehle gemäß, in voller Bewegung,
als ein späterer das Ausrücken auf den folgenden Tag
bestimmte und so dem gewarnten Feinde Sammlung und
Vorkehrung verstattete t). Noch weit mehr jedoch leistete,
da am 5. der wirkliche Angriff begann, die Fassung und Un=
erschrockenheit der Französischen Feldherrn. Von allen Brücken=
köpfen ging allein der bei Lomitten, und nur nach mörderi=
schem Gefecht, verloren v). Auch Ney, obwohl zum Rück=
zuge genöthigt, vollzog ihn eben so besonnen als langsam.
Während man ihn des andern Tags jenseits der Passarge
wähnte, stand er ruhig auf den Höhen von Ankendorf, setzte
sich, angefallen, noch einmal bei dem Dorfe Heiligenthal und
ging zuletzt, im Angesicht seiner Verfolger, mit Ordnung und
geringem Verlust bei Deppen über den Fluß x).

Alles hing jetzt davon ab, den Augenblick zu ergreifen,
und den mäßigen, wenn auch nicht glänzenden Vortheil zu
verfolgen. Einige erwarteten ein behendes Vordringen ans
linke Flußufer, andre einen Angriff auf Allenstein, wo Da=
voust stand, alle die entscheidende Fortsetzung des Begonne=

---

s) Plotho 115 -- 118, vergl. den 78sten Französischen Tagsbericht
(Gefecht von Spanden und Lomitten).

t) Plotho 119.

v) Das.

x) Plotho 122 — 124, 127, vergl. den angezogenen Französischen
Tagsbericht und den Russischen bei Plotho 291. 292.

nen, und alle irrten. Während der Vortrab der Passarge
rechtes Ufer besetzt hielt, das Heer zwischen und hinter den
Dörfern Deppen und Heiligenthal schlagfertig stand, und die
Abtheilung, die bei Lomitten gefochten hatte, es, heranrückend,
verstärkte, entfernte sich der Oberfeldherr, man weiß nicht,
warum, nach Guttstadt, von wo er erst den 7. Abends wie-
derkehrte, um die Hauptmacht eine Viertelmeile zurückzuziehn.
Ein voller Tag war nutzlos verstrichen; auch den Morgen
des folgenden ließ man hingehn y).

Nicht also Napoleon. Kaum daß er von dem Aufbruch
der Russen hörte, so eilte er herzu und ließ den Heerhaufen
Soults bei Elditten über die Passarge setzen, um den rechten Flügel der Feinde unter Kamensky zu umgehn und ihn
von der Abtheilung L'Estocqs und von Königsberg selbst abzuschneiden. Diese Bewegung, wovon die Nachricht den 8.
um die Mittagsstunde im Lager einlief, fand keinen Glauben: denn so groß war entweder die Sorglosigkeit des Feldherrn, oder die Unkunde der Befehlshaber, daß sie den Brückenkopf von Elditten durch die Ihrigen genommen und besetzt
wähnten *): aber bald bestätigte sich die Meldung und wurden die Folgen der Nachlässigkeit offenbar. Das Russische
Heer, noch an demselben Tage den gewonnenen Boden auf-
gebend, wandte sich von der Passarge wieder rückwärts auf
Quetz und Guttstadt und sandte die eine Abtheilung unter
Gortschakow voraus nach Heilsberg, um der dortigen Stellung und der Engen von Launau gewiß zu sein. Zugleich
ging unverzüglich nach Mehlsack an Kamensky und von da
weiter an L'Estocq ein Eilbote, um den gefaßten Entschluß
zu überbringen, worauf dieser die Straße nach Zinten ein-
schlug, und jener, nicht ohne Verlust (er traf wider Ver-

---

y) Plotho 127 — 130.

*) So Plotho in der gleich anzuführenden Stelle. Nach Both
S. 7. wurde der Posten allerdings, aber nur von wenigen Kosaken,
beobachtet. Die Schuld der Obern bleibt in beiden Fällen dieselbe.

muthen den Feind bei Wolfsdorf), durch weiten Umweg Heilsberg zu erreichen strebte z).

Den Tag darauf (am 9. Junius), während die Russische Hauptmacht auf mehrern Brücken über die Alle setzte, warfen sich, von Napoleon selbst geführt, die Abtheilungen der Marschälle Davoust, Ney und Lannes auf den Nachtrab, der unter Bagrathion bei Glottau jener den Weg deckte, und drängten ihn von Stellung zu Stellung, doch ohne schädliche Flucht zu erzwingen. Die Voraneilenden, die man sichern wollte, hatten hinlänglichen Vorsprung gewonnen und die Alle bereits hinter sich, als in der zweiten Nachmittagsstunde die Zurückgebliebenen aufbrachen und, meist unverletzt, über den Fluß kamen. Nur die Jäger, die ober- und unterhalb Guttstadt ihn durchschwammen, litten großen Verlust. Abends um acht Uhr rückten die Franzosen in Guttstadt ein, später und unverfolgt die Russen in Heilsberg, wo Gortschakow sie empfing. In den Dörfern Reichenberg und Liebenburg am rechten Ufer lagerte der Vortrab Bagrathions a).

Die Stellung an der Alle, aus der man vorgeschritten war, und in die man wieder zurücktrat, gehörte keineswegs zu den günstigen. Nicht nur trennte der Fluß die beiden Flügel; das linke Ufer war überdem schwach befestigt, der Heerhaufe L'Estocqs schien abgeschnitten und die Straße nach Landsberg und Eylau offen b). Größere Vortheile versprach allerdings das rechte Gestade, und es leidet kaum einigen Zweifel, daß Bennigsen hier zu schlagen wünschte und hoffte:

---

z) Plotho 130 – 133, vergl. den 78sten Französischen Tagsbericht (Gefecht bei Deppen). Kamensky zog sich (Plotho S. 136) auf Wormditten und von da über die Dörfer Mighenen, Raunau und Reimerswalde.

a) Plotho 134 – 136, in Uebereinstimmung mit dem 78sten Französischen Tagsbericht (vom 9. Junius) vergl. von hier an die schon angeführte Relation der Schlacht bei Heilsberg, deren Uebersicht der Verfasser durch den hinzugefügten schönen Plan nicht wenig befördert hat.

b) Plotho 137. 138.

aber Napoleon urtheilte richtig, wie immer. Bereits in der
neunten Frühstunde des 10. Junius war entschieden, wie und
wo er angreifen wolle. Eine Botschaft vom linken Ufer mel=
dete, daß der Feind gegen Launau vordringe. „Man möge
eilen, und Verstärkung senden. Es sei Gefahr im Ver=
zuge e)."

Sogleich nach Empfang dieser Nachricht zog eine frische
Abtheilung nach Launau, um die etwa gedrängte zu unter=
stützen, und das Russische Heer, an vier und achtzig tausend
Mann stark, ordnete sich in und zwischen den früher aufge=
worfenen Verschanzungen an den beiden Ufern der Alle zur
Schlacht, an dem rechten unter der Anführung des Groß=
fürsten Constantin und an dem linken, woselbst um Mittag
auch der Graf Kamensky mit seiner Mannschaft eintraf, un=
ter dem Fürsten Gortschakow d). Bei Launau aber ward
mittlerweile mit großer Anstrengung gekämpft. Der Mar=
schall Soult und die Reiter des Großherzogs von Berg zwan=
gen die Russische Abtheilung, die dort unter Barasdin focht,
sich auf die zweite, mit der sie Lwow verstärken wollte, zu=
rückzuziehn, und beide vereinigt behaupteten sich nur mit
Mühe in der Gegend des Dorfes Bewernik. Es wurde nö=
thig den Fürsten Bagrathion, der eben von Reichenberg an=
langte, über die Alle zu senden, und diesem den Feldherrn
Uwarow folgen zu lassen, um das Gleichgewicht zu erhalten.
Dennoch schwankte die Wage. Unter steter Anstrengung und
vielfachem Verlust erreichten die gefährdeten Kriegsschaaren
erst gegen Abend die feste Stellung des Haupttheers, ohne
daß selbst hier der Kampf ruhte e). Alles Geschütz donnerte.
Neue Anfälle wurden, einige mit Glück, unternommen, andre
mit Kraft abgeschlagen. Eine Schanze, schon in der Hand
der Franzosen, ging im entscheidenden Augenblicke wie=
der verloren und mit ihr fünf tausend Auserlesene, um

---

e) Plotho 138.
d) Das. 138—141.
e) Das. 141—143.

die Paris trauerte f). Bis tief in die Nacht dauerte hier das Feuer. Erst da zog sich der abgewiesene Feind rückwärts und lagerte bei den Dörfern Bewernik, Langewiese und Lawden g).

Am andern Morgen (den 11. Junius) erforschte Bennigsen sogleich die Stellung des Feindes, dessen Reiterei sich bis Retsch ausdehnte. Die Mannschaft des Grafen Kamensky zog er aus den Schanzen, und wo sie sonst vertheilt stand, zusammen, und wies sie an, auf dem rechten Ufer der Alle nach Bartenstein und von da zur Vereinigung mit L'Estocq nach Königsberg aufzubrechen. Er selbst ergänzte die dünnen Reihen von gestern und verlängerte seine Linie nördlich bis nahe an Großendorf, des abermaligen Angriffes harrend, als ihm der Zug einer bedeutenden Macht, die von Großendorf aus die Straße über Eylau einschlage, gemeldet wurde h). Diese Nachricht klärte plötzlich beides, das Mißliche seiner Lage und die Absicht der Feinde, auf. Es war nicht mehr zweifelhaft, daß er, in der rechten Seite umgangen, Gefahr laufe, von der Hauptstadt Preußens abgeschnitten zu werden, und, wenn er sich retten wolle, die Stellung bei Heilsberg aufgeben müsse. Darum erging sogleich an die Völker auf dem linken Ufer der Alle das Aufgebot, sich an dem rechten zu sammeln, und jene theilten die Eile des Anführers. Abends in der zehnten Stunde loderte das Hüttenlager und die sämmtlichen Brücken in Flammen auf, und das Heer zog, nur leicht verfolgt i), und kurze Rast sich erlaubend, die ganze Nacht und den ganzen folgenden Tag auf Bartenstein, das Nachmittags um fünf Uhr erreicht wurde k), und von da um Mitternacht wieder weiter auf

f) Plotho 143—144, vergl. die Schlacht bei Heilsberg. S. 15, 16.

g) Das. 16, vergl. den Französischen Tagsbericht (vom 10. Junius).

h) Plotho 147, 148 und der Französische Tagsbericht vom 11.

i) Von Latour Maubourg und andern. Französische Tagsberichte Nr. 79.

k) Plotho 151.

Schippenbeil, wo es am 13. in der vierten Frühstunde ein=
traf l). Dieselbe Schnelligkeit belebte auch die Abtheilung
Kamensky's. Von Bartenstein siebenzehn Stunden in Einem
fortziehend, gelangte sie, mitten durch die feindlichen Schaa=
ren durchschleichend, an den Frisching=Fluß und stieß dort
am 13. Nachmittags zu dem Streithaufen L'Estocqs m).

Aber während Bennigsen alles aufbot, die feindlichen
Entwürfe zu vereiteln, wirkte ihm Napoleon mit eben so viel
Einsicht als Kraft entgegen. Seine Schaaren auf den Fel=
dern von Heilsberg ordnend, brach er unverzüglich nach
Eylau auf und nahm dort am 12. Abends das Hauptlager.
Als die Krieger von den Anhöhen der Stadt die große Ebene
überschauten, auf der sie vier Monate früher gefochten hat=
ten, erwachten in allen mannigfaltige Erinnerungen. „Hier
habe das Fußvolk gestanden, dort die Reiterei sich geordnet,
weiter hin das Geschütz gedonnert." Man erzählte sich, wie
der Angriff begann, wie man vordrang, wie man den Feind
warf. Jeder pries seine Thaten, mischte Wahres zum Fal=
schen, oder vergrößerte doch das Wahre. Auch der geblie=
nen Waffenbrüder gedachten viele und bemitleideten sie, oder
brachen über den Wechsel der menschlichen Dinge in Thrä=
nen aus *). Nördlich hinauf nach Königsberg wandte sich,
unterstützt von Davoust, die Reiterei des Großherzogs von
Berg und, demselben Ziele zustrebend, auf Kreuzburg die

---

l) Plotho 152, 153.

m) Das. 151, 157, 158. Letzterer hatte sich von Zinten über Tie=
fenthal und Mahnsfeld gezogen, ersterer seinen Weg über Reuken, Pohl=
back, Schuhwehnen und Abschwangen auf Ueberwangen genommen.

*) Nach einem Schreiben aus Tilsit in der Allgem. Z. S. 840.
Aehnliches berichtet von der Schlacht bei Cremona Tacitus Histor. II.
70. Aderant Valens et Caecina monstrabantque pugnae locos.
Hinc erupisse legionum agmen, hinc equites cuortos, inde circum-
fusas auxiliorum manus. Jam tribuni praefectique, sua quisque
facta extollentes, falsa, vera, aut majora vero miscebant. Et erant,
quos varia sors rerum, lacrimaeque et misericordia subiret.

Krieger Soults. Oeſtlich auf Friedland zu erhielten über
Domnau der Marſchall Lannes und tiefer nach unten über
Lampaſch Rey und Mortier ihre Richtung. Der Kaiſer ſelbſt
folgte ohne Säumen n); und ſo ſchnell wurden ſeine Befehle
vollſtreckt, daß die eine Reiterabtheilung noch am 13. in
Friedland einrückte, und eine ſtarke Streifwache zur Spähung
an das rechte Ufer der Alle ging. Auf die letzte trafen, nicht
wenig erſtaunt, bei Allenau, Gallizin und Kollogribow, die
der Oberfeldherr der Ruſſen vorausgeſandt hatte, um die
Straße nach Domnau und Königsberg zu erforſchen, und
beide, noch mehr überraſcht, in Friedland auf einen Widerſtand, der überwältigt werden mußte, um die Brücke zu retten und die Straße zu gewinnen. Da von nun an kein
Zweifel war, man werde, was man auch verfolge, erringen
müſſen, ſo beſetzten ſie ſogleich die umliegende Gegend des
linken Ufers und ſchickten nach Groß-Wormsdorf, Allenburg
und Wehlau am rechten eine hinlängliche Streitkraft, um die
Uebergänge zu bewahren, die Brücken zu zerſtören und etwa-
nige Anfälle zu verhüten o).

Die Felder Friedlands bieten keinen ungünſtigen Kampfplatz dar. Die Alle, die in weiter Krümmung von Südoſten
herabſteigt und nordöſtlich abfließt, gewährt einem Heere zwiſchen ihren beiden Armen eine ſchützende Stellung. Der Boden vor und um die Stadt iſt eine regelmäßige Ebene, die
der Ausbreitung und Anordnung großer Maſſen kein Hinderniß ſetzt. Die Stadt ſelbſt, von dem eng zuſammentretenden
Fluß umfaßt, liegt zur Deckung eines Rückzuges bequem.
Auch die ſteilen Ufer der Alle vermehren die Sicherheit p).

Noch war der 14. Junius, der Jahrestag des ewig
denkwürdigen Siegs von Marengo, kaum angebrochen und

n) Der 79ſte Tagsbericht, vergl. Plotho 158, Note.

o) Plotho 153—155, vergl. die Relation der Schlacht bei Friedland vom Preußiſchen Major von Voth S. 4—6.

p) Polit. J. von 1807, S. 1111, 1117.

die Morgendämmerung nicht bezwungen, als aus der Gegend
von Heinrichsdorf und Posthenen das feindliche Geschütz don=
nerte und die Plänkler im Sortlacker Walde sich regten. Da
um diese Zeit die Russische Macht größtentheils erst heran=
zog, so mußte man sich begnügen, von mehrern Stückbetten
zu antworten und auf ernstliche Angriffe Verzicht thun. Aber
so wie die einzelnen Abtheilungen eintrafen (es waren für
sie, außer der Stadtbrücke zu schnellem Uebergange noch drei
Schiffbrücke geschlagen), ordnete Bennigsen die Reihen so,
daß der rechte Flügel, — das Fußvolk unter Gortschakow,
die Reiterei unter Uwarow und Gallizin, von der obern Zie=
gelei bis zum Mühlenflusse, und von da an (man hatte zur
Verbindung der beiden Ufer Laufbrücken gelegt) der linke Flü=
gel, — die Füßer unter Bagrathion, die Reiter unter Kollo=
gribow, — bis zum Einbuge der Alle oberhalb Sortlack sich
ausdehnten, und gab Befehl vorzuschreiten q).

In eben dem Maße, wie die Streitkraft der Russen zu=
nahm, hatte sich jedoch auch die Macht der Franzosen gemehrt.
Die Reiterei der letztern fiel die beiden Flügel der erstern
mehrmals mit großem Ungestüm an. Heinrichsdorf und
Sortlack wurden mit Brandkugeln beworfen, um den An=
greifenden ihren Stützpunkt zu nehmen, und flammten auf.
Um den Sortlacker Wald, der Verderben zu bergen schien,
rang der Russen Tapferkeit hartnäckig und erreichte gleich=
wohl ihr Ziel nicht. Auch gegen Posthenen drangen sie einige
Male vor, ohne es behaupten zu können. So war der Mor=
gen vergangen und die Hitze des Mittags und Nachmittags
bereits überwunden. Viele betrachteten den Kampf wenig=
stens für heute als unentschieden und bedauerten irrig die
Braven, die vergebens gefallen waren. Das bisher Gesche=

q) Plotho 159 — 163. vergl. Boths Relation der Schlacht bei
Friedland und den beigefügten Plan. Dem 79sten Französischen Tags=
bericht zufolge, waren es Lannes, Mortier, Grouchy und Nansouty,
welche zuerst auf dem Kampfplatze ankamen und die Russen beschäf=
tigten.

hene war ein bloßer Vorkampf gewesen und das Härteste
dem spätern Abend vorbehalten r).

Es mochte etwas über fünf Uhr sein, als der Kaiser in
der Mitte der nun vereinten Schaaren, und keines Aufschu=
bes mehr bedürftig, plötzlich die Schlachtordnung änderte.
Hervor aus dem Gehölz, das man längst als bedenklich
gefürchtet hatte, brach der Heerhaufe Neys und warf sich
auf den linken Flügel der Russen. Ein heftiges Feuer von
Posthenen her, dem dichte Heersäulen folgten, unterstützte
den Angriff und vereitelte jeden Widerstand. Die Russen,
zwischen der Alle und dem Mühlenfluß eingeengt, konnten
sich je länger desto weniger entwickeln, und wiewohl sie alle
Kraft aufboten, glückte doch kein Versuch. Ganz aufgerollt
und von mörderischem Kugelregen massenweise niedergestreckt,
flüchteten sie durch Friedland an das rechte Ufer der Alle,
und zündeten, um den vorstürmenden Feind aufzuhalten, die
Gebäude am Flusse an. Dieses Unglück des einen Flügels
entschied zugleich über das Schicksal des andern, der sich bis
jetzt noch gegen die Marschälle Lannes und Mortier tapfer
vertheidigte. Sobald die Botschaft einlief, daß man um den
Besitz von Friedland kämpfe und es nur mit Mühe behaupte,
gab Gortschakow den Befehl zum Rückzug, und das Fußvolk,
von der Reiterei mit Nachdruck gedeckt, eilte der Stadt zu.
Aber hier bereitete sich dem Auge ein gräßliches Schauspiel.
Die Franzosen, schon Meister der Stadt, verbreiteten überall
Tod und Untergang. Man mußte das Leben Preis geben,
um es zu erhalten, und den Feind herauswerfen ins Freie.
Dieß gelang endlich, es ist schwer zu sagen, ob mehr der
Wuth, oder der Verzweiflung, oder der Tapferkeit. Indeß
loderte das Feuer immer höher und die Brücken krachten und
sanken, ohne daß die herzuströmende Menge sich minderte.
Die Unglücklichen, Füßer sowohl als Reiter, fanden keinen
andern Weg als sich in die Alle zu stürzen, ein Raub der

---

r) Plotho 163, 165, vergl. die Schlacht bei Friedland 10—13.

Kugeln und der Wellen, oder ein Spiel des günstigen Unge=
fährs. Eine beträchtliche Abtheilung unter Lambert, zu sehr
gedrängt, konnte Friedland gar nicht erreichen, sondern zog,
im Schutze der Nacht, abwärts am linken Gestade nach Al=
lenburg, wo sie über den Strom setzte und dem übrigen
Heere sich anschloß s).

Vielleicht darf die Tapferkeit der Russen sich keiner gewon=
nenen Schlacht mehr rühmen, als dieser verlornen. Ihre
Stärke betrug nach dem Verlust bei Heilsberg und nach Ab=
zug der Abtheilungen, die unter L'Estocq und Kamensky auf
Königsberg eilten, und der Unterstützung, die gleich anfangs
am rechten Ufer der Alle stehen blieb, nicht viel über sech=
zig tausend Streiter t), das Französische Heer, wenigstens,
seit es vereinigt war, zwischen siebenzig und achtzig tausend v).
Dem Feuer waren sie vom ersten Beginn an heftiger ausge=
setzt, als der Feind, weil dieser geschützt hinter Dörfern,
Tiefen und Waldungen, sie unbedeckt fochten. Als der Kampf
sich entschied und der Rückzug anhob, legte ihnen das bren=
nende Friedland, der Mangel an Brücken unterhalb der
Stadt, des Stromes hohe und nicht geebnete Ufer und der
nachstürmende Sieger so große Hindernisse, daß jedes andre
Heer sich ergeben, oder in ungeordneter Flucht sich zerstreut
hätte; dennoch brach nichts ihren Muth. Kein einziger Heer=
haufe ward abgeschnitten; nur Einzelne und schwer Verwun= .

---

s) Die brauchbarsten Nachrichten über die Schlacht bei Friedland
geben Plotho S. 165—169, Voth S. 13—19 und der angez. Fran=
zösische Tagsbericht, womit auch Bennigsens (dürftiger) Bericht an den
Kaiser (bei Plotho S. 195), der Russische Hofbericht im Polit. Journ.
S. 777 und ein Aufsatz über die Schlacht bei Friedland eben daselbst
1110 zu vergleichen sind. Im Einzelnen widersprechen sich alle (das
Polit. J. läßt sogar Daroust an der Schlacht Theil nehmen, welches
die Bredowische Chronik S. 249, Note, gläubig wiederholt); im Gan=
zen ergiebt sich nichts anders, als was ich im Texte, meist nach Plotho,
erzählt habe.

t) Plotho 162.

v) Das. 165, Note.

dete fielen in Feindes Hand, von Feldstücken mehr nicht als sechszehn, die man nicht durch den Fluß bringen konnte. Umgekommen waren an acht tausend, in den Wellen die eine, auf dem Schlachtfelde die andre Hälfte. Verwundete zählten sie an zwölf tausend. Gestanden im Feuer hatten sie an neunzehn Stunden, dem Gegner vielleicht so verderblich, wie dieser ihnen x).

Der Mond leuchtete in voller Klarheit und das angezündete Friedland verbreitete weit umher seine Flammen, während die Russen still und düster, die ganze Nacht hindurch, längs dem rechten Ufer des Flusses, der zweimal Zeuge ihres Muthes und ihres Unglücks gewesen war, fortzogen. Am Morgen des 15. Junius erreichten sie unverfolgt die Stadt Wehlau, wo der Pregel die Alle aufnimmt, gingen über und brannten die Brücken ab. Allein der Feind setzte rasch nach und gestattete keine Rast. Nur den kleinen Zeitraum eines Tages vor ihm voraus, mußten sie unablässig eilen, um an den Memel zu kommen, der Preußen und Rußland scheidet. Das gelang endlich am vierten Tage nach dem Aufbruche vom Kampfplatz. Tilsit, noch am diesseitigen Ufer, empfing am 18. die Geschlagenen. Den ganzen Tag dauerte der Zug des Gepäcks und Geschützes. Ihm folgte das Heer die Nacht darauf und am Morgen des 19. der Nachtrab unter Bagrathion, zwar beunruhigt, doch glücklich, und hinter sich die Brücken zerstörend y).

. Mittlerweile hatte sich das Schicksal Königsbergs entschieden. An eben dem Tage, wo bei Friedland gekämpft ward, besetzten L'Estocq und Kamensky Wall und Thore. Noch immer zählten sie auf das unsichere Kriegsglück, wiewohl eben erst das Treffen bei Heilsberg getäuscht hatte und der herumschwärmende Feind von den Thürmen zu sehen war. Die eine Vorstadt, der nasse Garten genannt, und

---

x) Plotho 168, abweichend auch hier Voth S. 19.

y) Das. 170—173.

II. Theil.   21

die Holländischen Mühlen vor dem Friebländer Thore wur=
ben der Vertheidigung zum Opfer gebracht und leuchteten,
ein Gegenstück zu der Feuersäule von Friebland, den zurück=
weichenden Russen z). Aber am 15. kam die Botschaft von
Napoleons Siege und nöthigte zu dem Entschlusse, allen Wi=
derstand aufzugeben. Ju Eilzügen, durch die eine Menge
matter Krieger in Feindes Gewalt fielen a), wendeten sich
die beiden Führer sogleich über Labiau nach dem kleinen
Flusse Schillup, wo sie, am 17. mit Bennigsen zusammen=
trafen b). Fast noch eilfertiger entwich Rüchel, ohne das
Vertrauen seines Königes, der ihm die oberste Leitung der
Kriegsgeschäfte aufgetragen hatte c), zu rechtfertigen, und
überließ, weder die Liebe der Seinen, noch die Achtung der
Feinde mit sich nehmend d), die Hauptstadt Preußens sich
selbst e). Seitdem bezogen Bürger die Wachen und der
Gemüther bemächtigte sich große Furcht. Alle Häuser wur=
ben sorgfältig verschlossen und alle Zimmer, während der
Nacht, erleuchtet. Man fürchtete Lübecks Loos, doch ohne
es zu erfahren. Am Morgen des 16. rückte Soult ein,
keine Gewaltthätigkeit gebietend und keine Unordnung erlau=
bend f). Ungeheure Getreidevorräthe fielen in die Hände
des Siegers und zwei hundert Russische Fahrzeuge g). Acht
Millionen Franken an Brandschatzung mußte die Stadt auf=

z) Plotho 170, 171, und die Allgem. Zeitung 732, 751, vergl. die
Vertrauten Briefe IV. 13 u. f.

a) „Davoust, sagt der 80ste Französische Tagsbericht, brach durch
Labiau vor und überfiel den Nachtrab und machte 2500 Gefangene."

b) Plotho 171, 172.

c) Die Allgemeine Zeitung S. 48, 400.

d) Seine Härte und Verachtung des Bürgerstandes mißfiel in
Königsberg, wie überall. Vertraute Briefe IV. 12. Was die Franzo=
sen von ihm hielten, sagt der 87ste Tagsbericht.

e) Vertraute Briefe IV. 17.

f) Dieselben 17—21.

g) Die Französischen Tagsberichte Nr. 79 und 80.

bringen h). Auch Pillau ward unverzüglich, nach der ver=
geblichen Aufforderung seines siebenzigjährigen, aber hochher=
zigen Befehlshabers, von Königsberg und der Nehrung aus
versucht i). Solches waren die Ereignisse, die Preußens
letzte Hoffnung vernichteten, und der Stand der beiden Heere,
den sie herbeiführten, dieser.

Napoleon, dem Feinde Schritt für Schritt folgend, ver=
legte den 19. Junius Nachmittags das Hauptlager von Skais=
girren nach Tilsit. Seine Völker dehnten sich längs dem
linken Ufer des Memels aus, hinter sich das überwältigte
Preußen und das freundlich gesinnte Polen, in sich vielfach ge=
hobenen Muth und unüberwindliches Zutrauen zu ihrem Kaiser.
Die Vorposten befehligte der Großherzog von Berg. Am
weitesten rückwärts hielten am Narew Massena und der
Baiersche Feldherr Wrede mit einer nicht unbeträchtlichen
Abtheilung k). — Das Russische Heer hatte sich an dem an=
dern Ufer des Memels, etwa eine halbe Meile landeinwärts,
in zwei Linien aufgestellt, den rechten Flügel an das Dorf
Pogegen, den linken an das Vorwerk Schönwalde lehnend.
Links am Dorfe Böningkaiten standen die kaiserlichen Garden
zur Unterstützung, Kosaken und Baschkiren auf der Wiese
hart am Flusse, L'Estocq und Kamensky hinter der Gilge und
Russe l), den beiden Ausflüssen des Memels. Außerdem
lagerte in den Umgebungen von Ostrolenka gegen Massena
der Heerhaufe, den, nach früherer Erwähnung, anfangs

---

h) Man sehe die Erklärung des Königsberger Stadtraths an die
Bürgerschaft in den Vertrauten Briefen IV. 36.

i) Der 80ste Französische Tagsbericht, vergl. die Vertrauten Briefe
IV. 28. Der Oberste Herrmann, so hieß der Befehlshaber von Pillau,
ließ die Besatzung einen Kreis schließen und seinen Sarg in die Mitte
stellen, versichernd, daß er die Festung nicht lebendig übergeben werde.
Seine Krieger gelobten zu leben und zu sterben, wie er.

k) Der 80ste Französische Tagsbericht und, wegen der Stellung
am Narew, die Allgemeine Zeitung 672, 723.

l) Plotho 173.

21*

Essen und Tuschkow und seit dem 5. Julius der Graf Tolstoi
führte. Ohne alle Verbindung mit Bennigsen und den Un=
ternehmungen an der Alle, hatte er nur für sich gewirkt,
und den Feind, den Mai durch, und selbst noch in den ersten
Tagen des Junius, nicht ohne Erfolg beschäftigt. Jetzt ver=
einzelt und in Gefahr abgeschnitten zu werden, eilte auch er
über Sniabowe und Tycoczyn nach den Ufern des Memels m).

Die Ueberlegenheit des Französischen Feldherrn in Ver=
gleich mit seinem Gegner hatte sich in den letzten Schlachten
so unzweideutig geoffenbart, daß man nicht erwarten durfte,
das Glück werde jenseits des Stromes weniger gerecht sein,
als dießseits. Napoleon stand, wie einst Cäsar, am Rubicon,
und es war nicht an ihm, sondern an Alexandern, die Fol=
gen des Uebergangs zu erwägen. Zwar schien es nicht zwei=
felhaft, daß mit dem weitern Vordringen die Schwierigkeiten
des Krieges für jenen wachsen, um Heerd und Heimath der
Russe alles wagen, und die Natur des Landes, seine breiten
Ströme und die Festungen an der Ostsee manche Vortheile
gewähren würden. Aber dagegen sprachen andre und auch
erhebliche Gründe. Das Russische Heer war geschwächt, Er=
gänzung so leicht nicht möglich und die Festungen unvorbe=
reitet. Die schöne Jahrszeit begünstigte die Schnelligkeit der
Bewegungen, in denen der Feind Meister war. Die Rich=
tung selbst ging nordwärts gerade auf die Hauptstadt des
Reiches, deren Verlust in seinen Wirkungen Niemand berech=
nen konnte. Ueberdem mußte auch wohl Bedenken erregen,
daß man den Kampf nicht zunächst für sich und für die Ret=
tung des Vaterlandes, sondern für die Erhaltung fremder
Gewalt und fremden Einflusses unternommen hatte und die
öffentliche Meinung größre Opfer mißbilligen und etwaniges

---

m) Plotho 181 und 106, vergl. die Allgemeine Zeitung, wo die amt=
lichen oft sehr ausführlichen Berichte über alle, in jener Gegend vorge=
fallenen, Gefechte zu finden sind. Die erstern beweisen, daß die letztern,
wenn auch oft blutig, doch immer erfolglos waren und nur in einer
besondern Kriegsgeschichte Ansprüche auf einen Platz machen können.

Unglück, als Folge zu weit getriebener Freundschaft, an dem
Fürsten tadeln werde.

Solchen Gründen Gehör gebend, beschloß Alexander
einen Antrag auf Waffenruhe. Am 19. eröffnete Bennigsen
in einem Schreiben dem Fürsten Bagrathion und dieser dem
Großherzoge von Berg, der ihm am nächsten stand, was
gewünscht werde; und Napoleon wies die Aufforderung nicht
zurück. Der Herzog von Neufchatel trat mit dem Fürsten
Labanoff Rostrow, den Rußland, und mit dem Grafen
Kalkreuth, den Preußen sandte, zusammen, und verabredete
mit jenem am 21., mit diesem am 25. Junius einen Stillstand, den die Mächtigen, Alexander zu Tauroggen und Friedrich Wilhelm zu Piktupöhnen, unterzeichneten n). Beide
Heere blieben in ihrer Stellung und die Fürsten versprachen,
im Falle kein Friede zu Stande käme, die Feindseligkeiten
nicht eher, als nach Verlauf eines Monats, vom Tage der
Aufkündignng gerechnet, wieder anfangen zu lassen. Die
Scheidungslinie hob an bei Nidden auf der Eurischen Nehrung und lief über das Haff, an dem linken Ufer des Memels, herab nach Grodno, beugte sich von da längs der Los-
sanza an die Bobra, deren Laufe sie bis zum Einfall in den
Narew bei Wizna folgte, und stieg dann diesen weiter hinauf
bis zur gleichnamigen Stadt, wo Rußland mit Preußen
gränzt. Was letzteres noch von Polen besaß, kam durch diesen Abschluß, mit Ausnahme eines Theils vom Bialystocker
Gebiet in die Gewalt Frankreichs. Zugleich wurde bestimmt,
daß, während der Ruhe, in den noch uneroberten Festungen
Preußens weder Werke aufgeführt, noch Mund- und Kriegs-
vorrath angeschafft werden dürfe, und der Heerhaufe Blüchers,

---

n) Die gewechselten Schreiben, so wie die Urkunden des abgeschlossenen Waffenstillstands, findet man im Polit. J. 701, 705 — 709
und in den Feldzügen von 1806 und 1807, Erster Anhang; Fortsetzung
der Französischen Tagsberichte S. 83, 85, 127, auch in Martens Recueil,
Suppl. IV. 432, 435.

der in Pommern gelandet war, sich unthätig verhalte o).
Also ward dem Morden gewehrt und der erste Schritt zur
Aussöhnung gethan.

Ihm folgte ohne Aufschub der zweite. Es war an eben
dem 25. Junius, der alle Fehde vorläufig endete, früh um
eilf Uhr, als Napoleon und Alexander, umgeben von den
Großen ihrer Reiche, sich, zur Vermeidung aller Förmlichkei-
ten, in der Mitte des Memels, auf einem Flosse, das ein
Zeltdach trug, sprachen.   Die Heere beider Herrscher sahen
frohlockend, an den beiden Ufern, die sie besetzt hielten, das
Unglaubliche vor ihren Augen geschehn, und schöpften gute
Vorbedeutung aus der Vertraulichkeit und der Dauer der
Unterredung *).   Der andre Tag erneute unter demselben
Obdache die Zusammenkunft der zwei Gewalthaber, zu denen
nun als dritter sich Friedrich Wilhelm gesellte; und was
man unmittelbar darauf wahrnahm, ließ nicht zweifeln, daß
ernstlich über den Frieden verhandelt werde und wenigstens
die beiden Kaiser, die hier allein entschieden, sich näher

---

o) Blücher war, gegen Ende des Mais, mit einem kleinen Heerhaufen in Stralsund angekommen und erließ von dort aus am 1. Junius eine Bekanntmachung, in der er sich, als Führer der Preußischen
Völker unter dem Oberbefehle des Königs von Schweden, ankündigte
und alle Preußen aufforderte, sich, bewaffnet oder unbewaffnet, zu seinen Fahnen zu sammeln.   Mit ihm zugleich trat auch Schill wieder
auf und versuchte sich für das Vaterland.   Posselts Annalen IV. 192,
vergl. die Vertr. Briefe III. 225, und die Allgemeine Zeitung S. 699.
834. (Auch Leben des Fürsten Blücher S. 124.)

*) Napoleon erreichte das Floß eher, als Alexander und trat die-
sem entgegen.   Beide umarmten sich in Gegenwart ihrer Heere, welche
die Ufer des Niemen umgaben und deren Zurufen wetteifernd dieses
Vorzeichen des Friedens begrüßte. Alexander, Napoleon anredend, nahm
mit einem einzigen Worte dessen lebhafteste Leidenschaft und mächtigstes
Interesse für sich ein. „Ich hasse die Engländer," sagte er zu ihm, „eben
so sehr, wie Sie sie hassen; ich werde in Allem, was Sie gegen sie unternehmen werden, überall mit Ihnen gemeine Sache machen."   „In
diesem Falle," antwortete Napoleon, „kann Alles sich machen und der
Friede ist geschlossen."   Bignon VI. K. 72, S. 202.

gekommen waren. Das kleine unbedeutende Tilsit, einstwei=
len (so gestattete Napoleon) zugänglich für jeden, ward plötz=
lich bedeutend. Die drei Völkergebieter, die so eben noch in
Feindschaft gelebt hatten, wohnten hier nah zusammen, und
dachten Versöhnung. Krieger aus dem heißen Süden und
dem eiskalten Norden boten sich, alles Hasses vergessend, die,
Hände, bewirtheten einander und tranken auf das Wohl ihrer
Fürsten. Auch die Königin von Preußen erschien am 5. Ju=
lius, eingeholt mit Pracht und die Pracht der Feste meh=
rend. Indeß gingen, mitten unter Geräusch und Jubel, die
Geschäfte des Friedens rasch vorwärts, und die Boten, die
in den letzten Tagen des Junius mit dem Inhalt des verab=
redeten Waffenstillstandes von Tilsit wegeilten, brachten die
frohe Nachricht, daß man an der Beendigung des Krieges
arbeite, frühzeitig auch in die noch bekriegten Länder und
uneroberten Städte p). Eine kurze Geschichte der Leiden und
Schicksale beider wird billig, wo wir sie fallen ließen, wie=
der aufgenommen, und der Meldung des Friedensschlusses
selber vorausgeschickt.

Die ersten Anfälle des Feindes erfuhr Graudenz in der
letzten Nacht des Mais. Eine Bettung, die man auf einer
Weichsel=Insel errichtet hatte, warf mehrere Bomben in den
Bezirk der Festung und die Vertheidiger betrachteten, was
geschah, als Vorspiel und erwarteten den Anfang des ernsten
Kampfes. So sehr indeß wiederholte Versuche gleicher Art
die Befürchtungen von Zeit zu Zeit weckten, so blieben diese
doch ohne Erfolg. Die Unternehmung auf Danzig beeinträch=
tigte die auf Graudenz. An schwerem Geschütz herrschte fort=
während Mangel, und selbst die Arbeiten am rechten Strom=
ufer, wo allein gewirkt werden konnte, gingen nur langsam
vorwärts. Als endlich gegen Ende des Junius alle Vorkehrung

---

p) Der 85ste und 86ste Französische Tagsbericht, oder in den oben
angezogenen Feldzügen von 1806 und 1807 S. 92—94, 107, 108, 112,
vergl. die Allgemeine Zeitung 759.

getroffen und der Gewalt-Angriff eingeleitet war, gelangte die überraschende Kunde, was in Tilsit vorgehe, zuerst zu dem Feinde und bald auch zu den Eingeschlossenen. Da schwiegen die Werkzeuge der Zerstörung und die Feste blieb unverletzt q).

Desto mehr litt und hatte Colberg gelitten. Wenige Tage im Junius waren unblutig für die Krieger und ohne Schrecken für die Bürger vorübergegangen. Mit männlichem Muthe kämpften die Belagerten nicht bloß auf den Wällen, sondern selbst vor den Thoren und schützten nachdrücklich die Außenwerke. Das Verlieren, Nehmen und endliche Aufgeben der einzigen Schanze auf dem Wolfsberge (zwischen dem 11. und 19. Junius) kostete einer Menge von Tapfern r) das Leben, und in der Lauenburger Vorstadt und in der Altstadt, wo der Feind am heftigsten vordrang, focht man unablässig, wie mit großem Ruhme, so mit großem Verluste. Eben dieß Loos traf die Stadt und ihre Einwohner. Auf den Straßen fielen Zerschmetterte und klagten Zerrissene; um die Häuser spielten, oft mehrmals in einem Tage, die Flammen, und verzehrten, wenn auch zeitig gelöscht, der Einzelnen Obdach und Habe. Dennoch war man auch so glücklich genug, die Verbindung mit der See zu erhalten. Immerfort liefen Schiffe aus Königsberg, England und Schweden ein, brachten Pulver, Geschütz und Lebensmittel, verwüsteten vom Strand her die feindlichen Anlagen und führten Kriegsgefangene nach Memel. So viel man auch verloren hatte, war man doch nicht des Sinnes, sich für verloren zu achten s).

---

q) Vertraute Briefe V. 61. u. f.

r) Unter andern dem Französischen Befehlshaber Teulié, demselben, der zuerst die Belagerung leitete. Der 86ste Tagsbericht (Tilsit vom 27. Junius), vergl. die Allgem. Zeitung, 752. 774.

s) Das Vaterland 11. 19. u. f. und das Tagebuch 44 u. f. beide im Einzelnen oft sich widersprechend, im Ganzen zusammenstimmend.

Aber mit dem erſten Tage des Julius erwachte auf eine
unerhörte Weiſe der Kampf. Der Donner des Geſchützes
weckte, ehe noch der Morgen graute, die Bürger aus ihrem
ruhigen Schlummer und ſcheuchte ſie in Gewölbe und Keller.
Die Mai-Kuhle, der Schutz des Hafens, ward bereits um
vier Uhr erſtürmt und, beim Rückzuge der Preußen auf das
rechte Ufer der Perſante, die Vorſtädte Münden und Pfan-
nenſchmieden ein Raub der Flamme. Vergebens richtete ein
Schwediſches Schiff um Mittag an drei hundert Schüſſe
gegen die Mai-Kuhle. Alle Anſtrengung war vergebens,
und kaum vermochte man die Brücke, welche über die Perſante führt, halb abzubrennen. Die Georgen-Kirche in der
Lauenburger Vorſtadt, deren obern Theil man abgetragen
und mit Geſchütz beſetzt hatte, ward durch eine Granate,
die den Pulverkaſten fand, aus einander geſprengt, und alle
Feuerwerker getödtet oder verletzt. Auf die Stadt ſelbſt und
den Wall ergoſſen ſich, wie dichter Regen, Kugeln und
Bomben. Mehrere Stücke ſprangen auf den Werken, andre
wurden zerſchoſſen, und das Feuer ergriff einige der größern
Gebäude, unter andern das Rathhaus, deſſen Weſtſeite mit
den Thürmen, alles Eifers ungeachtet, darniederbrannte.
Kaum vernahm man, vor dem Krachen der Häuſer, dem
Klirren der Fenſter, und dem Angſtgeſchrei der Bewohner,
in der Stadt, was außer ihr vorging. Auch der andere
Tag änderte nichts. Schwarze Dampfwolken hüllten Colberg
und die ganze umliegende Gegend ein. Nach, wie vor,
tobte die Flamme, ohne daß ihr Jemand gebot. Vom
Wolfsberge her bedrohte der Feind vom frühen Morgen an
auch die rechte Seite des Hafens, und es war ſehr zu
fürchten, daß ihm der Angriff gelinge. Ueberhaupt zweifelte
Niemand mehr, daß die Wuth des Geſchoſſes, wenn ſie
nicht ablaſſe, den Ort binnen wenigen Tagen in einen
Aſchenhaufen verwandeln werde, und Noth und Furcht wuch-
ſen ſo ſehr, daß Verzweiflung ſich vieler bemächtigte, als
plötzlich in der dritten Stunde des Nachmittags (den Hart-

bedrängten ein unvergeßlicher Augenblick!) der Unter-Hauptmann von Holleben aus Piktupöhnen anlangte und die Waffenruhe auch hier ankündigte. Trommelschlag in den Straßen
verbreitete sogleich die frohe Botschaft, und wer vermochte,
eilte sofort zum Löschen. Krieger und Bürger durften sich
neben die Besten der alten Zeit stellen. Sechs tausend Vertheidiger hatten sich an vier Monate, zuletzt, als Danzig
gesunken war, gegen vier und zwanzig tausend Feinde gewehrt, zehntausend getödtet, verwundet und gefangen und
selbst über zwei tausend, unter ihnen treffliche Männer,
eingebüßt. Von den Einwohnern, deren Colberg auf einer
Fläche von etwa vierzehn tausend Rheinländischen Ruthen in
acht hundert Häusern höchstens fünftehalb tausend zählt, lagen
sechs und dreißig erschlagen und sechs und vierzig schwer
beschädigt. Auf Wall und Stadt waren an sechs und zwanzig tausend Kugeln und Bomben geworfen worden t).

In Schlesien hatte der Fall von vier Festungen binnen
nicht drei vollen Monaten die Befehlshaber der Gebirgsfesten
so wenig entmuthigt, daß der Feind jetzt erst und von daher
ernstlichen Widerstand erfuhr. Cosel, vor welchem der Baier
Raglowich am 23. Januar erschien, empfand am 4. Februar
die erste Wirkung des feindlichen Feuers und ward von da
an bis zum 5. März, obgleich eintretende Ueberschwemmungen
die Arbeiten unterbrachen, fünf und zwanzig Mal, nie unter
fünf, zuweilen zwölf Stunden anhaltend beschossen. Was
dem Obersten von Neumann, der hier befahl, die Vertheidigung hauptsächlich erschwerte, war theils die Unbrauchbar-
keit der Besatzung, die zwar vier tausend Mann, allein meist
Ausgediente und Neugeworbene zählte, theils und noch mehr
ihr böser Wille. Bei zugefrornen Gräben entliefen oft ganze
Wachen mehrmahls in e i n e r Nacht, und zu Anfang des
Märzes entspann sich sogar eine Verschwörung, die durch

---

t) Das Vaterland II. 26—36 und das Tagebuch 71—77, vergl.
Bürger Nettelbeck S. 42, 43, 53.

ihre Allgemeinheit und die Kühnheit Einzelner gleich furcht=
bar ward. Zum Glück für Cosel berief Napoleon einen
großen Theil des Heerhaufens nach Danzig und Graudenz,
und die Belagerung verwandelte sich seit dem 12. März in
eine Einschließung. Aber dieser Erleichterung ungeachtet,
hatte der standhafte und unerschrockene Neumann und, da
der siebenzigjährige Greis starb, sein Nachfolger, der Oberste
von Puttkammer mit großen und sich stets vergrößernden
Uebeln zu kämpfen. Die Sterblichkeit nahm allmählig so
überhand, daß im Durchschnitte täglich fünfzehn Mann,
manche auf ihren Posten, dahinsanken. Mehrere Arzneimittel
fehlten gänzlich; die Vorräthe in den Speichern gingen aus;
gutes Trinkwasser mangelte ebenfalls, und die einzige Mühle,
deren man sich zur Schrotung des Getreides bediente, war
zerstört. Da unterhandelte endlich, durch so viele Leiden
bestürmt, von Puttkammer und versprach am 18. Junius,
die Thore nach vier Wochen zu öffnen, wenn bis dahin kein
Entsatz anlange v).

Eben so tapfer, wie Cosel, wehrte sich die Festung
Neiße und endigte, doch früher, auf dieselbe Bedingung.
Vor ihr, die, zwischen den Flüssen Neiße und Bielau gele=
gen, des Vortheils der Ueberschwemmung genoß, und über=
dem von Friedrich dem zweiten sehr verbessert und mit der
Bergfeste, Preußen genannt, verstärkt worden war, eröff=
neten die Feinde in der Nacht auf den 2. März die Lauf=
gräben. Wie allen Preußischen Festungen, so fehlte auch
dieser viel zur vollen Bewaffnung. Sie bedurfte an zwölf

---

v) Die besten Nachrichten über die Vertheidigung Cosels hat ein
Augenzeuge, der Hauptmann von Wostrowski, in den Neuen Feuerbrän=
den XVIII. 102 — 111 geliefert und zugleich einen andern Aufsatz in
den Schlesischen Provinzialblättern von 1807 II. 140—145 theils ergänzt,
theils berichtigt. Ueber Neumanns Leben und Benehmen enthalten die=
selben Blätter S. 83 u. f. einige gute Beiträge. Die Bedingungen der
Uebergabe finden sich in einer Beilage zum 86sten Französischen Tags=
bericht (Feldzüge von 1806, 1807, II. S. 102).

tausend Vertheidiger und besaß nicht die Hälfte. Die Zahl
der Feuerwerker insbesondere stand außer allem Verhältniß
zu der Ueberzahl des Geschützes, und unter dem Fußvolk
dienten, wie in Cosel, eine Menge ungeübter Jünglinge
und entkräfteter Alten. Sogar die Vorkehrungen zur Span=
nung des Wassers gehörten nicht zu den wohl unterhaltenen.
Dennoch beschäftigte man selbst mit so unzureichenden Mitteln
die Belagerer drei Monate lang und hätte sie noch länger
beschäftigt, wenn nicht der eintretende Mangel immer fühl=
barer geworden wäre.   Am 1. Junius kam der Preußische
Befehlshaber von Stensen mit dem Französischen Feldherrn
Vandamme überein, daß die Stadt den 16., wenn keine
Hülfe erscheine, überantwortet werden solle.   An hundert und
sechzig tausend Schüsse waren hinaus= und an achtzig tausend
hineingefallen, wenig Gebäude unbeschädigt, mehrere, wie
der Jesuiten schöne Kirche, durch Brand verwüstet x).

Während die Schlesischen Gebirgsfesten so umringt und
bedrängt wurden, sammelte um und zwischen ihnen sich von
neuem ein kleines Heer, das ihre Erhaltung beabsichtigte.
Es ist oben gemeldet worden, wie die Schaar des Fürsten
von Pleß sich auflöste und er selber zurücktrat, wohl fühlend,
daß die Rettung Schlesiens seine Kraft übersteige.   Seitdem
streiften nur noch einzelne Schwärme unter kühnen Abenteu=
rern y) umher, dem Lande mehr schädlich, als nützlich, und
die Gebirgsfesten schienen um desto schneller fallen zu müssen,
je verlassener sie von allem äußern Beistande waren, als der
blutige Tag von Eylau eine Anzahl Würtemberger und Baiern
an die Ufer der Weichsel rief.   Auf diese Verminderung des

---

x) Das Französische Belagerungs=Journal, in einer Beilage zum
86sten Tagsbericht (in den Feldzügen von 1806 und 1807, II. S. 95
u. f.), vergl. die Vertr. Briefe IV. 238 und die Schlesischen Provinzial-
blätter von 1808, I. 450.   Die Bedingungen der Uebergabe liefern der
85ste Französische Tagsbericht in den Feldzügen von 1806, 1807, II. 88
und Martens Recueil, Suppl. IV. 424.

y) Unter Hirschfeld, Rochow und andern.   Vertraute Briefe II.
68 u. f.

Feindes gründete ein Unter-Hauptmann, von Gayl genannt, den Entwurf zu einer neuen Unternehmung, und wendete sich nach Wien an den vormahligen Zugeordneten des Fürsten, den Grafen von Götzen. Dieser, dem die mitgetheilte Ansicht nicht mißfiel, brachte sie vor den König, und da er Eingang fand und den Oberbefehl über ganz Schlesien erhielt, so unterzog er sich selbstthätig der Ausführung und eilte nach Glatz zurück. Der Werberaum (fast ausschließend die Grafschaft) war klein, die Zeit beschränkt, die Umstände nicht günstig. Dennoch bildete sich in kurzem ein bedeutender Kriegshaufe. Einländer sowohl als Ausländer, von gar mannigfaltigen Antrieben geleitet, stellten sich, oft zwanzig in einem Tage, unter die neuen Fahnen, und selbst Männer von Stand bedachten sich nicht als Gemeine zu dienen, wo gesetzlich nur Auszeichnung beförderte. Pferde und Waffen erwarb man sich theils auf Streifzügen in die Ferne, bis tief in die Lausitz, theils durch Ueberraschung kleiner feindlicher Abtheilungen. Bald fühlte man sich stark oder kühn genug Größeres zu wagen z). Am 17. April griff man mit vieler Ueberlegung, wenn auch nicht mit Ueberlegenheit, den Feind an, der die Engen von Wartha besetzt hielt, und hätte sie ihm vielleicht abgewonnen; aber mehrere Rotten Polen warfen, treulos und treu zugleich, die Gewehre von sich und gingen über a).

Der mißlungene Versuch, das geängstigte Neiße von Glatz her zu erleichtern, schreckte jedoch keineswegs von einem zweiten zurück. Es war bekannt, wie schwach das offne Breslau besetzt sei, und es schien nicht unmöglich, diese Schwäche des Feindes vortheilhaft zu benutzen. Zu dem Ende wurde beschlossen, über Landshut, Freiburg und Striegau sich auf Canth und von da auf Breslau zu wenden, dort in Eile alle feindlichen Waffen und Kleidungen wegzu-

---

z) Vertraute Briefe IV. 243 u. f.
a) Allgemeine Zeitung 512, vergl. die Vertrauten Briefe IV. 247.

nehmen, und mit gleicher Schnelligkeit über die Oder auf
Cosel zu gehn. Die den Entwurf begünstigten, zählten darauf,
die Streitkräfte von Neiße abzulenken und zugleich, während
des Zuges, sich ansehnlich zu verstärken und die Verstärkung
zu kleiden und zu bewehren.

So gefährlich es war, ein Unternehmen, wie dieses,
gleichsam unter den Augen des Feindes auszuführen, so sehr
belebte der Anfang. Der kleine Haufe Preußen, etwa tausend fünf hundert Mann stark, gelangte, unter der Leitung
des Oberst-Wachtmeisters von Losthin und des Grafen von
Roggendorf, am Abend des 13. Mais, in die Ebene von
Canth; und ob sie gleich in Freiburg entdeckt und Tags
darauf durch den Feldherrn Lefebvre, von Frankenstein aus,
mit einer Abtheilung Sachsen und Baiern, überfallen wurden,
hatten sie doch das Glück, diesen zurückzuwerfen, mehrere
seiner Leute in das Schweidnitzer Wasser zu sprengen und
Waffen und Geschütz zu erbeuten. Aber auch nur so weit
begünstigte der Erfolg. Lefebvre, der Gefangenschaft kaum
entkommen, sammelte mit unglaublicher Geschwindigkeit neues
Volk aus Schweidnitz und Frankenstein, rief vier hundert
Polnische Uhlanen, die so eben (der Zufall sorgte) aus
Italien in Liegnitz eingetroffen waren, zu Hülfe und harrte,
wohl wissend, daß die Verrathenen ihrem Anschlag auf Breslau entsagen mußten, hinter Freiburg bei Salzbrunn und Adels-
bach. Hier, sei es mit oder ohne Schuld, stieß Losthin am
15. auf die überlegene Macht und verlor alle Früchte des
Sieges. An sechs hundert der Seinen wurden theils getödtet,
theils verwundet, theils mit ihm selber gefangen. Der zerstreute Rest flüchtete über Landshut nach Glatz. In Breslau
fürchteten zwei Tage lang Feinde und Freunde, jene, wie denn
der Ruf alles vergrößert, daß sie überwältiget würden, diese,
daß sie die Verwegenheit von Wenigen theuer büßen möchten b).

---

b) Der Bericht des Grafen von Götzen in den Vertrauten Briefen
II. 220 und die Erzählung IV. 247—255, vergl. den 75sten Französischen
Tagsbericht und das Schreiben aus München in der Allgem. Z. 599.

Seit dem Verlust bei Canth und der Besetzung von Neiße, die an dem vorbestimmten Tage erfolgte, sahen die Preußen sich ganz auf Glatz eingeschränkt, das jetzt, so wie Silberberg, von dem überlegenen Feinde gehütet und beobachtet wurde. Die Festung Glatz, im Neißer-Thale gelegen, erscheint furchtbarer, als sie ist, und hält keine Vergleichung mit Schweidnitz aus. Von hohen Bergen beherrschen zwar kühne Anlagen die Gegend umher auf drittehalb tausend Schritte, aber die Stadt, selbst von einer Bergkette auf dem rechten Neiße-Ufer beherrscht, läuft Gefahr, in einen Aschenhaufen verwandelt zu werden, und mit ihr zugleich müssen die weitläuftigen Werke, die ohne sie und ihre Vorräthe und Kranken-Häuser nicht bestehen mögen, dahinsinken. Da der Graf von Götzen wohl einsah, was er zu fürchten habe, so begann er mit seinem kleinen Haufen sich auf jener Anhöhe zu verschanzen und wies das Anerbieten von Vandamme, und einige Male auch die versuchten Angriffe zurück. Macht und Gegenmacht waren indeß an sich schon zu ungleich, um auf lange Verzögerung des Schicksals zu rechnen, und der Mangel an nöthiger Wachsamkeit wirkte auch hier verderblich. In der Nacht auf den 24. Juni überfiel plötzlich der Feind die Preußen, eroberte das Lager und warf sie in die Festung. Eine neue Aufforderung zur Uebergabe erging, und der Graf von Götzen, bedenkend die Entmuthigung und Schwäche der Seinen, und wie überdem der Schießbedarf kaum noch für zwölf Tage ausreiche, versprach in Frankenstein, daß er, hülflos gelassen, Glatz in vier Wochen ausliefern wolle. Solches war die Lage Schlesiens und seiner drei noch nicht überantworteten Festen, als die frohe Kunde vom Waffenstillstand in ihnen eintraf c).

---

c) Die amtlichen Berichte in der Allgem. Zeit. S. 744, 747, vergl. die Vertr. Briefe III. 203 — 211 und IV. 255 u. f. Die Bedingungen der Uebergabe sind den Feldzügen von 1806, 1807 II. S. 108 und Martens Recueil, Suppl. IV. 427 einverleibt.

Zugleich mit ihr verbreiteten sich die widersprechendsten
Gerüchte über die Bedingungen des Friedens, wie zu ge=
schehen pflegt, wenn die Menschen Großes hoffen und fürch=
ten. Einige wollten wissen, Alexanders ritterliche Offenheit
habe den Kaiser Frankreichs eben so sehr gewonnen, als der
Ernst und die Zurückgezogenheit Friedrich Wilhelms ihn ab=
gewandt. Von der Königin erzählten viele, es sei ihrer
sanften Rede gelungen, des Siegers Strenge zu mildern,
während andere behaupteten, die Aeußerungen der nächsten
Umgebungen Napoleons wären ihr nicht günstig gewesen *).
Unter die Länder, die Preußen einbüßen werde, rechnete
man allgemein die Westphälischen und das schon aufgegebene

---

*) Bignon VI. K. 72. S. 208 bemerkt folgendes: Vielleicht wäre
die Gegenwart der Königin, wenn sie gleich im Anfange der Zusam=
menkunft in Tilsit erschienen wäre, von günstigen Folgen für den Preußi=
schen Staat gewesen, weil damals Napoleon hätte glauben mögen, daß
er um diesen Preis Alexanders Einwilligung erkaufen müsse. Aber von
dem Augenblicke an, wo er sich durch einige Unterhandlungen mit dem
Kaiser von Rußland von dem Eingehen dieses Fürsten in seine An=
sichten überzeugt hatte, ganz unabhängig von dem Schicksale, das Fried=
rich Wilhelm vorbehalten sein mochte, ward die Ankunft der Königin
lästig und befangen, ohne den geringsten Nutzen zu stiften. Es scheint
sogar, als ob ihre Theilnahme an den Verhandlungen nur den Interessen,
welche sie vertheidigen wollte, entgegengesetzte Entschließungen beeilte.
Denn da die Königin wirklich mit großer Kunst in der Unterhaltung
noch nicht entschiedene Punkte zur Sprache brachte, welche sie auf eine
für sich günstige Weise entschieden wünschte, so setzte sie den Kaiser
Napoleon in die doppelte Verlegenheit, entweder eine Strenge zu
zeigen, deren Ausdruck einer flehenden Königin gegenüber stets peinlich
ist, oder wenn er durch weniger entschiedene Worte den Fragen aus=
wich, der Königin einen Vorwand zu geben, daß sie ein halbes Wort
oder gar ein Schweigen für ein Zugeständniß nehme. Deshalb ent=
standen am nächsten Tage Zänkereien über angebliche Versprechen von
gestern, Zänkereien, wobei Alexander mehr als einmal zum Schieds=
richter aufgerufen wurde. Müde dieser Streitigkeiten, beauftragte
Napoleon seine Minister, über die angestrittenen Punkte eisern zu halten
und den Abschluß zu beeilen. Eine längere Verhandlung wäre für des
Königs von Preußen Majestät vielleicht weniger ungünstig ausgefallen.)

Hannover. Von Süd=Preußen vermuthete man, es dürfe, vergrößert durch den Russischen Antheil Polens, an den Groß=Fürsten Constantin kommen und ein eignes Reich bilden. Ueber die andern Besitzungen herrschten getheilte Meinungen, wie über Schlesien, das man bald mit Sachsen verband, bald einem Französischen Prinzen zutheilte, bald dem Könige durch die vermittelnde Gattin zurückgab *). Das Wahre selbst errieth Niemand. So außer aller Berechnung lag der Friede, der am 9. Julius durch Talleyrand, Fürsten von Benevent, und die Grafen Kalkreuth und Golz zu Tilsit zwischen Frankreich und Preußen geschlossen ward und nach seinem Hauptinhalt so lautete d):

Der König von Preußen tritt alle Gebiete. zwischen dem Rhein und der Elbe, unter welchem Namen er sie auch beim Ausbruche des Krieges besaß, an den Kaiser von Frankreich ab und erkennt dessen Bruder, Hieronymus Napoleon, für den rechtmäßigen König des aus ihnen und andern Staaten zu errichtenden Westphälischen Reichs. Eben er verzichtet auf ganz Süd=Preußen, ganz Neu=Ost=Preußen und den südlichen Theil von West=Preußen e), welche Länder sämmtlich, unter dem Namen des Herzogthums Warschau,

---

*) (Daß die Königin auf die Rückgabe Schlesiens Einfluß gehabt zu haben scheint, sagt Bourienne VII. K. 21. S. 255.)

d) Französisch zu lesen im Polit. Journal von 1807 S. 787 und in Martens Recueil, Suppl. IV. 444, deutsch in der Allgem Zeitung S. 847 und in den Feldzügen von 1806, 1807 II. 228, vergl. die Bestimmungen des Tilsiter Tractats, in so fern Preußen als Mit=Contrahent zu betrachten ist, in Vossens Zeiten III. (September) 1807, S. 391.

e) Oder bestimmter, nach dem 13ten Artifel der Urkunde: Le Roi de Prusse rénonce à la possession de toutes les provinces, qui, ayant appartenu au royaume de Pologne, ont postérieurement au 1 Janvier 1772 passé à diverses époques, sous la domination de la Prusse, à l'exception de l'Ermeland et des pays situés à l'ouest de la Vielle-Prusse, à l'est de Culm d'une ligne allant de la Vistule à Schneide-Mühl, par Waldau, en suivant les limites

II. Theil. 22

an den vormaligen Kurfürsten und jetzigen König von Sachsen
fallen, doch mit Ausnahme der zwischen dem Bug, der
Lossasna und Bobra gelegenen Bezirke Bialystock, Bielks
und Drohyczin f), durch die das benachbarte Rußland vergrößert wird. An die erst genannte Macht kehrt nicht minder der Cotbusser Kreis in der Nieder-Lausitz zurück. Die
Stadt Danzig erhält, nebst einem Gebiete von zwei Französischen Meilen, die alte Unabhängigkeit wieder und beherrscht
sich, unter Preußens und Sachsens Schutz, nach eigenen
Gesetzen. Um zwischen Sachsen und Warschau eine stete
und ungehinderte Verbindung zu eröffnen, wird Preußen
den unbeschränkten Gebrauch einer Kriegsstraße durch seine
Staaten zulassen und darüber das Weitere verabreden. Die
Schifffahrt auf der Netze und dem Bromberger Kunstfluß
von Driesen bis an die Weichsel und von da zurück ist zoll-
frei. Dasselbe gilt von der Befahrung des Weichselstroms,
die weder Preußen, noch Sachsen, noch Danzig durch Ver-

---

du cercle de Bromberg et de la chaussée allant de Schneide-Mühl
à Driesen, lesquels, avec la ville et citadelle de Graudenz et les
villages de Neudorf, Gerschken et Swierkorzy continueront d'être
possédés en toute propriété et souveraineté par le Roi de Prusse.

f) Oder, wie die Urkunde im 18ten Artifel sagt: Le territoire
circonscrit par la partie de frontières Russes actuelles, qui s'étend
dépuis le Bug jusqu'à l'embouchure de la Lassosna, et par une
ligne partant de la dite embouchure, et suivant le thalweg de
cette rivière, le thalweg de la Bobra, jusqu'à son embouchure;
le thalweg de la Narew, depuis le point susdit jusqu'à Suradz; de
la Lisa jusqu'à sa source, près le village de Mien; de l'affluent
de la Nurzeck, prenant sa source près le même village; de la
Nurzeck, jusqu'à son embouchure, au-dessus du Nurr; et enfin le
thalweg du Bug, en remontant jusqu'aux frontières Russes actuelles,
sera réuni à perpétuité à l'Empire de Russie. (Oginski versichert
die unzweideutigsten Beweise vor Augen gehabt zu haben, daß Napoleon
die Vereinigung von Warschau und Preußisch-Polen vorgeschlagen habe
II. S. 271. das ist jedoch nicht wahrscheinlich. Vergl. Bignon VI. K.
73 S. 226 f.)

bote und Abgaben erschweren darf. Außer dem Westphäli=
schen Königreich und seinem Beherrscher erkennt Preußen
auch den König, Ludwig von Holland, alle jetzigen und
künftigen Mitglieder des Rheinbundes, die Besitzungen jedes
Einzelnen, und alle ihnen verliehenen und noch zu verlei=
henden Titel an. Von allen, die an den Kriegsereignissen
irgend einigen Antheil genommen haben, soll keiner, so wenig
für sich als in seinen Gütern und Einkünften, leiden, und
dieß für alle Preußischen Lande gelten, für die abgetretenen,
wie für die wiedergegebenen. In beiden werden alle liegen=
den Gründe und alles öffentliche und Familien=Vermögen
in keiner Art Beeinträchtigungen erfahren und die Erfüllung
der eingegangenen Verbindlichkeiten, die auf den erstern haf=
ten, dem neuen Besitzer anheim fallen. Den Brittischen In=
seln verweigert Preußen bis zum nächsten Frieden zwischen
ihnen und Frankreich den Einlaß ihrer Schiffe in seine Hä=
fen und alle Handels=Gemeinschaft.

Als diese Bedingungen kund wurden, erschütterten sie
aller Gemüther. Die den Verlust im Allgemeinen würdigten,
bemerkten, wie der abgeschlossene Friede dem Könige fast
die Hälfte seiner Besitzungen und, rechne man, wie billig,
Hannover mit, mehr, als diese, entreiße g), wie in jedem
Falle, was übrig bleibe, den Erwerb Friedrichs des zweiten
nur um ein weniges übersteige, wie Preußen jetzt zu Frank=
reich, Rußland und Oestreich bedeutungslos dastehe, und
wie es sogar mit den kleinern Mächten Deutschlands, und
namentlich mit dem vergrößerten Sachsen sich fernerhin
nicht mehr messen dürfe. Die das Einzelne auffaßten und
verglichen, fanden des Stoffes zur Betrübniß noch weit
mehr. „Selbst die Kur=Mark, die Wurzel des Preußischen-
Länderstammes, sei durch die Abtrennung der Alt=Mark ver=
letzt. In der Festung Magdeburg habe die Hauptstadt ihre

g) Rechnungen liefern das Polit. J. 11. 820, die Allgem. Zei=
tung von 1811. S. 1360 und mehrere statische Handbücher.

Vormauer und in den zerstörten Wällen von Breslau, Brieg
und Schweidnitz Schlesien seine Bollwerke verloren. Die
erstere, von der Gränze aus in vier und zwanzig Stunden
erreichbar, liege dem Feinde, der über die Elbe dringe,
letzteres dem von der Weichsel heranziehenden offen da. Auch
des eignen Landes Herr und Meister zu sein höre der König
auf, da fremde Krieger Schlesien künftig nach Belieben durchziehen dürften, und er hier dulden müsse, wogegen er sich in
Anspach gesträubt habe. Durch Bialystock und die angränzen-
den Bezirke büße er freilich, genau genommen, nichts ein; dennoch könne es nicht anders als schmerzen, daß man Preußische Besitzungen verwende, um des Königs Freund und
Bundesgenossen zu befriedigen *). Wie sehr demüthige es
endlich, wenn es in dem Frieden zwischen Frankreich und
Rußland von eben diesem Bundesgenossen h) heiße: „Napoleon
gebe einzig aus Achtung für ihn, und um die Aufrichtigkeit
der neuen Freundschaft zu bewähren, einen Theil der eroberten Länder Preußens an ihren vorigen Herrscher zurück."
Solches und ähnliches ward wochenlange in allen Zirkeln,
häuslichen und öffentlichen, verhandelt, oft leidenschaftlich

---

*) (War es der russische Bevollmächtigte, der aus eigenem Antriebe
die Provinz Bialystock forderte (die Rußland eine bessere Begränzung
gewährte) und einem Staatsinteresse die Bedenklichkeiten von Kaiser
Alexanders persönlicher Zartheit aufopferte? Oder war es der französische
Bevollmächtigte, der einen jener so selten verworfenen Anträge machte
und den Kaiser von Rußland dadurch mit Frankreich in gleiches Verhältniß der Plünderung setzte, und zwar einer auf seiner Seite noch
hassenswerteren Plünderung, weil sie seinen Verbündeten traf? Beide
Cabinette können aus sehr verschiedenen Beweggründen denselben Wunsch
gehabt haben. Da der Punkt der Ehre, man mochte es ansehen wie
man wollte, in Bezug auf Rußland einmal nicht völlig unverletzt bleiben
sollte, so mochte sein Cabinet wahrscheinlich sagen, daß Ungerechtigkeiten
sich vergessen lassen, die Schmach vorübergeht und der Besitz bleibt.
Bignon VI. K. 72 S. 210).

h) Im vierten Artikel.

und mit Ausbrüchen ungerechten Unmuths gegen Freund und Feind *).

Bald darauf erließ Friedrich Wilhelm einen Abschied an alle seine Unterthanen jenseits der Elbe und an die Einwohner Danzigs und der abgetretenen Theile des Netz=Bezirks i). Er erklärte, „wie er, der harten Nothwendigkeit weichend, sie von ihren Pflichten gegen sein Haus entbinde, wie er von ihnen scheide, ein Vater von seinen Kindern, wie ihr Andenken ihm ewig theuer seie und der Wunsch für ihr Wohl sie zu ihrem neuen Landesherrn begleiten werde," und erhielt überall freundliche Antwort, die treuherzigste in Plattdeutscher Sprache von dem Nieder=Sächsischen Westphalen k), werth, ihrem Hauptinhalte nach, hier zu stehen. „Das Herz, schrieben sie ihm, wollte uns brechen, als wir deinen Abschied lasen, und wir konnten uns nicht überreden, daß wir aufhören sollten, deine treuen Unterthanen zu sein, wir, die dich immer so lieb hatten. So wahr wir leben, es ist nicht deine Schuld, wenn deine Feldherrn und Räthe nach der Schlacht bei Jena zu angedonnert und verdutzt waren, um die zerstreuten Haufen uns zuzuführen und, mit unsern Lanzenknechten vereint, zum neuen Kampf aufzu=

---

*) Wenn von Seiten Napoleons das Verfahren gegen den König hart ist, so erklärt es sich wenigstens durch eine noch nicht beseitigte Erbitterung. Aber wie konnte Alexander ein Protectorat annehmen, das in so beleidigenden Ausdrücken für seinen Verbündeten und Freund ausgesprochen ist? Wie darf man wenigstens zugeben, daß es in einer Staatsschrift festgesetzt wird, die bestimmt war, öffentlich zu werden? Der Unterdrücker ist sehr zu beschuldigen, oder sein Mitschuldiger! Das Urtheil des Kaisers von Rußland war damals noch sehr wenig ausgebildet, wenn dieser Fürst glauben konnte, daß ein in solcher Weise und unter solchen Formen Preußen zugestandener Schutz für den, der Beschützer, ehrenvoll sein könne. Pignon a. a. O. S. 209. vergl. Lucchesini Rheinbund II. 325).

i) Polit. J. II. 808, Vossens Zeiten IV. (December) 1807 S. 375 und Allgem. Zeitung S. 927.

k) Posselts Annalen für 1807 IV. 219.

rufen. Leib und Leben hätten wir daran gewagt, und das
Vaterland sicher gerettet: denn du mußt wissen, in unsern
Adern fließt noch feurig der alten Cheruskker Blut, und unsre
Lanzenknechte haben Mark in den Knochen, und ihre Seelen
sind noch nicht angefressen. Unsere Weiber säugen selbst ihre
Kinder, unsere Töchter sind keine Modeaffen, und der Zeit-
geist hat über uns seine Pestluft noch nicht ausgegossen.
Indeß können wir dem Eigenwillen des Schicksals nicht ent-
gehen. Lebe wohl, alter guter König! Gott gebe, daß der
Ueberrest deines Landes dich treuere Feldherrn und klügere
Räthe finden lasse, als die waren, die dich betrübten. Ihrem
Rath mußtest du zuweilen wohl folgen: denn du bist nicht
allwissend, wie der große Geist der Welten. Können wir
aufstehen gegen den eisernen Arm des Schicksals? Wir müssen all das mit männlichem Muthe dulden, was nicht in
unserm Vermögen ist zu ändern. Gott steh uns bei!" In
je schlichtere Worte sie die schlichte Empfindung gefaßt hatten, desto allgemeiner ergriff und gefiel sie. Es war nur
eine Stimme, daß die Westphalen gesprochen hätten, wie
die Männer der bessern Zeit, wahr, bieder, kräftig. —
Die Polen entließ (wohl billig) der König nicht. Sie hatten
sich selbst entlassen. Nur die Gemeinen und Unter-Befehlshaber aus dem abgetrennten Süd- und Neu-Ost-Preußen
hieß er in ihre Heimath zurückkehren und die Oberbefehlshaber bei den Kriegs-Behörden ihren Abschied fordern l).

Also endigte der Kampf zwischen Preußen und Frankreich, einzig in der Geschichte, wenn wir bedenken, welcher
Ruf den Ueberwundenen voranging, wie kurz der Widerstand
dauerte, und wie viel der Sieger errang. Ohne Rußland
hätten sieben Wochen über ein Reich entschieden, dessen
Gründung sieben Blutjahre kostete. Jenes Dazwischenkunft
verlängerte den Krieg um sieben Monate; aber nach der
Schlacht bei Friedland war eine schmale Spitze im Norden,

---

l) Laut des königlichen Schreibens in der Allgem. Zeitung S. 927

und ein Winkel im Westen nur noch des Königes Eigen=
thum, und was er wieder erhielt im Frieden, das alleinige
Geschenk des Eroberers, dem dießmal weder ein furchtbares
Heer in der Nähe, noch ein drohendes in der Ferne, noch
die Beachtung irgend eines Verhältnisses Zwang auflegte.
Wie übrigens auch das Benehmen der beiden Verbündeten
gegen einander gewürdigt werde, — nach reiner Schätzung
bleibt es unbezweifelt rühmlich für Friedrich Wilhelm, daß
er nicht durch Undank sich rettete, für Alexandern verzeihlich,
daß er dem ungünstigen Kriegsglück nicht alles opferte. Ob
Oestreich hätte handeln sollen, ist schwer zu sagen, eher aus
den spätern Ereignissen zu begreifen, warum es nicht handelte.
Was es mit allen Gewaltigen von der verhängnißvollen Zeit
lernen konnte, war, daß die Masse ewig todt, lebendig allein
die Kraft und der waltende Geist über alles sei.

Druck:
Customized Business Services GmbH
im Auftrag der KNV-Gruppe
Ferdinand-Jühlke-Str. 7
99095 Erfurt